LEBENSMITTEL	EL	TL
Flüssigkeit	15 ml	5 ml
Backpulver	10 g	3 g
Crème fraîche	15 g	5 g
Gelatine (gem.)	10 g	3 g
Grieß	12 g	3 g
Haferflocken	8 g	2 g
Haselnüsse, ger.	7 g	2 g
Honig	20 g	6 g
Joghurt (3,5% F.)	17 g	6 g
Käse, ger.	8 g	3 g
Kaffee, gem.	6 g	2 g
Kaffee, löslich	3 g	1 g
Kakaopulver	6 g	2 g
Kondensmilch	18 g	6 g
Mandeln, gem.	8 g	3 g
Margarine	10 g	4 g
Mehl (Type 405)	10 g	3 g
Nüsse, gem.	8 g	3 g
Paprikapulver	8 g	2 g
Puderzucker	10 g	3 g

Sugared Flourishes Take the Cake!

Add sparkle to special-occasion desserts, as we did for our Raspberry Ribbon Cake (see Cooking Lesson, page 131), with sugared flowers and fruit.

❧ In small saucepan, bring ½ cup (125 mL) granulated sugar and ⅓ cup (75 mL) water to full rolling boil. Let cool to room temperature.

❧ Dip whole berries or grapes into syrup, letting excess syrup drip back into pan. Roll each in granulated sugar. For flowers, leaves and petals, use small craft brush to coat with syrup, then sprinkle with sugar.

❧ Let dry on waxed paper–lined baking sheet. *(Make-ahead: Cover lightly with plastic wrap and store at room temperature for up to 2 days.)*

LÖFFELMEN

(in einem gestr. Löffel)

Reis	15 g	5 g
Salatmayonnaise	15 g	5 g
Salz	15 g	5 g
Saure Sahne (10% F.)	17 g	6 g
Schlagsahne (30% F.)	15 g	5 g
Schwarzer Tee	6 g	2 g
Semmelbrösel	10 g	3 g
Senf	9 g	3 g
Speiseöl	12 g	4 g
Speisestärke	9 g	3 g
Tomatenketchup	19 g	5 g
Tomatenmark	18 g	5 g
Zimt, gem.	6 g	2 g
Zucker	15 g	5 g

DR. OETKER
BACKEN
MACHT
FREUDE
DAS ORIGINAL

CERES

Vorwort

„Backen macht Freude“ ist seit Jahrzehnten das Standardwerk eines jeden Haushalts!

Mit der Überarbeitung wurde dieses Backbuch um 100 Seiten erweitert. Viele „alte“ Rezepte, die von Verbrauchern vermißt wurden und neue Rezepte aus ganz Deutschland wurden aufgenommen.

Die detaillierten Phasenfotos und die ausführliche Beschreibung der Rezepte garantieren auch dem Ungeübten das sichere Gelingen der Backwerke.
Neueste Erkenntnisse, die in der Dr. Oetker Versuchsküche überprüft wurden, fließen in die überarbeiteten Rezepturen ein.

Ob ein klassischer Marmorkuchen, Obsttörtchen, Mohnstrudel oder Mini-Pizza, lassen Sie sich von dieser vielseitigen Rezeptauswahl inspirieren.
Beim Ausprobieren der Rezepte wünschen wir gutes Gelingen und beim Genießen von Kuchen und Torten guten Appetit.

INHALT

QUARK-ÖL-TEIG

BRANDTEIG

STRUDELTEIG

ZWILLINGSTEIG

BLÄTTERTEIG

EIWEISSGEBÄCK

FETTGEBÄCK

WEIHNACHTSGEBÄCK

BROTTEIG

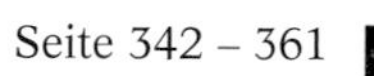

RATGEBER

Notwendige Vorarbeiten

Mehl und Backpulver mischen.
Ist Speisestärke oder Kakao vorgeschrieben, so wird es mit dem Mehl gemischt (Ausnahme Marmorkuchen).

Mehl und Backpulver sieben.
Das Sieben lockert das Mehl auf und verteilt das Backpulver gleichmäßig im Mehl. Das Gebäck wird dadurch besser gelockert.
Vollkornmehl und Backpulver nur mischen. Durch die gröbere Beschaffenheit des Vollkornmehls können sich keine Klümpchen bilden, so daß ein Sieben nicht erforderlich ist.

Für Rührteige die Kuchenformen mit streichfähiger Margarine oder Butter gut und gleichmäßig mit einem Pinsel ausfetten. Kein Öl verwenden, da dieses am Rand der Form herunterlaufen würde.
Die Formen evtl. noch mit Semmelbröseln ausstreuen.
Bei Springformen nur den Boden fetten.

Kastenform evtl. nach dem Fetten mit Papier auslegen, dadurch läßt sich das Gebäck besser aus der Form nehmen und bleibt länger frisch.
Das Papierfutter so herstellen: Den Boden der Form auf Backpapier aufzeichnen, die Form kippen und die Seitenlinien aufzeichnen. So mit allen vier Seiten verfahren. Die Ecken ausschneiden und die Bodenlinien knicken.

Die einzelnen Arbeitsgänge

Die Margarine (Butter) geschmeidig rühren.
Wichtig dabei ist, daß das Fett weder zu flüssig noch zu fest ist. Flüssiges Fett kann überhaupt nicht geschmeidig gerührt werden, zu festes Fett muß vorher weich gemacht werden. Zu diesem Zweck wird die Rührschüssel mit heißem Wasser ausgespült und das Fett tüchtig durchgearbeitet. Das vollkommen streichfähige Fett mit Handrührgerät mit Rührbesen auf höchster Stufe sehr gut geschmeidig rühren.

Den mit Vanillin-Zucker gemischten Zucker nach und nach zu dem geschmeidig gerührten Fett geben.
Dazu den Zucker eßlöffelweise zu dem Fett geben und sorgfältig verrühren.

Bei Verwendung von Honig diesen ebenfalls nach und nach unterrühren.

Die Gewürze (Aromen) hinzufügen.
So lange rühren, bis eine gebundene Masse entstanden ist. Feinkörniger Zucker ist grobkörnigem vorzuziehen, da er sich leichter löst. Bei Verwendung von Honig ist cremiger Honig dem flüssigen Honig vorzuziehen.

Eier hinzugeben.
Jedes Ei in eine Tasse aufschlagen und prüfen, ob es gut ist. Die Eier niemals auf einmal in das mit Zucker (Honig) geschmeidig gerührte Fett geben, da sie sich dann schlecht unterrühren lassen. Jedes Ei jeweils etwa 1/2 Minute unterrühren, bevor das nächste folgt. Wichtig ist, daß die Fett-Zucker-(Honig)-Eiermasse so lange gerührt wird, bis eine gebundene Masse entstanden ist. Zu kalte Eier – Teig gerinnt – Schönheitsfehler.

Das mit Backpulver gemischte, gesiebte Mehl unterrühren.
Das mit Backpulver gemischte, gesiebte Mehl auf mittlerer Stufe unterrühren. Wenn der Teig zu fest ist, etwas Milch hinzufügen. Backpulver darf nicht unmittelbar mit Flüssigkeit in Berührung kommen, da seine Triebkraft sonst vorzeitig ausgelöst würde. Sobald Mehl (evtl. Milch) zum Teig gegeben wurde, nur kurz rühren, da sonst eine unregelmäßige Lockerung des Gebäckes eintritt (Rührblasen). Den fertigen Teig auf mittlerer Stufe durchrühren.

Nur so viel Milch verwenden, daß der Teig schwer-reißend von einem Löffel fällt.
Die notwendige Milchmenge hängt von der Aufnahmefähigkeit des Mehls und der Größe der Eier ab. Der Teig hat die richtige Beschaffenheit, wenn er schwer-reißend vom Löffel fällt. Bei Zugabe von zu viel Milch kann das Gebäck Wasserstreifen erhalten. Eine Ausnahme bilden Rührteige, die sehr viel Fett und Eier und wenig oder keine Flüssigkeit enthalten. Sie können weicher sein, da die rohen Eier im Laufe des Backprozesses durch die Hitze fest werden.

Je nach Rezept Früchte zuletzt unter den Teig rühren.
Früchte unter den Teig auf mittlerer Stufe rühren. Durch zu langes Rühren werden die Früchte zerquetscht und färben den Teig unansehnlich.

Teig in die vorbereitete Form füllen.
Den fertigen Teig (am besten mit einer Teigkarte) in die vorbereitete Form füllen und glattstreichen. Die Formen müssen zu etwa zwei Dritteln mit Teig gefüllt sein.

Das Backen von Rührteigen

Rührteige müssen sofort nach der Zubereitung gebacken werden und zwar nach Angaben unter den Rezepten.
Kuchen in Napfkuchenform erst nach 10 Minuten auf einen Kuchenrost stürzen. Böden aus Obstformen sofort stürzen.

Grundrezept

250 g Margarine	
oder Butter	mit Handrührgerät mit Rührbesen auf höchster Stufe geschmeidig rühren, nach und nach
200 g Zucker	
1 Pck. Vanillin-Zucker	
1 Prise Salz	unterrühren, so lange rühren, bis eine gebundene Masse entstanden ist
5 Eier	nach und nach unterrühren (jedes Ei etwa 1/2 Minute)
500 g Weizenmehl	mit
1 Pck. Backpulver	mischen, sieben, abwechselnd portionsweise mit
etwa 50 ml Milch	auf mittlerer Stufe unterrühren (nur so viel Milch verwenden, daß der Teig schwer-reißend von einem Löffel fällt) den Teig in die vorbereitete Backform (Napfkuchenform Ø 22–24 cm) füllen, auf dem Rost in den Backofen schieben und je nach Rezept backen

o d e r

für eine kleinere Menge

125 g Margarine	
oder Butter	mit Handrührgerät mit Rührbesen auf höchster Stufe geschmeidig rühren, nach und nach
100 g Zucker	
1 Pck. Vanillin-Zucker	
1 Prise Salz	unterrühren, so lange rühren, bis eine gebundene Masse entstanden ist
3 Eier	nach und nach unterrühren (jedes Ei etwa 1/2 Minute)
500 g Weizenmehl	mit
3 gestr. TL Backpulver	mischen, sieben, abwechselnd portionsweise mit
etwa 2 EL Milch	auf mittlerer Stufe unterrühren (nur so viel Milch verwenden, daß der Teig schwer-reißend von einem Löffel fällt) den Teig in die vorbereitete Kastenform (30 x 11 cm) füllen oder auf ein vorbereitetes Backblech streichen.

Marmorkuchen

(Titelfoto)

traditionell

300 g Margarine oder Butter	mit Handrührgerät mit Rührbesen auf höchster Stufe geschmeidig rühren, nach und nach
275 g Zucker	
1 Pck. Vanillin-Zucker	
1 Fläschchen Rum-Aroma	
1 Prise Salz	unterrühren, so lange rühren, bis eine gebundene Masse entstanden ist
5 Eier	nach und nach unterrühren (jedes Ei etwa 1/2 Minute)
375 g Weizenmehl	mit
4 gestr. TL Backpulver	mischen, sieben, abwechselnd portionsweise mit
etwa 3 EL Milch	auf mittlerer Stufe unterrühren (nur so viel Milch verwenden, daß der Teig schwer-reißend von einem Löffel fällt) zwei Drittel des Teiges in eine gefettete Napfkuchenform (Ø 22–24 cm) füllen
20 g Kakaopulver	sieben, mit
20 g Zucker	
2–3 EL Milch	unter den Rest des Teiges rühren, so daß er wieder schwer-reißend vom Löffel fällt den dunklen Teig auf dem hellen Teig verteilen, eine Gabel spiralförmig durch die Teigschichten ziehen, damit ein Marmormuster entsteht
Ober-/Unterhitze	etwa 180 °C (vorgeheizt)
Heißluft	etwa 160 °C (nicht vorgeheizt)
Gas	Stufe 2–3 (nicht vorgeheizt)
Backzeit	50–65 Minuten den erkalteten Kuchen mit
30 g Puderzucker	bestäuben.
Abwandlung	Den Teig in einer gefetteten Kastenform (35 x 11 cm) backen. Nach dem Erkalten aprikotieren. Dafür
4 EL Aprikosenkonfitüre (durch ein Sieb gestrichen)	mit
1 EL Wasser	unter Rühren etwas einkochen lassen, den Kuchen damit bestreichen.

Rehrücken

beliebt

(Foto Seite 10/11)

	Für den Teig
100 g Margarine oder Butter	mit Handrührgerät mit Rührbesen auf höchster Stufe geschmeidig rühren, nach und nach
150 g Zucker **1 Pck. Vanillin-Zucker** **1 Prise Salz**	unterrühren, so lange rühren, bis eine gebundene Masse entstanden ist
3 Eier	nach und nach unterrühren (jedes Ei etwa 1/2 Minute)
100 g geriebene Schokolade	unterrühren
50 g Weizenmehl **1 Pck. Pudding-Pulver Schokolade** **2 gestr. TL Backpulver**	mit mischen, sieben, abwechselnd portionsweise mit
2 EL Milch	auf mittlerer Stufe unterrühren (nur so viel Milch verwenden, daß der Teig schwer-reißend vom Löffel fällt), zuletzt
75 g abgezogene, gemahlene Mandeln	unter den Teig rühren, ihn in eine gefettete Rehrückenform (30 x 11 cm) füllen, glattstreichen
Ober-/Unterhitze	170–200 °C (vorgeheizt)
Heißluft	150–160 °C (nicht vorgeheizt)
Gas	Stufe 2–3 (nicht vorgeheizt)
Backzeit	50–60 Minuten den Kuchen 10 Minuten in der Form stehen lassen, stürzen, erkalten lassen.
	Für den Guß
100 g Zartbitter-Schokolade	in kleine Stücke brechen, mit
20 g Kokosfett	in einem kleinen Topf im Wasserbad bei schwacher Hitze zu einer geschmeidigen Masse verrühren, den erkalteten Kuchen damit überziehen, mit
40 g Mandelstiften	spicken.
Abwandlung	Noch saftiger schmeckt der Rehrücken, wenn er sofort nach dem Backen aprikotiert wird. Dafür
4–5 EL Aprikosenkonfitüre	durch ein Sieb streichen, mit
1 EL Wasser	unter Rühren etwas einkochen lassen, Gebäck sofort bestreichen, erkalten lassen, erst dann mit Guß überziehen.

Saftiger Nußkuchen

zum Vorbereiten

Für den Teig

125 g Margarine oder Butter mit Handrührgerät mit Rührbesen auf höchster Stufe geschmeidig rühren, nach und nach

125 g Zucker
1 Pck. Vanillin-Zucker
1 Beutel Jamaica Rum-Aroma
1 Prise Salz unterrühren, so lange rühren, bis eine gebundene Masse entstanden ist

8 Eigelb nach und nach unterrühren (jedes Eigelb knapp 1/2 Minute)
300 g gemahlene Haselnußkerne mit
50 g gehackten Haselnußkernen
1 gestr. TL Backpulver mischen, abwechselnd in 3 Portionen auf mittlerer Stufe unterrühren

8 Eiweiß steif schlagen, unterheben
den Teig in eine Springform (Ø 26 cm, Boden gefettet, mit Backpapier belegt) füllen

Ober-/Unterhitze etwa 170 °C (vorgeheizt)
Heißluft etwa 150 °C (nicht vorgeheizt)
Gas Stufe 2–3 (nicht vorgeheizt)
Backzeit 45–55 Minuten
Boden aus der Form lösen, stürzen, erkalten lassen.

Für den Guß

250 g Puderzucker sieben, mit
1 EL Rum und so viel
Wasser glattrühren, daß eine dickflüssige Masse entsteht, den Kuchen damit überziehen, Rand und Oberfläche mit

75 g grobgehackten Haselnußkernen bestreuen.

Tip: Anstatt mit Puderzucker kann der Nußkuchen auch mit Vollmilch-Kuvertüre überzogen werden. Es werden dafür etwa 300 g Kuvertüre benötigt.

Apfelkuchen, sehr fein

einfach

	Für den Teig
125 g Margarine oder Butter	mit Handrührgerät mit Rührbesen auf höchster Stufe geschmeidig rühren, nach und nach
125 g Zucker	
1 Pck. Vanillin-Zucker	
1 Prise Salz	
1/2 Fläschchen Zitronen-Aroma	unterrühren, so lange rühren, bis eine gebundene Masse entstanden ist
3 Eier	nach und nach unterrühren (jedes Ei etwa 1/2 Minute)
200 g Weizenmehl	mit
2 gestr. TL Backpulver	mischen, sieben, abwechselnd portionsweise mit
1–2 EL Milch	auf mittlerer Stufe unterrühren (nur so viel Milch verwenden, daß der Teig schwer-reißend vom Löffel fällt) den Teig in eine Springform (Ø 28 cm, Boden gefettet) füllen, glattstreichen.
	Für den Belag
750 g Äpfel	schälen, vierteln, entkernen, mehrmals der Länge nach einritzen, kranzförmig auf den Teig legen, die Äpfel mit
25 g zerlassener Butter	bestreichen, nach Belieben das Ganze mit
40 g Rosinen	bestreuen
Ober-/Unterhitze	etwa 180 °C (vorgeheizt)
Heißluft	etwa 160 °C (nicht vorgeheizt)
Gas	Stufe 2–3 (nicht vorgeheizt)
Backzeit	40–50 Minuten.
	Zum Aprikotieren
2 EL Aprikosenkonfitüre (durch ein Sieb gestrichen)	mit
1 EL Wasser	unter Rühren aufkochen lassen den Kuchen sofort nach dem Backen damit bestreichen.
Abwandlung	Anstelle der Äpfel 600 g entsteinte Schattenmorellen verwenden.

Spiegeleierkuchen

beliebt

Für den Belag

aus

2 Pck. Pudding-Pulver Vanille-Geschmack
80 g Zucker
750 ml (3/4 l) Milch nach Anleitung auf dem Päckchen (aber nur mit 3/4 l Milch) einen Pudding zubereiten, kalt stellen, ab und zu durchrühren.

Für den Teig

150 g Margarine oder Butter mit Handrührgerät mit Rührbesen auf höchster Stufe geschmeidig rühren, nach und nach

150 g Zucker
1 Pck. Vanillin-Zucker
1 Prise Salz unterrühren, so lange rühren, bis eine gebundene Masse entstanden ist

3 Eier nach und nach unterrühren (jedes Ei etwa 1/2 Minute)

300 g Weizenmehl mit

2 gestr. TL Backpulver mischen, sieben, abwechselnd portionsweise mit

2 EL Milch auf mittlerer Stufe unterrühren

den Teig auf ein gefettetes Backblech streichen, vor den Teig einen mehrfach umgeknickten Streifen Alufolie legen

unter den erkalteten Pudding

500 g Crème fraîche rühren, die Masse gleichmäßig auf den Teig streichen (Foto 1)

700 g Aprikosen (aus der Dose) abtropfen lassen, 500 ml (1/2 l) Saft abmessen, die Aprikosen mit der Wölbung nach oben auf dem Pudding verteilen (Foto 2)

Ober-/Unterhitze 170–200 °C (vorgeheizt)
Heißluft 150–170 °C (nicht vorgeheizt)
Gas Stufe 3–4 (vorgeheizt)
Backzeit etwa 30 Minuten

das Gebäck erkalten lassen.

(Fortsetzung S. 24)

Für den Guß

2 Pck. Tortenguß, klar 50 g Zucker 500 ml ($1/2$ l) Aprikosensaft	nach Anleitung auf dem Päckchen zubereiten, auf dem Belag verteilen (Foto 3), fest werden lassen.

Englischer Kuchen

traditionell

100 g Margarine oder Butter	mit Handrührgerät mit Rührbesen auf höchster Stufe geschmeidig rühren, nach und nach
150 g Zucker 1 Pck. Vanillin-Zucker $1/2$ Fläschchen Zitronen-Aroma 1 Prise Salz	unterrühren, so lange rühren, bis eine gebundene Masse entstanden ist
2 Eier	nach und nach unterrühren (jedes Ei etwa $1/2$ Minute)
250 g Weizenmehl	mit
2 gestr. TL Backpulver	mischen, sieben, abwechselnd portionsweise mit
125 ml ($1/8$ l) Schlagsahne	auf mittlerer Stufe unterrühren
150 g Rosinen 150 g Korinthen 50 g feingewürfeltes Zitronat (Sukkade) 50 g kleingeschnittene kandierte Kirschen	vorsichtig auf mittlerer Stufe unter den Teig rühren, den Teig in eine gefettete, mit Backpapier ausgelegte Kastenform (30 x 11 cm) füllen
Ober-/Unterhitze	170–200 °C (vorgeheizt)
Heißluft	160–170 °C (nicht vorgeheizt)
Gas	Stufe 2–3 (nicht vorgeheizt)
Backzeit	etwa 80 Minuten.

Getränkter Orangenkuchen

raffiniert

	Für den Teig
350 g Margarine oder Butter	mit Handrührgerät mit Rührbesen auf höchster Stufe geschmeidig rühren, nach und nach
300 g Zucker 1 Pck. Vanillin-Zucker abgeriebene Schale von 1 Orange (unbehandelt) und 1/2 Zitrone (unbehandelt) 1 Prise Salz	hinzufügen, so lange rühren, bis eine gebundene Masse entstanden ist
6 Eier	nach und nach unterrühren (jedes Ei etwa 1/2 Minute)
350 g Weizenmehl	mit
50 g Speisestärke 2 gestr. TL Backpulver	mischen, sieben, portionsweise auf mittlerer Stufe unterrühren den Teig in eine gefettete Springform mit Rohrboden (Ø 26 cm) füllen
Ober-/Unterhitze	etwa 170 °C (vorgeheizt)
Heißluft	etwa 150 °C (nicht vorgeheizt)
Gas	Stufe 2–3 (nicht vorgeheizt)
Backzeit	etwa 80 Minuten den Kuchen aus der Form lösen, stürzen, mehrmals mit einem Holzstäbchen einstechen.
	Zum Tränken
200 ml Orangensaft	mit
etwa 3 EL Zitronensaft	durch ein Sieb geben, mit
50 g Zucker	verrühren, den noch heißen Kuchen damit tränken (mit Hilfe eines Pinsels).
Tip	Die Saftflüssigkeit zum Tränken mit 1–2 Eßlöffeln Arrak verfeinern (dafür etwas weniger Orangensaft nehmen).

Ottilienkuchen

250 g Margarine oder Butter	mit Handrührgerät mit Rührbesen auf höchster Stufe geschmeidig rühren, nach und nach
200 g Zucker	
1 Pck. Vanillin-Zucker	
1/2 Fläschchen Rum-Aroma	
1 Prise Salz	unterrühren, so lange rühren, bis eine gebundene Masse entstanden ist
4 Eier	nach und nach unterrühren (jedes Ei etwa 1/2 Minute)
200 g Weizenmehl	mit
50 g Speisestärke	
1 gestr. TL Backpulver	mischen, sieben, portionsweise auf mittlerer Stufe unterrühren
100 g Schokolade	kleinschneiden, mit
100 g abgezogenen, gemahlenen Mandeln	
50 g feingewürfeltem Zitronat (Sukkade)	vorsichtig auf mittlerer Stufe unter den Teig rühren, ihn in eine gefettete, mit Backpapier ausgelegte Kastenform (30 x 11 cm) füllen
Ober-/Unterhitze	160–180 °C (vorgeheizt)
Heißluft	150–160 °C (nicht vorgeheizt)
Gas	Stufe 2–3 (nicht vorgeheizt)
Backzeit	65–75 Minuten
	den Kuchen aus der Form nehmen, erkalten lassen, mit
Puderzucker	bestäuben.

Königskuchen

300 g Margarine oder Butter	mit Handrührgerät mit Rührbesen auf höchster Stufe geschmeidig rühren, nach und nach
250 g Zucker	
1 Pck. Vanillin-Zucker	
1/2 Fläschchen Zitronen-Aroma oder 1 Fläschchen Rum-Aroma	
1 Prise Salz	unterrühren, so lange rühren, bis eine gebundene Masse entstanden ist
5 Eier	nach und nach unterrühren (jedes Ei etwa 1/2 Minute)
500 g Weizenmehl	mit
4 gestr. TL Backpulver	mischen, sieben, abwechselnd portionsweise mit
2–3 EL Milch	auf mittlerer Stufe unterrühren (nur so viel Milch verwenden, daß der Teig schwer-reißend von einem Löffel fällt)
250 g Rosinen	
50 g feingewürfeltes Zitronat (Sukkade)	

(Fortsetzung S. 28)

50 g Belegkirschen (in Stücke geschnitten)	vorsichtig auf mittlerer Stufe unter den Teig rühren, ihn in eine gefettete, mit Backpapier ausgelegte Kastenform (35 x 11 cm) füllen
Ober-/Unterhitze	160–180 °C (vorgeheizt)
Heißluft	140–150 °C (nicht vorgeheizt)
Gas	Stufe 2–3 (nicht vorgeheizt)
Backzeit	etwa 80 Minuten.

Krümelkuchen mit Apfelfüllung

einfach

	Für den Teig
250 g Margarine oder Butter	mit Handrührgerät mit Rührbesen auf höchster Stufe geschmeidig rühren, nach und nach
200 g Zucker	
1 Pck. Vanillin-Zucker	unterrühren, so lange rühren, bis eine gebundene Masse entstanden ist
1 Ei	unterrühren (etwa 1/2 Minute)
500 g Weizenmehl	mit
1 Pck. Backpulver	mischen, sieben, die Hälfte portionsweise auf mittlerer Stufe unterrühren, den Rest des Mehls auf den Teig geben, mit Handrührgerät mit Knethaken zu einer krümeligen Masse verarbeiten.
	Für die Füllung
1 1/2–2 kg Äpfel	schälen, vierteln, entkernen, in kleine Stücke schneiden, mit
1 EL Wasser	
150 g Zucker	
30 g Butter	
1 Msp. gemahlenem Zimt	
75 g Rosinen	unter Rühren dünsten, erkalten lassen, evtl. noch mit
Zucker	abschmecken
	die Hälfte des Teiges auf ein gefettetes Backblech geben, gut andrücken, an den Rändern etwa 1/2 cm hochdrücken, vor den Teig einen mehrfach umgeknickten Streifen Alufolie legen
	die Füllung gleichmäßig auf den Teig streichen, mit den restlichen Krümeln bestreuen
Ober-/Unterhitze	170–200 °C (vorgeheizt)
Heißluft	160–170 °C (nicht vorgeheizt)
Gas	Stufe 3–4 (nicht vorgeheizt)
Backzeit	35–45 Minuten.

Rodonkuchen

	Für den Teig
250 g Margarine oder Butter	mit Handrührgerät mit Rührbesen auf höchster Stufe geschmeidig rühren, nach und nach
200 g Zucker **1 Pck. Vanillin-Zucker** **1 Prise Salz**	unterrühren, so lange rühren, bis eine gebundene Masse entstanden ist
5 Eier	nach und nach unterrühren (jedes Ei etwa ½ Minute)
500 g Weizenmehl	mit
1 Pck. Backpulver	mischen, sieben, abwechselnd portionsweise mit
etwa 50 ml Milch	auf mittlerer Stufe unterrühren (nur so viel Milch verwenden, daß der Teig schwer-reißend von einem Löffel fällt)
150 g Korinthen **150 g Rosinen**	vorsichtig auf mittlerer Stufe unter den Teig rühren, ihn in eine gefettete Napfkuchenform (Ø 22–24 cm) füllen
Ober-/Unterhitze	etwa 180 °C (vorgeheizt)
Heißluft	etwa 160 °C (nicht vorgeheizt)
Gas	Stufe 2–3 (nicht vorgeheizt)
Backzeit	50–60 Minuten den Kuchen 10 Minuten in der Form stehen lassen, stürzen, erkalten lassen.
	Für den Guß (nach Belieben)
200 g Puderzucker	mit
30 g Kakaopulver	mischen, sieben, mit
3 EL heißem Wasser	glatt rühren, so daß eine dickflüssige Masse entsteht
25 g Kokosfett	zerlassen, unterrühren den erkalteten Kuchen damit überziehen.

Sandkuchen

250 g Margarine oder Butter	zerlassen, in eine Rührschüssel geben, kalt stellen das wieder festgewordene Fett mit Handrührgerät mit Rührbesen auf höchster Stufe zu einer weißcremigen Masse rühren, nach und nach
200 g Zucker **1 Pck. Vanillin-Zucker** **1 Prise Salz** **einige Tropfen Zitronen-Aroma**	unterrühren, so lange rühren, bis eine gebundene Masse entstanden ist

(Fortsetzung S. 30)

4 Eier	nach und nach unterrühren (jedes Ei etwa 1/2 Minute)
125 g Weizenmehl	mit
125 g Speisestärke	
1/2 gestr. TL Backpulver	mischen, sieben, portionsweise auf mittlerer Stufe unterrühren den Teig in eine gefettete, mit Backpapier ausgelegte Kastenform (30 x 11 cm) füllen
Ober-/Unterhitze	160–180 °C (vorgeheizt)
Heißluft	etwa 150 °C (nicht vorgeheizt)
Gas	Stufe 2–3 (nicht vorgeheizt)
Backzeit	65–75 Minuten
	den Kuchen aus der Form nehmen, erkalten lassen.

Napfkuchen mit Quark

125 g Margarine oder Butter	mit Handrührgerät mit Rührbesen auf höchster Stufe geschmeidig rühren, nach und nach
6 EL Speiseöl	
150 g Zucker	
1 Pck. Vanillin-Zucker	
5 Tropfen Butter-Vanille-Aroma	
1 Prise Salz	unterrühren, so lange rühren, bis eine gebundene Masse entstanden ist
2 Eier	nach und nach unterrühren (jedes Ei etwa 1/2 Minute)
250 g Magerquark	unterrühren
375 g Weizenmehl	mit
1 Pck. Backpulver	mischen, sieben, abwechselnd portionsweise mit
5 EL Milch	auf mittlerer Stufe unterrühren
100 g Rosinen	
150 g getrocknete Aprikosen (in kleine Stücke geschnitten)	beide Zutaten vorsichtig auf mittlerer Stufe unter den Teig rühren, ihn in eine gefettete, mit
Semmelbröseln	ausgestreute Napfkuchenform (Ø 22–24 cm) füllen
Ober-/Unterhitze	etwa 180 °C (vorgeheizt)
Heißluft	etwa 160 °C (nicht vorgeheizt)
Gas	Stufe 2–3 (nicht vorgeheizt)
Backzeit	etwa 1 Stunde
	den Kuchen 10 Minuten in der Form stehen lassen, stürzen, erkalten lassen, mit
30 g Puderzucker	bestäuben.

Donauwellen

für Kinder/beliebt

	Für den Teig
250 g Margarine oder Butter	mit Handrührgerät mit Rührbesen auf höchster Stufe geschmeidig rühren, nach und nach
200 g Zucker **1 Pck. Vanillin-Zucker** **1 Prise Salz**	unterrühren, so lange rühren, bis eine gebundene Masse entstanden ist
5 Eier	nach und nach unterrühren (jedes Ei etwa 1/2 Minute)
375 g Weizenmehl	mit
3 gestr. TL Backpulver	mischen, sieben, portionsweise auf mittlerer Stufe unterrühren knapp 2/3 des Teiges auf ein gefettetes Backblech streichen
20 g Kakaopulver	sieben, mit
1 EL Milch	unter den restlichen Teig rühren, gleichmäßig auf dem hellen Teig verteilen vor den Teig einen mehrfach umgeknickten Streifen Alufolie legen
etwa 700 g entsteinte Sauerkirschen (aus dem Glas)	gut abtropfen lassen, auf dem dunklen Teig verteilen
Ober-/Unterhitze	170–200 °C (vorgeheizt)
Heißluft	150–170 °C (nicht vorgeheizt)
Gas	Stufe 3–4 (vorgeheizt)
Backzeit	35–40 Minuten das Gebäck auskühlen lassen.
	Für die Buttercreme
	aus
1 Pck. Pudding-Pulver Vanille-Geschmack **100 g Zucker** **500 ml (1/2 l) Milch**	nach Anleitung auf dem Päckchen einen Pudding zubereiten, kalt stellen, ab und zu durchrühren
250 g weiche Butter	geschmeidig rühren den erkalteten Pudding eßlöffelweise darunter rühren (darauf achten, daß weder Butter noch Pudding zu kalt sind, da dann die sogenannte Gerinnung eintritt) die erkaltete Gebäckplatte gleichmäßig mit der Buttercreme bestreichen, kalt stellen.
	Für den Guß
200 g Zartbitter-Schokolade	in kleine Stücke brechen, mit
20 g Kokosfett	in einem kleinen Topf im Wasserbad bei schwacher Hitze zu einer geschmeidigen Masse verrühren, den Guß auf die festgewordene Buttercreme streichen, mit Hilfe eines Tortenkammes verzieren.

Frühlingstorte

gut vorzubereiten

	Für den Teig
250 g Margarine oder Butter	mit Handrührgerät mit Rührbesen auf höchster Stufe geschmeidig rühren, nach und nach
250 g Zucker 1 Pck. Vanillin-Zucker	unterrühren, so lange rühren, bis eine gebundene Masse entstanden ist
5 Eier	nach und nach unterrühren (jedes Ei etwa 1/2 Minute)
250 g Weizenmehl	mit
2 gestr. TL Backpulver	mischen, sieben, portionsweise auf mittlerer Stufe unterrühren, den Teig in eine Springform (Ø 26 cm, Boden gefettet) füllen
Ober-/Unterhitze	etwa 180 °C (vorgeheizt)
Heißluft	etwa 160 °C (nicht vorgeheizt)
Gas	Stufe 2–3 (nicht vorgeheizt)
Backzeit	etwa 40 Minuten
	den Boden aus der Form lösen, gut auskühlen lassen.
	Für die Füllung
500 g Magerquark	mit
3 EL Zitronensaft	verrühren
500 ml (1/2 l) Schlagsahne	1/2 Minute schlagen
50 g Zucker	mit
2 Pck. Sahnesteif	mischen, einstreuen, die Sahne steif schlagen, den Quark vorsichtig unterheben
	den Tortenboden zweimal durchschneiden, den unteren Boden mit der Hälfte von
4 EL Johannisbeergelee	und 1/3 der Quarksahne bestreichen, den mittleren Boden darauf legen, mit dem Rest Johannisbeergelee und der Hälfte der übrigen Quarksahne bestreichen, den oberen Boden darauf legen, Rand und obere Seite mit der restlichen Quarksahne bestreichen, den Rand der Torte mit
etwa 50 g gehackten Pistazienkernen oder abgezogenen, gehackten gebräunten Mandeln	bestreuen
	12 oder 16 Blüten der Jahreszeit entsprechend als Papierschablonen schneiden, auf die Torte legen
2 TL Kakaopulver	mit
2 TL gesiebtem Puderzucker	mischen, die Torte damit bestäuben, die Schablonen vorsichtig abheben.
Tip	Diese Torte können Sie auch als Ostertorte Ihren Gästen anbieten. Dazu die Torte mit Schokoladeneiern oder Fondant garnieren.

Zitronen-Duchesse

für Gäste

Für den Teig

50 g Margarine oder Butter	
100 g Marzipan-Rohmasse	
2 Eigelb	mit Handrührgerät mit Rührbesen auf höchster Stufe geschmeidig rühren, nach und nach
100 g gesiebten Puderzucker	
1 Pck. Vanillin-Zucker	
abgeriebene Schale von	
1 Zitrone (unbehandelt)	unterrühren, so lange rühren, bis eine gebundene Masse entstanden ist (etwa 3 Minuten)
100 g Weizenmehl	sieben, abwechselnd mit
2 EL Milch	auf mittlerer Stufe unterrühren
2 Eiweiß	steif schlagen, unterziehen
	den Teig in einen Spritzbeutel mit kleiner Lochtülle füllen, kleine flache Plätzchen nicht zu dicht nebeneinander auf ein gefettetes Backblech spritzen (Foto 1)
Ober-/Unterhitze	etwa 170 °C (vorgeheizt)
Heißluft	etwa 160 °C (nicht vorgeheizt)
Gas	Stufe 2–3 (vorgeheizt)
Backzeit	10–12 Minuten
	die Hälfte der erkalteten Plätzchen auf der Unterseite mit
etwa 3 EL verrührtem	
Zitronengelee	bestreichen (Foto 2), mit den übrigen Plätzchen bedecken.

Für den Guß

150 g Halbbitter-Kuvertüre	in Stücke schneiden, mit
25 g Kokosfett	in einem kleinen Topf im Wasserbad bei schwacher Hitze zu einer geschmeidigen Masse verrühren, die Plätzchen zur Hälfte hineintauchen (Foto 3).

Schneetorte

für Gäste

	Für den Teig
100 g Margarine oder Butter	mit Handrührgerät mit Rührbesen auf höchster Stufe geschmeidig rühren, nach und nach
100 g Zucker	
1 Pck. Vanillin-Zucker	
1 Prise Salz	unterrühren, so lange rühren, bis eine gebundene Masse entstanden ist
4 Eigelb	nach und nach unterrühren (jedes Eigelb knapp 1/2 Minute)
125 g Weizenmehl	mit
1/2 gestr. TL Backpulver	mischen, sieben, portionsweise auf mittlerer Stufe unterrühren.
	Für den Belag
4 Eiweiß	steif schlagen, nach und nach
200 g feinkörnigen Zucker	unterschlagen für 2 Böden jeweils die Hälfte des Teiges auf einen gefetteten Springformboden (Ø 28 cm) streichen, die Hälfte des Eischnees darauf verteilen, mit der Hälfte von
100 g abgezogenen, gehobelten Mandeln	bestreuen jeden Boden mit Springformrand backen
Ober-/Unterhitze	etwa 180 °C (vorgeheizt)
Heißluft	etwa 160 °C (nicht vorgeheizt)
Gas	Stufe 2–3 (vorgeheizt)
Backzeit	für jeden Boden etwa 20 Minuten die Böden sofort nach dem Backen vom Springformboden lösen, einzeln auf einem Kuchenrost erkalten lassen.
	Für die Füllung
375–500 g Stachelbeeren (aus dem Glas)	zum Abtropfen auf ein Sieb geben, von dem Saft 250 ml (1/4 l) abmessen Guß aus
1 Pck. Tortenguß, klar	
25 g Zucker	und dem abgemessenen Saft nach Anleitung zubereiten, die Stachelbeeren unterrühren, die Masse abkühlen lassen
500 ml (1/2 l) Schlagsahne	mit
2 Pck. Sahnesteif	
2 TL Zucker	nach Anleitung steif schlagen einen Boden zunächst mit der Stachelbeermasse und dann mit der Sahnemasse bestreichen den anderen Boden in 16 Stücke schneiden, auf die Sahnemasse legen.

Obsttorte

schnell

Für den Teig

100 g Margarine oder Butter	mit Handrührgerät mit Rührbesen auf höchster Stufe geschmeidig rühren, nach und nach
100 g Zucker	
1 Pck. Vanillin-Zucker	
1 Prise Salz	unterrühren, so lange rühren, bis eine gebundene Masse entstanden ist
2 Eier	nach und nach unterrühren (jedes Ei etwa 1/2 Minute)
100 g Weizenmehl	mit
1 Msp. Backpulver	mischen, sieben, portionsweise auf mittlerer Stufe unterrühren, den Teig in eine gut gefettete Obstform (Ø 28 cm) oder in gefettete Tortelettförmchen füllen, glattstreichen
Ober-/Unterhitze	170–200 °C (vorgeheizt)
Heißluft	160–180 °C (nicht vorgeheizt)
Gas	Stufe 3–4 (nicht vorgeheizt)
Backzeit	20–25 Minuten.

Für den Belag

1 kg rohes Obst (z.B. Erdbeeren, Brombeeren, Himbeeren, Johannisbeeren, Heidelbeeren, Weintrauben)	waschen (Himbeeren nur verlesen), gut abtropfen lassen, entstielen, verlesen oder schälen, halbieren oder in Scheiben schneiden, mit
Zucker	bestreuen, kurze Zeit stehen lassen
oder beliebiges gedünstetes oder eingemachtes Obst	abtropfen lassen, die Früchte auf den Tortenboden legen.

Für den Tortenguß

1 Pck. Tortenguß	
Zucker nach Angabe auf dem Tortenguß-Päckchen	
250 ml (1/4 l) Wasser	
oder Fruchtsaft	nach Anleitung auf dem Päckchen zubereiten, auf das Obst geben.

Himmelstorte

für Gäste

Für den Teig

250 g Margarine oder Butter	mit Handrührgerät mit Rührbesen auf höchster Stufe geschmeidig rühren, nach und nach
200 g Zucker	
1 Pck. Vanillin-Zucker	
1 Prise Salz	unterrühren, so lange rühren, bis eine gebundene Masse entstanden ist
5 Eigelb	nach und nach unterrühren (jedes Eigelb knapp 1/2 Minute)
250 g Weizenmehl	mit
2 gestr. TL Backpulver	mischen, sieben, portionsweise auf mittlerer Stufe unterrühren.

Für den Belag

5 Eiweiß	steif schlagen
1 EL Zucker	unterschlagen für 4 Böden jeweils 2 Eßlöffel des Teiges auf einen gefetteten Springformboden (Ø 28 cm) streichen (darauf achten, daß die Teiglage am Rand nicht zu dünn ist, damit der Boden dort nicht zu dunkel wird) ein Viertel von dem Eischnee gleichmäßig auf jeden Boden verteilen
40 g Zucker	mit
etwas gemahlenem Zimt	mischen, ein Viertel davon und ein Viertel von
100 g abgezogenen, gehobelten Mandeln	auf jeden Teigboden streuen, jeden Boden ohne Springformrand backen, bis er hellbraun ist
Ober-/Unterhitze	170–200 °C (vorgeheizt)
Heißluft	160–170 °C (nicht vorgeheizt)
Gas	Stufe 3–4 (vorgeheizt)
Backzeit	15–20 Minuten die Böden sofort nach dem Backen mit Springformboden auf einen Kuchenrost legen, etwas abkühlen lassen, erst dann vom Springformboden lösen, erkalten lassen.

Für die Füllung

500 g Johannisbeeren	waschen, gut abtropfen lassen, abstreifen, mit
125 g gesiebtem Puderzucker	bestreuen
500 ml (1/2 l) Schlagsahne	1/2 Minute schlagen
3 Pck. Sahnesteif	einstreuen, die Sahne steif schlagen, die Johannisbeeren unter die Sahne heben, die einzelnen Böden mit der Füllung bestreichen, zu einer Torte zusammensetzen, die oberste Schicht soll aus einem Boden bestehen.
Abwandlung	Die Füllung kann auch mit Himbeeren zubereitet werden, dann aber nur 50 g Puderzucker verwenden.

Prinzregententorte

für Gäste

Für den Teig

250 g Margarine oder Butter mit Handrührgerät mit Rührbesen auf höchster Stufe geschmeidig rühren, nach und nach

250 g Zucker
1 Pck. Vanillin-Zucker
1 Prise Salz unterrühren, so lange rühren, bis eine gebundene Masse entstanden ist

4 Eier nach und nach unterrühren (jedes Ei etwa 1/2 Minute)

200 g Weizenmehl mit
50 g Speisestärke
1 gestr. TL Backpulver mischen, sieben, portionsweise auf mittlerer Stufe unterrühren
aus dem Teig 8 Böden backen
dazu etwa 2 Eßlöffel des Teiges jeweils auf einen Springformboden (Ø etwa 28 cm, Boden gefettet, mit Backpapier belegt) streichen (darauf achten, daß die Teiglage am Rand nicht zu dünn ist, damit der Boden dort nicht zu dunkel wird), jeden Boden ohne Springformrand hellbraun backen

Ober-/Unterhitze 170–200 °C (vorgeheizt)
Heißluft 160–170 °C (nicht vorgeheizt)
Gas Stufe 3–4 (vorgeheizt)
Backzeit für jeden Boden 8–10 Minuten
die Böden sofort nach dem Backen vom Springformboden lösen, einzeln auf einem Kuchenrost erkalten lassen.

Für die Buttercreme

aus

1 Pck. Pudding-Pulver Schokolade
100 g Zucker
500 ml (1/2 l) Milch nach Anleitung auf dem Päckchen (aber mit 100 g Zucker) einen Pudding zubereiten, kalt stellen, ab und zu durchrühren

250 g Butter geschmeidig rühren, den Pudding eßlöffelweise darunter geben (darauf achten, daß weder Butter noch Pudding zu kalt sind, da dann die sogenannte Gerinnung eintritt)
die einzelnen Böden mit der Buttercreme bestreichen, zu einer Torte zusammensetzen, die oberste Schicht soll aus einem Boden bestehen.

Für den Guß

150 g Schokolade in kleine Stücke brechen, mit
25 g Kokosfett in einem kleinen Topf im Wasserbad bei schwacher Hitze zu einer geschmeidigen Masse verrühren, die Torte damit überziehen.

Tip: Etwas von der Buttercreme in einen Spritzbeutel füllen, die Torte damit verzieren, mit Schokoladenplätzchen garnieren.

Sachertorte

traditionell

	Für den Teig
160 g Zartbitter-Schokolade	in kleine Stücke brechen, in einem kleinen Topf im Wasserbad bei schwacher Hitze zu einer geschmeidigen Masse verrühren
160 g Margarine oder Butter	mit Handrührgerät mit Rührbesen auf höchster Stufe geschmeidig rühren, nach und nach
160 g Zucker	
1 Pck. Vanillin-Zucker	unterrühren, so lange rühren, bis eine gebundene Masse entstanden ist
1/4 Tsp. Gingerbread spice	
6 Eigelb	nach und nach unterrühren (jedes Eigelb knapp 1/2 Minute), Schokolade,
~~**100 g Semmelbrösel**~~	auf mittlerer Stufe unterrühren
75 g Mehl	
75 g Haselnuss	
6 Eiweiß	steif schlagen, unterheben
	den Teig in eine Springform (Ø 26 cm, Boden gefettet, mit Backpapier belegt) füllen
Ober-/Unterhitze	etwa 170 °C (vorgeheizt)
Heißluft	etwa 150 °C (nicht vorgeheizt)
Gas	Stufe 2–3 (nicht vorgeheizt)
Backzeit	etwa 45 Minuten
	den Tortenboden aus der Form lösen, stürzen, erkalten lassen, einmal durchschneiden (Foto 1)
	den unteren Boden mit
125 g Aprikosenkonfitüre	bestreichen (Foto 2), mit dem oberen Boden bedecken.

	Für den Guß
30 g Zucker	mit
3 EL Wasser	so lange kochen lassen, bis sich der Zucker gelöst hat
100 g Zartbitter-Schokolade	in kleine Stücke brechen, hinzufügen, so lange rühren, bis der Guß glänzt, den erkalteten Kuchen damit überziehen, wenn der Guß etwas fest geworden ist, die Torte in Stücke einteilen (Foto 3).
Beigabe	Angeschlagene Schlagsahne.

Zitronen-Quark-Sahnetorte

für Gäste

	Für den Teig
150 g Margarine oder Butter	mit Handrührgerät mit Rührbesen auf höchster Stufe geschmeidig rühren, nach und nach
150 g Zucker	
1 Pck. Vanillin-Zucker	
1 Prise Salz	unterrühren, so lange rühren, bis eine gebundene Masse entstanden ist
3 Eier	nach und nach unterrühren (jedes Ei etwa ½ Minute)
125 g Weizenmehl	mit
25 g Speisestärke	
1 gestr. TL Backpulver	mischen, sieben, portionsweise auf mittlerer Stufe unterrühren, den Teig in eine Springform (Ø 28 cm, Boden gefettet) füllen, glattstreichen
Ober-/Unterhitze	etwa 180 °C (vorgeheizt)
Heißluft	etwa 160 °C (nicht vorgeheizt)
Gas	Stufe 2–3 (nicht vorgeheizt)
Backzeit	25–30 Minuten den Boden aus der Form lösen, erkalten lassen, einmal durchschneiden.
	Für die Füllung
2 Pck. gemahlene Gelatine, weiß	mit
8 EL kaltem Wasser	in einem kleinen Topf anrühren, 10 Minuten zum Quellen stehen lassen
8 EL Zitronensaft	mit
150 g Zucker	
1 Pck. Vanillin-Zucker	cremig rühren
500 g Magerquark	
500 g Sahnequark	
abgeriebene Schale von	
1 Zitrone (unbehandelt)	unterrühren die Gelatine unter Rühren erwärmen, bis sie gelöst ist, mit etwas von der Quarkmasse verrühren, unter die restliche Quarkmasse rühren
500 ml (½ l) Schlagsahne	steif schlagen, unter die Quarkmasse heben, um den unteren Tortenboden einen innen mit Backpapier belegten Springformrand stellen, die Quarkmasse einfüllen, glattstreichen den oberen Tortenboden in 16 Stücke schneiden, auf die Füllung legen, kalt stellen, damit die Füllung fest wird, die Torte vor dem Servieren aus dem Rand lösen, mit
20 g Puderzucker	bestäuben.

Triester Torte

für Gäste

	Für den Teig
60 g Zartbitter-Schokolade	in kleine Stücke brechen, in einem kleinen Topf im Wasserbad bei schwacher Hitze zu einer geschmeidigen Masse verrühren
100 g Margarine oder Butter	mit Handrührgerät mit Rührbesen auf höchster Stufe geschmeidig rühren, nach und nach
100 g Zucker	
3 Eier	
100 g gemahlene Mandeln (nicht abgezogen)	und die Schokolade unterrühren
1 Pck. Pudding-Pulver Vanille-Geschmack	mit
1 gestr. TL Backpulver	mischen, in 2 Portionen unterrühren den Teig in eine Springform (Ø etwa 28 cm, Boden gefettet, mit Backpapier belegt) füllen, glattstreichen
Ober-/Unterhitze	etwa 180 °C (vorgeheizt)
Heißluft	etwa 160 °C (nicht vorgeheizt)
Gas	Stufe 2–3 (nicht vorgeheizt)
Backzeit	etwa 35 Minuten den Boden aus der Form lösen, stürzen, erkalten lassen, einmal durchschneiden, den unteren Boden mit
2 EL Weinbrand	beträufeln.
	Für die Füllung
2 gestr. TL gemahlene Gelatine, weiß	in einem kleinen Topf mit
3 EL kaltem Wasser	anrühren, 10 Minuten zum Quellen stehen lassen, unter Rühren erwärmen, bis sie gelöst ist
500 ml (1/2 l) Schlagsahne	fast steif schlagen, die lauwarme Gelatinelösung,
1 Pck. Vanillin-Zucker	hinzufügen, die Sahne vollkommen steif schlagen, die Hälfte der Sahne auf den unteren Boden streichen, den oberen Boden darauf legen, Rand und obere Seite der Torte mit der restlichen Sahne bestreichen
50 g Blockschokolade	grob raspeln, den Tortenrand damit bestreuen die Torte mit
Schokoladen-Täfelchen	
geviertelten Maraschinokirschen	garnieren.

Grillkuchen (Schichtkuchen)

raffiniert

Für den Teig

250 g Margarine oder Butter	mit Handrührgerät mit Rührbesen auf höchster Stufe geschmeidig rühren, nach und nach
250 g Zucker 1 Pck. Vanillin-Zucker 1 Prise Salz	unterrühren, so lange rühren, bis eine gebundene Masse entstanden ist
2 Eier 4 Eigelb	nach und nach unterrühren (jedes Ei, Eigelb etwa 1/2 Minute)
4 EL Rum	unterrühren
150 g Weizenmehl	mit
100 g Speisestärke 3 gestr. TL Backpulver	mischen, sieben, portionsweise auf mittlerer Stufe unterrühren
4 Eiweiß	steif schlagen, zuletzt vorsichtig unter den Teig rühren
	den gefetteten Boden einer Kastenform (30 x 11 cm) mit Backpapier auslegen, einen gut gehäuften Eßlöffel Teig gleichmäßig mit einem Pinsel darauf verstreichen
	die Form auf dem Rost in den Backofen schieben (Abstand zwischen Grill und Teigschicht etwa 20 cm)
	die Teigschicht unter dem vorgeheizten Grill hellbraun backen
Grillzeit	
Strom	etwa 2 Minuten
Gas	etwa 2 Minuten
	als zweite Schicht wieder 1–2 Eßlöffel Teig auf die gebackene Schicht streichen, die Form wieder unter den Grill schieben, auf diese Weise den ganzen Teig verarbeiten (die Einschubhöhe nach Möglichkeit so verändern, daß der Abstand von etwa 20 cm zwischen Grill und Teigschicht bestehen bleibt)
	den fertigen Kuchen mit einem Messer vorsichtig vom Rand der Form lösen, auf ein Backblech stürzen, das Papier abziehen, den Kuchen sofort noch etwa 5 Minuten in den heißen Backofen schieben.

Für den Guß

100 g Schokolade	in kleine Stücke brechen, mit
25 g Kokosfett	in einem kleinen Topf im Wasserbad bei schwacher Hitze zu einer geschmeidigen Masse verrühren, den erkalteten Kuchen damit überziehen.
Tip	Für Kleingebäck Kuchen in vier Stangen schneiden. Jede Stange mit Guß überziehen.

Frankfurter Kranz

traditionell

	Für den Teig
100 g Margarine oder Butter	mit Handrührgerät mit Rührbesen auf höchster Stufe geschmeidig rühren, nach und nach
150 g Zucker **1 Pck. Vanillin-Zucker** **4 Tropfen Zitronen-Aroma** **oder 1/2 Fläschchen Rum-Aroma** **1 Prise Salz**	unterrühren, so lange rühren, bis eine gebundene Masse entstanden ist
3 Eier	nach und nach unterrühren (jedes Ei etwa 1/2 Minute)
150 g Weizenmehl	mit
50 g Speisestärke **2 gestr. TL Backpulver**	mischen, sieben, portionsweise auf mittlerer Stufe unterrühren, den Teig in eine gefettete Kranzform (Ø 20 cm) füllen
Ober-/Unterhitze	etwa 180 °C (vorgeheizt)
Heißluft	etwa 160 °C (nicht vorgeheizt)
Gas	Stufe 2–3 (nicht vorgeheizt)
Backzeit	35–45 Minuten den Kranz 10 Minuten in der Form stehen lassen, stürzen, erkalten lassen.
	Für die Buttercreme aus
1 Pck. Pudding-Pulver **Vanille-Geschmack**	mit
100 g Zucker **500 ml (1/2 l) Milch**	nach Anleitung auf dem Päckchen (aber mit 100 g Zucker) einen Pudding zubereiten, kalt stellen, ab und zu durchrühren
250 g Butter	geschmeidig rühren, den Pudding eßlöffelweise darunter geben (darauf achten, daß weder Butter noch Pudding zu kalt sind, da dann die sogenannte Gerinnung eintritt).

(Fortsetzung S. 48)

	Für den Krokant
1 Msp. Butter	
60 g Zucker	
125 g abgezogene, gehackte Mandeln	unter Rühren so lange erhitzen, bis der Krokant genügend gebräunt ist, ihn auf ein Stück Alufolie geben, erkalten lassen, den Kranz zweimal durchschneiden (Foto 1), die untere Gebäcklage mit
roter Konfitüre	bestreichen (Foto 2), die 3 Gebäcklagen mit Buttercreme zu einem Kranz zusammensetzen, ihn mit Creme bestreichen (etwas zurücklassen), mit Krokant bestreuen (Foto 3), mit zurückgelassener Creme verzieren, mit
Kirschen oder roter Konfitüre	garnieren (das Gebäck am besten einen Tag vor dem Verzehr füllen).

Feine Schokoladentorte

	Für den Teig
150 g Margarine oder Butter	mit Handrührgerät mit Rührbesen auf höchster Stufe geschmeidig rühren, nach und nach
75 g Zucker	
1 Pck. Vanillin-Zucker	
1 Prise Salz	
150 g aufgelöste Zartbitter-Schokolade	unterrühren, so lange rühren, bis eine gebundene Masse entstanden ist
2 Eier	
4 Eigelb	nach und nach unterrühren (jedes Ei knapp 1/2 Minute)
150 g Weizenmehl	mit
10 g Kakaopulver	
1 gestr. TL Backpulver	mischen, sieben, portionsweise auf mittlerer Stufe unterrühren
4 Eiweiß	steif schlagen, der Schnee muß so fest sein, daß ein Messerschnitt sichtbar bleibt
75 g Zucker	nach und nach unterschlagen, den Schnee vorsichtig unter den Teig heben, in eine Springform (Ø etwa 28 cm, Boden gefettet, mit Backpapier belegt) füllen, glattstreichen
Ober-/Unterhitze	etwa 180 °C (vorgeheizt)
Heißluft	etwa 160 °C (nicht vorgeheizt)
Gas	Stufe 2–3 (nicht vorgeheizt)
Backzeit	etwa 40 Minuten
	den Boden aus der Form lösen, auf einen Kuchenrost stürzen, auskühlen lassen, einmal durchschneiden, den unteren Boden mit

2–3 EL Johannisbeergelee	bestreichen, mit dem oberen Boden bedecken, Rand und obere Seite der Torte gleichmäßig mit
2–3 EL Johannisbeergelee	bestreichen.
	Für den Guß
100 g Zartbitter-Schokolade	in kleine Stücke brechen, mit
5 EL Schlagsahne	in einem kleinen Topf im Wasserbad bei schwacher Hitze zu einer geschmeidigen Masse verrühren, die Torte damit überziehen.

Rhabarberschnitten mit Crème-fraîche-Guß

für Gäste

	Für den Teig
250 g Margarine oder Butter	mit Handrührgerät mit Rührbesen auf höchster Stufe geschmeidig rühren, nach und nach
250 g Zucker	
1 Pck. Vanillin-Zucker	
½ Fläschchen Butter-Vanille-Aroma	unterrühren, so lange rühren, bis eine gebundene Masse entstanden ist
4 Eier	nach und nach unterrühren (jedes Ei etwa ½ Minute)
250 g Weizenmehl	mit
2 gestr. TL Backpulver	mischen, sieben, in 2 Portionen auf mittlerer Stufe unterrühren den Teig auf ein gefettetes, mit
Weizenmehl	bestreutes Backblech geben, glattstreichen.
	Für den Belag
600 g Rhabarber	
(vorbereitet gewogen)	waschen (nicht abziehen), in etwa 2 cm große Stücke schneiden, auf dem Teig verteilen
Ober-/Unterhitze	180–200 °C (vorgeheizt)
Heißluft	160–180 °C (nicht vorgeheizt)
Gas	Stufe 3–4 (vorgeheizt)
Backzeit	etwa 30 Minuten.
	Für den Guß
	aus
2 Pck. Pudding-Pulver	
Feine Bourbon-Vanille	mit
80 g Zucker	
700 ml Milch (statt 1 l)	nach der Anleitung auf dem Päckchen einen Pudding zubereiten, unter den noch warmen Pudding
3 Becher (je 150 g) Crème fraîche	rühren, nach etwa 30 Minuten Backzeit auf den Kuchen streichen, noch etwa 15 Minuten weiterbacken lassen.

Englisches Teegebäck

einfach

(Foto)

100 g Marzipan-Rohmasse	mit
250 g Butter	mit Handrührgerät mit Rührbesen auf höchster Stufe geschmeidig rühren, nach und nach
100 g Rohrzucker	unterrühren, so lange rühren, bis eine gebundene Masse entstanden ist
250 g Weizenmehl	sieben, portionsweise auf mittlerer Stufe unterrühren, 2–3 Stunden kalt stellen, den Teig zu einer Rolle formen, erneut kalt stellen den Teig 1–1½ cm dick ausrollen, in Streifen von etwa 1½ x 6 cm schneiden, auf ein gut gefettetes Backblech legen auf jeden Teigstreifen mit einer Gabel ein Muster einstechen oder -drücken die Teigstreifen mit
Rohrzucker oder Zucker	bestreuen
Ober-/Unterhitze	150–170 °C (vorgeheizt)
Heißluft	140–150 °C (nicht vorgeheizt)
Gas	Stufe 2–3 (vorgeheizt)
Backzeit	etwa 10 Minuten.

Holländisches Kaffeegebäck

beliebt

	Für den Teig
300 g Margarine oder Butter	mit Handrührgerät mit Rührbesen auf höchster Stufe geschmeidig rühren, nach und nach
100 g gesiebten Puderzucker **1 Pck. Vanillin-Zucker** **1 Prise Salz** **abgeriebene Schale von** **1 Zitrone (unbehandelt)**	unterrühren, so lange rühren, bis eine gebundene Masse entstanden ist
2 Eier	nach und nach unterrühren (jedes Ei etwa ½ Minute)
400 g Weizenmehl	mit
1 gestr. TL Backpulver	mischen, sieben, portionsweise auf mittlerer Stufe unterrühren den Teig in einen Spritzbeutel mit gezackter Tülle füllen, in eng untereinanderliegenden Linien auf ein Backblech spritzen, so daß jeweils die Form eines langgezogenen Dreiecks entsteht
Ober-/Unterhitze	170–200 °C (vorgeheizt)
Heißluft	160–170 °C (nicht vorgeheizt)
Gas	Stufe 3–4 (vorgeheizt)
Backzeit	etwa 15 Minuten

(Fortsetzung S. 52)

	die Hälfte der erkalteten Plätzchen auf der Unterseite mit
Aprikosenkonfitüre	bestreichen, die anderen mit der Unterseite darauf legen.
	Für den Guß
100 g Kuvertüre	kleinschneiden, mit
20 g Kokosfett	in einem kleinen Topf im Wasserbad bei schwacher Hitze zu einer geschmeidigen Masse verrühren, die Plätzchen mit der breiten Seite hineintauchen.

Marzipanstangen

	Für den Teig
200 g Marzipan-Rohmasse	mit Handrührgerät mit Rührbesen auf höchster Stufe geschmeidig rühren
125 g Margarine oder Butter	hinzufügen, geschmeidig rühren, nach und nach
100 g Zucker	
1 Pck. Vanillin-Zucker	
1 Prise Salz	
1 Pck. Feine Zitronenschale	unterrühren, so lange rühren, bis eine gebundene Masse entstanden ist
2 Eier	nach und nach unterrühren (jedes Ei etwa 1/2 Minute)
200 g Weizenmehl	mit
1 gestr. TL Backpulver	mischen, sieben, portionsweise auf mittlerer Stufe unterrühren den Teig in einen Spritzbeutel mit kleiner Lochtülle füllen, 5 cm lange spiralförmige Stangen auf ein mit Backpapier belegtes Backblech spritzen
Ober-/Unterhitze	170–200 °C (vorgeheizt)
Heißluft	150–180 °C (nicht vorgeheizt)
Gas	Stufe 3–4 (vorgeheizt)
Backzeit	8–10 Minuten.
	Für den Guß
150 g Halbbitter-Kuvertüre	in Stücke schneiden, in einem kleinen Topf im Wasserbad bei schwacher Hitze zu einer geschmeidigen Masse verrühren die Hälfte der erkalteten Stangen damit verzieren, die übrigen Stangen mit den Enden hineintauchen.

Trüffelkuchen auf dem Blech

für Gäste

Für den Teig

200 g Margarine oder Butter	mit Handrührgerät mit Rührbesen auf höchster Stufe geschmeidig rühren, nach und nach
200 g Zucker 1 Pck. Vanillin-Zucker 1 Prise Salz	unterrühren, so lange rühren, bis eine gebundene Masse entstanden ist
4 Eier	nach und nach unterrühren (jedes Ei etwa 1/2 Minute)
200 g Weizenmehl	mit
20 g Kakaopulver 1 gestr. TL Backpulver	mischen, sieben, abwechselnd portionsweise mit
3 EL Milch	auf mittlerer Stufe unterrühren
	den Teig auf ein gefettetes, mit Backpapier belegtes Backblech streichen, das Papier unmittelbar vor dem Teig zur Falte knicken, so daß ein Rand entsteht
Ober-/Unterhitze	170–200 °C (vorgeheizt)
Heißluft	160–170 °C (nicht vorgeheizt)
Gas	Stufe 3–4 (vorgeheizt)
Backzeit	etwa 15 Minuten
	den Kuchen sofort nach dem Backen auf Backpapier stürzen, mit
100 ml Orangensaft	tränken, erkalten lassen.

Für die Trüffelcreme

200 ml Schlagsahne 50 g Butter	zum Kochen bringen, von der Kochstelle nehmen
300 g Zartbitter-Schokolade	in Stücke brechen, unter Rühren in der Sahne auflösen, kalt stellen (am besten über Nacht)
	Schokoladensahne mit Handrührgerät mit Rührbesen etwa 2 Minuten zu einer Creme aufschlagen, mit
1–2 EL Orangenlikör	abschmecken
	die Creme auf den getränkten Boden streichen, mit Hilfe eines Tortengarnierkammes oder einer Gabel verzieren, mit
100 g geschabter, weißer Schokolade	garnieren.

Amerikaner

für Kinder

	Für den Teig
65 g Margarine oder Butter	mit Handrührgerät mit Rührbesen auf höchster Stufe geschmeidig rühren, nach und nach
90 g Zucker **1 Pck. Vanillin-Zucker** **5 Tropfen Butter-Vanille-Aroma** **1 Prise Salz**	unterrühren, so lange rühren, bis eine gebundene Masse entstanden ist
2 Eier	nach und nach unterrühren (jedes Ei etwa 1/2 Minute)
250 g Weizenmehl	mit
3 gestr. TL Backpulver	mischen, sieben, abwechselnd portionsweise mit
100 ml Milch	auf mittlerer Stufe unterrühren mit 2 Eßlöffeln etwa 12 Häufchen nicht zu dicht nebeneinander auf mit Backpapier belegte Backbleche geben, mit einem feuchten Messer etwas nachformen
Ober-/Unterhitze	170–200 °C (vorgeheizt)
Heißluft	etwa 160 °C (nicht vorgeheizt)
Gas	Stufe 3–4 (vorgeheizt)
Backzeit	20–25 Minuten nach etwa 15 Minuten Backzeit die Oberfläche mit
Milch	bestreichen.
	Für den Guß
200 g Puderzucker	sieben, mit
2–3 EL Zitronensaft	glattrühren, so daß eine dickflüssige Masse entsteht die noch heißen Amerikaner auf der Unterseite damit bestreichen, nach Belieben mit
abgezogenen, gehackten Mandeln **gehackten Pistazien** **Hagelzucker** **Kokosraspeln**	bestreuen
oder	
125 g Kuvertüre	mit
25 g Kokosfett	in einem kleinen Topf im Wasserbad bei schwacher Hitze zu einer geschmeidigen Masse verrühren, die erkalteten Amerikaner auf der Unterseite damit bestreichen, nach Belieben garnieren.

Gewürzkuchen

raffiniert

250 g Margarine oder Butter	mit Handrührgerät mit Rührbesen auf höchster Stufe geschmeidig rühren, nach und nach
250 g Zucker **1 Pck. Bourbon Vanille-Zucker** **5 Tropfen Bittermandel-Aroma** **1 geh. TL gemahlenen Zimt** **je 1 Msp. gemahlene Nelken, Muskatnuß, Kardamom** **1 Prise Salz**	unterrühren, so lange rühren, bis eine gebundene Masse entstanden ist
5 Eier	nach und nach unterrühren (jedes Ei etwa 1/2 Minute)
250 g Weizenmehl **10 g Kakaopulver** **1 gestr. TL Backpulver**	mit mischen, sieben, portionsweise auf mittlerer Stufe unterrühren
125 g abgezogene, gemahlene Mandeln	auf mittlerer Stufe unterrühren den Teig in eine gefettete Kastenform (30 x 11 cm) füllen
Ober-/Unterhitze	etwa 180 °C (vorgeheizt)
Heißluft	etwa 160 °C (nicht vorgeheizt)
Gas	Stufe 2–3 (nicht vorgeheizt)
Backzeit	etwa 45 Minuten den Kuchen aus der Form lösen, auf einem Kuchenrost erkalten lassen, mit
30 g Puderzucker	bestäuben.

Ananas-Marzipan-Kuchen

	Für den Teig
200 g Marzipan-Rohmasse	mit Handrührgerät mit Rührbesen gut verrühren
175 g Margarine oder Butter	hinzufügen, alles auf höchster Stufe zu einer geschmeidigen Masse verrühren, nach und nach
175 g Zucker **1 Pck. Vanillin-Zucker** **1 Prise Salz**	unterrühren, so lange rühren, bis eine gebundene Masse entstanden ist
3 Eier	nach und nach unterrühren (jedes Ei etwa 1/2 Minute)
300 g Weizenmehl **2 gestr. TL Backpulver**	mit mischen, sieben, portionsweise auf mittlerer Stufe unterrühren
3 Ananasscheiben (etwa 200 g, aus der Dose)	auf einem Sieb abtropfen lassen, in kleine Stücke schneiden, vorsichtig auf mittlerer Stufe unter den Teig rühren, ihn in eine gefettete, mit Backpapier ausgelegte Kastenform (30 x 11 cm) füllen

Ober-/Unterhitze	etwa 180 °C (vorgeheizt)
Heißluft	etwa 160 °C (nicht vorgeheizt)
Gas	Stufe 2–3 (nicht vorgeheizt)
Backzeit	60–70 Minuten
	den Kuchen aus der Form nehmen, erkalten lassen.

Für den Guß

100 g Zartbitter-Schokolade	in kleine Stücke brechen, mit
25 g Kokosfett	in einem kleinen Topf im Wasserbad bei schwacher Hitze zu einer geschmeidigen Masse verrühren
	den erkalteten Kuchen damit überziehen.

Pfirsichschnitten

beliebt

Für den Teig

150 g Margarine oder Butter	mit Handrührgerät mit Rührbesen auf höchster Stufe geschmeidig rühren, nach und nach
150 g Zucker	
1 Pck. Vanillin-Zucker	
1 Prise Salz	
5 Tropfen Zitronen-Aroma	unterrühren, so lange rühren, bis eine gebundene Masse entstanden ist
4 Eier	nach und nach unterrühren (jedes Ei etwa ½ Minute)
250 g Weizenmehl	mit
3 gestr. TL Backpulver	mischen, sieben, in 2 Portionen unterrühren
	den Teig auf ein gefettetes Backblech geben, glattstreichen, vor den Teig ein mehrfach umgeknicktes Stück Alufolie legen.

Für den Belag

900 g Pfirsiche (aus der Dose)	abtropfen lassen, in Scheiben schneiden, auf den Teig legen
150 g Weizenmehl	in eine Schüssel sieben, mit
75 g Zucker	
1 Pck. Vanillin-Zucker	mischen
100 g Butter	in Flöckchen dazugeben, alle Zutaten mit den Händen oder mit 2 Gabeln zu Streuseln vermengen, auf die Pfirsiche verteilen

Ober-/Unterhitze	170–200 °C (vorgeheizt)
Heißluft	160–180 °C (nicht vorgeheizt)
Gas	Stufe 3–4 (vorgeheizt)
Backzeit	etwa 25 Minuten.
	das erkaltete Gebäck in Schnitten von beliebiger Größe schneiden.
Tip	Pfirsichschnitten nach Belieben mit einem Zitronenguß bestreichen.

Eiserkuchen I

gut vorzubereiten

125 g Butter	zerlassen, in eine Rührschüssel geben, kalt stellen
250 g Zucker	
1 Pck. Vanillin-Zucker	in das wieder etwas festgewordene Fett geben, mit Handrührgerät mit Rührbesen so lange rühren, bis Butter und Zucker weißschaumig geworden sind
2 Eier	nach und nach unterrühren
250 g Weizenmehl	sieben, abwechselnd mit
500 ml (1/2 l) Milch	unterrühren (Foto 1)
	den Teig in nicht zu großer Menge in ein gut erhitztes, mit
Speckschwarte oder etwas Speiseöl	gefettetes Eiserkucheneisen füllen (Foto 2), goldbraun backen
	die Blättchen schnell aus dem Eisen lösen, noch heiß zu Röllchen oder Tüten wickeln (Foto 3)
	damit die Eiserkuchen knusprig bleiben, sie in gut schließenden Blechdosen aufbewahren.
Beigabe oder Füllung	Schlagsahne, zubereitet mit Sahnesteif.

Eiserkuchen II

75 g Margarine oder Butter	mit dem Handrührgerät mit Rührbesen auf höchster Stufe geschmeidig rühren, nach und nach
125 g Zucker	
1 Pck. Vanillin-Zucker	unterrühren, so lange rühren, bis eine gebundene Masse entstanden ist
1 Ei	unterrühren
250 g Weizenmehl	mit
1/2 gestr. TL gemahlenen Zimt	mischen, sieben, abwechselnd portionsweise mit
325 ml lauwarmem Wasser	auf mittlerer Stufe unterrühren
	Teig 30 Minuten stehen lassen
	Eiserkuchen wie oben backen.

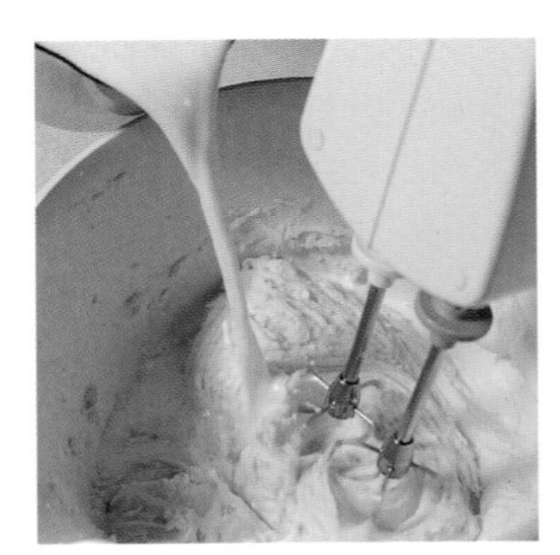

Margarethenplätzchen

für Kinder

100 g Margarine oder Butter	mit Handrührgerät mit Rührbesen auf höchster Stufe geschmeidig rühren, nach und nach
75 g Zucker	
1 Pck. Vanillin-Zucker	
1 Prise Salz	unterrühren, so lange rühren, bis eine gebundene Masse entstanden ist
1 Ei	
2 EL Milch	unterrühren
175 g Weizenmehl	
25 g Speisestärke	mischen, sieben, portionsweise auf mittlerer Stufe unterrühren
50 g Schokoladenraspel	unterheben
	mit 2 Teelöffeln walnußgroße Häufchen nicht zu dicht nebeneinander auf ein mit Backpapier belegtes Backblech setzen
Ober- /Unterhitze	170–200 °C (vorgeheizt)
Heißluft	160–180 °C (nicht vorgeheizt)
Gas	Stufe 3–4 (vorgeheizt)
Backzeit	etwa 15 Minuten.
Tip	Die erkalteten Plätzchen mit 25 g aufgelöster Schokolade besprenkeln.

Amerikanische Waffeln

320 g Weizenmehl	mit
1 gestr. TL Natron	
1/2 TL Salz	mischen, sieben
120 g Zucker	hinzufügen
	nach und nach mit Handrührgerät mit Rührbesen
500 ml (1/2 l) Buttermilch	
3 Eigelb	
90 g zerlassene, abgekühlte Butter	unterrühren
3 Eiweiß	steif schlagen, zuletzt unter den Teig heben
	den Teig in nicht zu großen Portionen in ein gut erhitztes, mit
Speckschwarte oder Speiseöl	gefettetes Waffeleisen füllen, die Waffeln goldbraun backen, einzeln auf einem Kuchenrost erkalten lassen, mit
Ahornsirup	servieren.

Sahnewaffeln (harte Waffeln)

für Gäste

Für den Teig

250 g Margarine oder Butter	mit Handrührgerät mit Rührbesen auf höchster Stufe geschmeidig rühren, nach und nach
100 g Zucker	
1 Pck. Vanillin-Zucker	
1 Prise Salz	unterrühren, so lange rühren, bis eine gebundene Masse entstanden ist
4 Eigelb	nach und nach unterrühren (jedes Eigelb knapp 1/2 Minute)
175 g Weizenmehl	mit
75 g Speisestärke	
2 gestr. TL Backpulver	mischen, sieben, abwechselnd portionsweise mit
250 ml (1/4 l) Schlagsahne	auf mittlerer Stufe unterrühren
4 Eiweiß	steif schlagen, zuletzt unter den Teig heben
	den Teig in nicht zu großen Portionen in ein gut erhitztes, mit
Speckschwarte oder Speiseöl	gefettetes Waffeleisen füllen, die Waffeln goldbraun backen, einzeln auf einem Kuchenrost erkalten lassen, mit
Puderzucker	bestäuben.

Bergische Waffeln

Für den Teig

250 g Margarine oder Butter	mit Handrührgerät mit Rührbesen auf höchster Stufe geschmeidig rühren, nach und nach
150 g Zucker	
1 Pck. Vanillin-Zucker	
1 Prise Salz	unterrühren, so lange rühren, bis eine gebundene Masse entstanden ist
4 Eier	nach und nach unterrühren (jedes Ei etwa 1/2 Minute)
500 g Weizenmehl	mit
1 gestr. TL Backpulver	mischen, sieben, abwechselnd mit
etwa 375 ml (3/8 l) Buttermilch	in 4 Portionen auf mittlerer Stufe unterrühren
	anschließend
3 EL Honig	unterrühren
	den Teig in nicht zu großen Portionen in ein gut erhitztes, mit
Speckschwarte oder Speiseöl	gefettetes Waffeleisen füllen, goldbraun backen, einzeln auf einem Kuchenrost erkalten lassen
	die Waffeln mit
Puderzucker	bestäuben.
Tip	Die Waffeln mit Rübenkraut oder Kompott servieren.

Crème-fraîche-Waffeln

schnell

2 Becher (je 150 g) Crème fraîche	mit Handrührgerät mit Rührbesen auf höchster Stufe kurz verrühren, nach und nach
100 g Zucker **1 Pck. Vanillin-Zucker** **abgeriebene Schale von 1/2 Zitrone (unbehandelt)** **1 Prise Salz**	unterrühren, so lange rühren, bis eine gebundene Masse entstanden ist
3 Eier	nach und nach unterrühren (jedes Ei etwa 1/2 Minute)
250 g Weizenmehl	mit
1 gestr. TL Backpulver	mischen, sieben, portionsweise auf mittlerer Stufe unterrühren den Teig in nicht zu großen Portionen in ein gut erhitztes, mit
Speckschwarte oder Speiseöl	gefettetes Waffeleisen füllen die Waffeln goldbraun backen, einzeln auf einem Kuchenrost erkalten lassen.
Beilage	Geschlagene Sahne, Vanilleeis, gezuckerte Beerenfrüchte, Marmelade oder Gelee.

Sandwaffeln

einfach

175 g Kokosfett	zerlassen, in eine Rührschüssel geben, kalt stellen das wieder festgewordene Fett mit Handrührgerät mit Rührbesen auf höchster Stufe geschmeidig rühren, nach und nach
175 g Zucker **1 Pck. Vanillin-Zucker** **1/2 Fläschchen Rum-Aroma** **1 Prise Salz**	unterrühren, so lange rühren, bis eine gebundene Masse entstanden ist
4 Eier	nach und nach unterrühren (jedes Ei etwa 1/2 Minute)
225 g Weizenmehl **25 g Speisestärke**	mit
1/2 gestr. TL Backpulver	mischen, sieben, portionsweise auf mittlerer Stufe unterrühren den Teig in nicht zu großen Portionen in ein gut erhitztes, mit
Speckschwarte oder Speiseöl	gefettetes Waffeleisen füllen, die Waffeln goldbraun backen, einzeln auf einem Kuchenrost erkalten lassen, mit
Puderzucker	bestäuben.

Notwendige Vorarbeiten

Das Fett muß bei der Verarbeitung mit einem Handrührgerät oder mit einer Küchenmaschine weich (streichfähig) sein.

Für Knetteige Backbleche und -formen im allgemeinen nicht fetten.
Eine Ausnahme bilden Obstformen und Torteletttformen. Für fettreiche Plätzchenteige Backbleche nicht fetten.

Die einzelnen Arbeitsgänge

Mehl und Backpulver mischen und in eine Rührschüssel sieben.
Mischen und Sieben lockern das Mehl auf und verteilen das Backpulver gleichmäßig im Mehl. Ist außerdem Kakao angegeben, ihn zum Mehl geben.

Bei Verwendung von Vollkornmehl:
Mehl und Backpulver in einer Schüssel nur mischen.

Alle übrigen im Rezept aufgeführten Zutaten hinzufügen.
Eier immer vor der Zugabe einzeln in eine Tasse aufschlagen und prüfen, ob sie frisch sind. Falls Flüssigkeit vorgeschrieben ist, sie auf den Zucker (Honig) geben.
Das Fett (Margarine oder Butter) soll weich (streichfähig) sein. Nur so lassen sich die Zutaten gut verarbeiten. Mehr Mehl, als im Rezept angegeben, darf bei fettreichen Teigen nicht genommen werden, da der Teig dadurch krümelig und das Gebäck hart wird. Sind Früchte vorgeschrieben, sie zuletzt unterkneten.

Die Zutaten mit Handrührgerät mit Knethaken zunächst auf niedrigster Stufe kurz, dann auf höchster Stufe gut durcharbeiten.
Die Zutaten lassen sich am besten verarbeiten, wenn das Fett weich (streichfähig) ist. Deshalb das zu verarbeitende Fett rechtzeitig aus dem Kühlschrank nehmen.

Anschließend mit den Händen auf der mit Weizenmehl bestäubten Arbeitsfläche zu einem glatten Teig verkneten.
Dabei nicht zu viel Mehl auf die Arbeitsfläche sieben, damit der Teig nicht brüchig wird. Den Teig mit geschlossenen flachen Händen schnell verkneten.

Diesen zu einer Rolle formen.
Sollte der Teig kleben, ihn eine Zeitlang kalt stellen oder noch etwas Mehl hinzugeben.
Damit sich der Teig besser ausrollen läßt, ihn zu einer Rolle formen. Das Kleben fettreicher Teige wird durch Kaltstellen beseitigt. An Teige mit Wasser oder Milch noch etwas Mehl geben.
Bevor der Teig ausgerollt wird, die Arbeitsfläche von Teigresten reinigen, damit er nicht kleben kann, und sie gleichmäßig bemehlen.

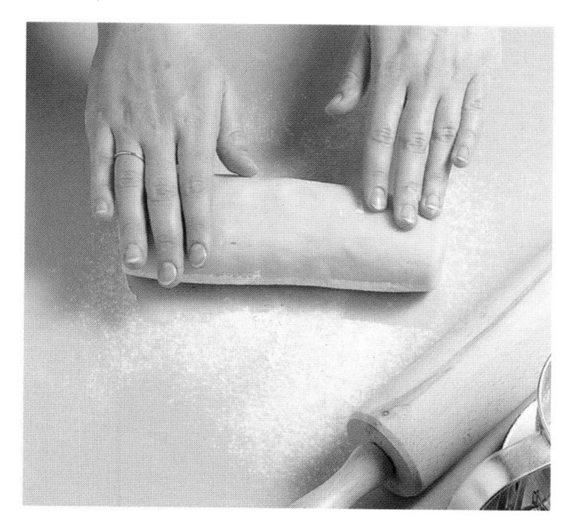

Das Ausrollen des Teiges
Um die Teigbeschaffenheit beim Ausrollen nicht zu verderben, nicht zu große Teigstücke ausrollen (besonders bei Kleingebäck). Beim Ausrollen muß sich die Teigrolle wirklich drehen und leicht über den Teig gehen (nicht zu stark drücken). Während des Ausrollens ab und zu mit einem großen Messer unter dem Teig herstreichen, damit er sofort gelöst wird, wenn er irgendwo kleben sollte.

Für Kleingebäck den Teig so ausstechen, daß möglichst wenig Abfall entsteht (Ausstechförmchen); denn Knetteig wird durch erneutes Zusammenkneten und Ausrollen nicht besser.

Knetteigböden für Obsttorten entweder in Springformen oder in gefetteten Obstformen backen. Bei einer Springform zwei Drittel der angegebenen Teigmenge auf dem Boden der Form ausrollen. Den Rest des Teiges (je nach Rezept) mit einem gestrichenen Eßlöffel Mehl verkneten, zu einer Rolle formen, als Rand auf den Teigboden legen und mit zwei Fingern so an den Springformrand drücken, daß der Teigrand etwa 3 cm hoch wird. Danach den Boden mehrmals mit einer Gabel einstechen, damit er keine Luftblasen bekommt.

Grundrezept

150–200 g Weizenmehl	mit
1/2–1 gestr. TL Backpulver	mischen, in eine Rührschüssel sieben
75–125 g Zucker	
1 Pck. Vanillin-Zucker	
1 Prise Salz	
1 Ei	
75–125 g Margarine oder Butter	hinzufügen die Zutaten mit Handrührgerät mit Knethaken zunächst kurz auf niedrigster, dann auf höchster Stufe gut durcharbeiten, anschließend auf der Arbeitsfläche zu einem glatten Teig verkneten, sollte er kleben, ihn eine Zeitlang kalt stellen (20–30 Minuten) den Teig auf dem Boden einer Springform, auf einem Backblech (38 x 28 cm) oder auf der bemehlten Arbeitsfläche ausrollen, je nach Rezept weiterverarbeiten und backen.

Das Backen von Knetteigen

Alle Knetteige nach den Angaben unter den Rezepten backen. Wenn der Teig gebacken ist, das Gebäck sofort aus der Form lösen oder vom Backblech nehmen. Knetteigböden in Springformen sofort nach dem Backen vom Springformboden lösen, aber darauf erkalten lassen.
Dann auf einen Kuchenrost zum Auskühlen legen (Kleingebäck einzeln nebeneinander).
Plätzchen mit der Palette vorsichtig vom Backblech heben. Zum Auskühlen einzeln nebeneinander legen.

Obst-Nuß-Torte

für Kinder

(Foto Seite 64/65)

	Für den Teig
150 g Weizenmehl	mit
1 gestr. TL Backpulver	mischen, in eine Rührschüssel sieben
50 g Zucker	
1 Pck. Vanillin-Zucker	
1 Ei	
75 g gemahlene Haselnußkerne	
100 g Margarine oder Butter	hinzufügen die Zutaten mit Handrührgerät mit Knethaken zunächst kurz auf niedrigster, dann auf höchster Stufe gut durcharbeiten, anschließend auf der Arbeitsfläche zu einem glatten Teig verkneten, sollte er kleben, ihn eine Zeitlang kalt stellen den Teig zu einer Platte (Ø 29 cm) ausrollen, in eine gefettete Obstform (Ø 28 cm) legen, gut andrücken, so daß eine glatte Oberfläche entsteht den Teigboden mehrmals mit einer Gabel einstechen
Ober-/Unterhitze	170–200 °C (vorgeheizt)
Heißluft	etwa 160 °C (nicht vorgeheizt)
Gas	Stufe 3–4 (vorgeheizt)
Backzeit	15–20 Minuten das Gebäck sofort nach dem Backen auf einen Kuchenrost stürzen, erkalten lassen.
	Für den Belag
600–700 g vorbereitetes Beerenobst (z.B. Erdbeeren, Himbeeren, Brombeeren)	auf dem Tortenboden verteilen
3 geh. EL Beerenkonfitüre	durch ein Sieb streichen, unter Rühren etwas einkochen lassen, das Obst damit bestreichen den Rand mit
30 g abgezogenen, gehackten Mandeln	bestreuen.
Beigabe	Schlagsahne.

Kirsch-Sahne-Törtchen

für Gäste

	Für den Teig
250 g Weizenmehl	mit
1 Msp. Backpulver	mischen, in eine Rührschüssel sieben
100 g Zucker	
1 Pck. Vanillin-Zucker	
1 Prise Salz	
1 Eigelb	
175 g Butter	hinzufügen die Zutaten mit Handrührgerät mit Knethaken zunächst auf niedrigster, dann auf höchster Stufe gut durcharbeiten, anschließend auf der Arbeitsfläche zu einem glatten Teig verkneten, sollte er kleben, ihn eine Zeitlang kalt stellen den Teig dünn ausrollen, mit einer gezackten Form (Ø etwa 6 cm) ausstechen, auf ein Backblech legen
1 Eiweiß	mit
1 TL Wasser	verschlagen, die Hälfte der Teigplätzchen damit bestreichen, mit
75 g Hagelzucker	bestreuen
Ober-/Unterhitze	170–200 °C (vorgeheizt)
Heißluft	160–170 °C (nicht vorgeheizt)
Gas	Stufe 3–4 (vorgeheizt)
Backzeit	etwa 10 Minuten.
	Für die Füllung
250 g gedünstete Schattenmorellen	gut abtropfen lassen
400–500 ml Schlagsahne	1/2 Minute schlagen
2 Pck. Vanillin-Zucker	mit
2 Pck. Sahnesteif	mischen, einstreuen, die Sahne steif schlagen.

Die nicht bestreuten Plätzchen auf der Unterseite am Rand mit Sahne bespritzen, die Mitte mit Schattenmorellen ausfüllen, die bestreuten Plätzchen darauf legen.

Linzer Torte

gut vorzubereiten

200 g Weizenmehl	mit
1 gestr. TL Backpulver	mischen, in eine Rührschüssel sieben
125 g Zucker	
1 Pck. Vanillin-Zucker	
2 Tropfen Bittermandel-Aroma	
1 Msp. gemahlene Nelken	
1 gestr. TL gemahlenen Zimt	
1 Prise Salz	
1/2 Eigelb	
1 Eiweiß	
125 g Margarine oder Butter	
125 g nicht abgezogene, gemahlene Mandeln	hinzufügen
	die Zutaten mit Handrührgerät mit Knethaken zunächst kurz auf niedrigster, dann auf höchster Stufe gut durcharbeiten, anschließend auf der Arbeitsfläche zu einem glatten Teig verkneten
	knapp die Hälfte des Teiges zu einer Platte in der Größe der Springform (Ø 28 cm) ausrollen, 16–20 Streifen daraus rädern
	den übrigen Teig auf dem Springformboden ausrollen, mit
100 g Himbeerkonfitüre	bestreichen, dabei am Rand etwa 1 cm Teig frei lassen
	die Teigstreifen gitterförmig über die Konfitüre legen
1/2 Eigelb	mit
1 TL Milch	verschlagen, die Teigstreifen damit bestreichen
Ober-/Unterhitze	170–200 °C (vorgeheizt)
Heißluft	etwa 170 °C (nicht vorgeheizt)
Gas	Stufe 3–4 (nicht vorgeheizt)
Backzeit	25–30 Minuten.

Abwandlung

Linzer Schnitten

Dafür die Zutaten verdoppeln, den Teig auf einem Backblech ausrollen, mit Konfitüre bestreichen und mit einem Teiggitter belegen. Den Kuchen wie oben backen und nach dem Erkalten in beliebig große Schnitten schneiden.

Die Füllung kann variiert werden, z.B. Pflaumenmus oder Johannisbeergelee.

Schlesische Mohntorte

traditionell

	Für den Teig
250 g Weizenmehl	mit
2 gestr. TL Backpulver	mischen, in eine Rührschüssel sieben
125 g Zucker	
1 Pck. Vanillin-Zucker	
1 Prise Salz	
1 Ei	
2 EL kaltes Wasser	
125 g Butter	hinzufügen die Zutaten mit Handrührgerät mit Knethaken zunächst kurz auf niedrigster, dann auf höchster Stufe gut durcharbeiten, anschließend auf der Arbeitsfläche zu einem glatten Teig verkneten gut die Hälfte des Teiges auf dem Boden einer Springform (Ø 28 cm) ausrollen, den Rest des Teiges zu einer Rolle formen, sie als Rand auf den Teigboden legen, so an die Form drücken, daß ein etwa 3 cm hoher Rand entsteht.
	Für den Belag
1 l Milch	zum Kochen bringen
200 g Weizengrieß	mit
200 g frisch gemahlenem Mohn	mischen, unter Rühren einstreuen, bei schwacher Hitze ausquellen lassen, von der Kochstelle nehmen
200 g Zucker	
1 Pck. Vanillin-Zucker	
150 g Butter	
100 g Magerquark	
2 Eier	
50 g abgezogene, gemahlene Mandeln	
50 g Rosinen	
2 EL Rum	unterrühren
1 Birne	schälen, vierteln, entkernen, raspeln, unterrühren die Mohnmasse in die Form geben, glattstreichen
Ober-/Unterhitze	etwa 180 °C (vorgeheizt)
Heißluft	etwa 160 °C (nicht vorgeheizt)
Gas	Stufe 3–4 (nicht vorgeheizt)
Backzeit	etwa 1 Stunde die Torte vor dem Verzehr mit
Puderzucker	bestäuben.
Tip	Die Torte schmeckt warm besonders gut.

Friesische Streuseltorte

tiefkühlgeeignet/für Gäste

Für den Teig

250 g Weizenmehl mit
1 Msp. Backpulver mischen, in eine Rührschüssel sieben
2 Pck. Vanillin-Zucker
1 Becher (150 g) Crème fraîche
175 g Margarine oder Butter hinzufügen

die Zutaten mit Handrührgerät mit Knethaken zunächst kurz auf niedrigster, dann auf höchster Stufe gut durcharbeiten, anschließend auf der Arbeitsfläche zu einem glatten Teig verkneten, sollte er kleben, ihn eine Zeitlang kalt stellen
den Teig in 4 gleich große Stücke teilen
jeweils ein Teigstück auf dem Boden einer Springform (Ø 28 cm) ausrollen (darauf achten, daß der Teigboden am Rand nicht zu dünn ist), mehrmals mit einer Gabel einstechen, den Springformrand darumlegen.

Für die Streusel

150 g Weizenmehl in eine Rührschüssel sieben, mit
75 g Zucker
1 Pck. Vanillin-Zucker
1 Msp. gemahlenem Zimt mischen
100 g Margarine oder Butter hinzufügen, die Zutaten mit Handrührgerät mit Knethaken zu Streuseln von gewünschter Größe verarbeiten, die Teigböden gleichmäßig damit bedecken (Foto 1)

Ober-/Unterhitze 200–220 °C (vorgeheizt)
Heißluft 170–180 °C (nicht vorgeheizt)
Gas Stufe 3–4 (vorgeheizt)
Backzeit für jeden Boden etwa 15 Minuten

(Fortsetzung S. 76)

	die Böden sofort nach dem Backen vom Springformboden lösen einen der Tortenböden in 12 Stücke schneiden, die Böden einzeln auf einem Kuchenrost erkalten lassen.
	Für die Füllung
500 ml (1/2 l) Schlagsahne	1/2 Minute schlagen
25 g Zucker	
2 Pck. Sahnesteif	
1 Pck. Vanillin-Zucker	mischen, einstreuen, die Sahne steif schlagen, in einen Spritzbeutel mit gezackter Tülle füllen
	die 3 unzerteilten Böden zunächst jeweils mit einem Drittel von
450 g Pflaumenmus	bestreichen, die Schlagsahne darauf spritzen (Foto 2), mit dem geschnittenen Boden zu einer Torte zusammensetzen (Foto 3)
	die Torte mit
Puderzucker	bestäuben, kalt stellen.
Tip	Die Torte vor dem Verzehr am besten mit einem Sägemesser schneiden.

Käsecremetorte

traditionell

	Für den Teig
150 g Weizenmehl	mit
1 gestr. TL Backpulver	mischen, in eine Rührschüssel sieben
65 g Zucker	
1 Pck. Vanillin-Zucker	
2 Eigelb	
1 EL Wasser oder Milch	
50 g Margarine oder Butter	hinzufügen
	die Zutaten mit Handrührgerät mit Knethaken zunächst auf niedrigster, dann auf höchster Stufe gut durcharbeiten, anschließend auf der Arbeitsfläche zu einem glatten Teig verkneten
	2/3 des Teiges auf dem gefetteten Boden einer Springform (Ø 26 cm) ausrollen, den Rest des Teiges zu einer Rolle formen, sie als Rand auf den Teigboden legen, so an die Form drücken, daß ein etwa 3 cm hoher Rand entsteht
Ober-/Unterhitze	etwa 200 °C (vorgeheizt)
Heißluft	etwa 180 °C (nicht vorgeheizt)
Gas	Stufe 3–4 (vorgeheizt)
Backzeit	20–25 Minuten.

	Für den Belag
2 Pck. Pudding-Pulver Vanille-Geschmack	mit 2/3 von
200 g Zucker	mischen, mit 250 ml (1/4 l) von
500 ml (1/2 l) Milch	anrühren, die übrige Milch zum Kochen bringen, von der Kochstelle nehmen, die angerührte Mischung unter Rühren hineingeben, kurz aufkochen lassen, von der Kochstelle nehmen
1/2 Fläschchen Zitronen-Aroma	
750 g Magerquark	unterrühren, unter Rühren nochmals aufkochen lassen, die Masse in eine Schüssel geben
50 g Rosinen	unterrühren
3 Eiweiß	mit dem restlichen Zucker steif schlagen, unterziehen die Quarkmasse auf dem vorgebackenen Boden verteilen und glattstreichen
1 Eigelb	mit
1 EL Milch	verschlagen, die Quarkmasse damit bestreichen
Ober-/Unterhitze	etwa 180 °C (vorgeheizt)
Heißluft	etwa 160 °C (nicht vorgeheizt)
Gas	Stufe 2–3 (nicht vorgeheizt)
Backzeit	50–60 Minuten sofort nach dem Backen den Kuchen mit Hilfe eines Messers vom Springformrand lösen, ihn jedoch in der Form erkalten lassen.
Tip	Torte mit Puderzucker bestreuen.
Abwandlung	Statt der Rosinen abgetropfte Mandarinenspalten (aus der Dose) unter die Quarkmasse heben
	o d e r
370 g Sauerkirschen (aus dem Glas)	gut abtropfen lassen, auf dem erkalteten Kuchen verteilen Tortenguß aus
1 Pck. Tortenguß Zucker (nach Angabe auf dem Päckchen)	
250 ml (1/4 l) Saft	nach Anleitung auf dem Päckchen zubereiten und über die Kirschen verteilen.

Gedeckter Apfelkuchen auf dem Blech

tiefkühlgeeignet

Für den Teig

350 g Weizenmehl mit
4 gestr. TL Backpulver mischen, in eine Rührschüssel sieben
70 g Zucker
1 Pck. Vanillin-Zucker
1 Ei
4 EL Milch
150 g Margarine oder Butter hinzufügen
die Zutaten mit Handrührgerät mit Knethaken zunächst kurz auf niedrigster, dann auf höchster Stufe gut durcharbeiten, anschließend auf der Arbeitsfläche zu einem glatten Teig verkneten, sollte er kleben, ihn eine Zeitlang kalt stellen
knapp die Hälfte des Teiges dünn ausrollen, für die Decke eine Teigplatte in Backblechgröße (38 x 28 cm) ausschneiden, auf Papier aufrollen (Foto 1)
den restlichen Teig auf dem gefetteten Backblech ausrollen (Foto 2).

Für die Füllung

1 ½ kg Äpfel schälen, vierteln, entkernen, in Stifte schneiden, mit
50 g Zucker
1 Pck. Vanillin-Zucker
1 Msp. gemahlenem Zimt
30 g Rosinen
50 g Butter unter Rühren leicht dünsten, abkühlen lassen, mit
etwa 50 g Zucker abschmecken.

(Fortsetzung S. 80)

	Die Füllung auf dem Teig verteilen, die Teigdecke darauf abrollen (Foto 3)
1 Eigelb	mit
1 EL Milch	verschlagen, den Teig damit bestreichen, mit
50 g abgezogenen, gehobelten Mandeln	bestreuen, die Teigdecke mehrmals mit einer Gabel einstechen
Ober-/Unterhitze	200–220 °C (vorgeheizt)
Heißluft	180–200 °C (nicht vorgeheizt)
Gas	Stufe 4–5 (vorgeheizt)
Backzeit	20–25 Minuten.
Abwandlung	Kuchen in einer Springform (Ø 26 cm) backen, dazu Teig und Füllung halbieren.

Apfel-Streusel-Kuchen

beliebt

	Für den Teig
150 g Weizenmehl	mit
1 Msp. Backpulver	mischen, in eine Rührschüssel sieben
100 g Zucker	
1 Pck. Vanillin-Zucker	
1 Prise Salz	
1 Ei	
100 g Margarine oder Butter	hinzufügen die Zutaten mit Handrührgerät mit Knethaken zunächst kurz auf niedrigster, dann auf höchster Stufe gut durcharbeiten, anschließend auf der Arbeitsfläche zu einem glatten Teig verkneten, sollte er kleben, ihn eine Zeitlang kalt stellen gut zwei Drittel des Teiges auf dem Boden einer Springform (Ø 28 cm) ausrollen, mehrmals mit einer Gabel einstechen, den Springformrand um den Boden legen
Ober-/Unterhitze	200–220 °C (vorgeheizt)
Heißluft	etwa 180 °C (nicht vorgeheizt)
Gas	Stufe 3–4 (vorgeheizt)
Backzeit	10–12 Minuten den Boden erkalten lassen den Rest des Teiges zu einer Rolle formen, sie als Rand auf den vorgebackenen Boden legen, so an die Form drücken, daß ein etwa 2 cm hoher Rand entsteht.

Für die Füllung

etwa 1 1/2 kg Äpfel	schälen, vierteln, entkernen, in kleine Stücke schneiden, mit
75 g Zucker	
1 Msp. gemahlenem Zimt	
75 g Butter	unter Rühren leicht dünsten, abkühlen lassen, auf den vorgebackenen Boden streichen.

Für die Streusel

150 g Weizenmehl	in eine Rührschüssel sieben
100 g Zucker	
1 Pck. Vanillin-Zucker	
100 g Butter	hinzufügen, mit Handrührgerät mit Knethaken zu Streuseln von gewünschter Größe verarbeiten, gleichmäßig auf der Füllung verteilen

Ober-/Unterhitze	200–220 °C (vorgeheizt)
Heißluft	etwa 180 °C (nicht vorgeheizt)
Gas	Stufe 3–4 (nicht vorgeheizt)
Backzeit	etwa 40 Minuten.
Tip	Verwenden Sie eine säuerliche Apfelsorte.
Beigabe	Steifgeschlagene Sahne.

Abwandlung **Kirsch-Streusel-Kuchen**

Für die Füllung

1 kg Sauerkirschen	waschen, abtropfen lassen, entstielen, entsteinen, mit
100 g Zucker	mischen, kurze Zeit zum Saftziehen stehen lassen, nur eben zum Kochen bringen, abtropfen lassen, wenn Saft und Kirschen kalt sind, 250 ml (1/4 l) Saft abmessen (evtl. mit Wasser ergänzen)
20 g Speisestärke	mit 4 Eßlöffeln von dem Saft anrühren, den übrigen Saft zum Kochen bringen, die Speisestärke unter Rühren in den von der Kochstelle genommenen Saft geben, kurz aufkochen lassen, die Kirschen unterrühren, kalt stellen, mit
etwa 1 EL Zucker	abschmecken, die Füllung auf den vorgebackenen Boden geben.

Russischer Zupfkuchen

traditionell

Für den Teig

375 g Weizenmehl	mit
40 g Kakaopulver	
3 gestr. TL Backpulver	mischen, in eine Rührschüssel sieben
200 g Zucker	
1 Pck. Vanillin-Zucker	
1 Ei	
200 g Margarine oder Butter	hinzufügen die Zutaten mit Handrührgerät mit Knethaken zunächst kurz auf niedrigster, dann auf höchster Stufe gut durcharbeiten, anschließend auf der Arbeitsfläche zu einem glatten Teig verkneten, sollte er kleben, ihn eine Zeitlang kalt stellen die Hälfte des Teiges auf einem Boden einer Springform (Ø 28 cm) ausrollen.

Für die Füllung

500 g Magerquark	
200 g Zucker	
1 Pck. Vanillin-Zucker	
3 Eier	
1 Pck. Pudding-Pulver Vanille-Geschmack	
250 g zerlassene, abgekühlte Margarine oder Butter	zu einer einheitlichen Masse verrühren, in die Form geben, glattstreichen den restlichen Teig in kleine Stücke "zupfen", auf die Füllung verteilen

Ober-/Unterhitze	etwa 170 °C (vorgeheizt)
Heißluft	etwa 150 °C (nicht vorgeheizt)
Gas	Stufe 3–4 (nicht vorgeheizt)
Backzeit	60–70 Minuten.

Obsttörtchen

einfach

(12-14 Stück)

	Für den Teig
200 g Weizenmehl	mit
1 gestr. TL Backpulver	mischen, in eine Rührschüssel sieben
75 g Zucker	
1 Pck. Vanillin-Zucker	
1 Prise Salz	
4 Tropfen Zitronen-Aroma	
2 EL Wasser	
100 g Margarine oder Butter	hinzufügen die Zutaten mit Handrührgerät mit Knethaken zunächst kurz auf niedrigster, dann auf höchster Stufe gut durcharbeiten, anschließend auf der Arbeitsfläche zu einem glatten Teig verkneten, sollte er kleben, ihn eine Zeitlang kalt stellen den Teig dünn ausrollen, mit einer runden Form (Ø etwa 10 cm) ausstechen, in gut gefettete Tortelett-Förmchen (Ø etwa 10 cm) geben, mehrmals mit einer Gabel einstechen
Ober-/Unterhitze	170–200 °C (vorgeheizt)
Heißluft	160–170 °C (nicht vorgeheizt)
Gas	Stufe 3–4 (vorgeheizt)
Backzeit	10–15 Minuten die Törtchen sofort nach dem Backen aus den Förmchen lösen, erkalten lassen, gleichmäßig mit
Sahnesteif	bestreuen, damit die mit Obst belegten Törtchen nicht durchweichen.

	Für den Belag
500–750 g rohes Obst (z.B. Erdbeeren, Himbeeren, Heidelbeeren, Weintrauben)	waschen (Himbeeren nur verlesen), gut abtropfen lassen, entstielen oder verlesen, mit
Zucker	bestreuen, kurze Zeit stehen lassen
	o d e r
gedünstetes oder eingemachtes Obst (z.B. Aprikosen, Pfirsiche, Sauerkirschen, Stachelbeeren, Mandarinen)	abtropfen lassen, die Früchte auf die Törtchen legen.

	Für den Guß
1 Pck. Tortenguß	
Zucker nach Angabe auf dem Tortengußpäckchen	
250 ml (1/4 l) Wasser oder Fruchtsaft	nach Anleitung auf dem Päckchen zubereiten, über das Obst verteilen.

	Zum Verzieren
250 ml (1/4 l) Schlagsahne	1/2 Minute schlagen
1 Pck. Sahnesteif	mit
1 Pck. Vanillin-Zucker	mischen, einstreuen, die Sahne steif schlagen die Törtchen damit verzieren.

Bunter Obstkuchen

einfach

	Für den Teig
250 g Weizenmehl	mit
1 gestr. TL Backpulver	mischen, in eine Rührschüssel sieben
75 g Zucker	
1 Pck. Vanillin-Zucker	
1 Ei	
125 g Margarine oder Butter	hinzufügen die Zutaten mit Handrührgerät mit Knethaken zunächst kurz auf niedrigster, dann auf höchster Stufe gut durcharbeiten, anschließend auf der Arbeitsfläche zu einem glatten Teig verkneten, sollte er kleben, ihn eine Zeitlang kalt stellen den Teig auf einem Backblech ausrollen.
	Für den Belag
350 g Sauerkirschen (aus dem Glas)	
240 g Aprikosenhälften (aus der Dose)	gut abtropfen lassen (jedes Obst für sich)
300 g abgezogene, gemahlene Mandeln	
150 g Zucker	
1 Pck. Vanillin-Zucker	
2 Eier	
2 Becher (je 125 g) Crème double	verrühren, auf dem Teig verteilen das Obst – jedes für sich – auf der Mandelmasse verteilen
Ober-/Unterhitze	etwa 180 °C (vorgeheizt)
Heißluft	etwa 160 °C (nicht vorgeheizt)
Gas	Stufe 2–3 (vorgeheizt)
Backzeit	35–45 Minuten.
	Zum Aprikotieren
2 EL Aprikosenkonfitüre	durch ein Sieb streichen, mit
1 EL Wasser	unter Rühren etwas einkochen lassen den noch warmen Kuchen damit bestreichen.

Obstkuchen auf französische Art

raffiniert/für Gäste

Für den Teig

200 g Weizenmehl	in eine Rührschüssel sieben
1 Pck. Vanillin-Zucker	
1 Prise Salz	
1 Ei	
100 g Margarine	
oder Butter	hinzufügen
	die Zutaten mit Handrührgerät mit Knethaken zunächst kurz auf niedrigster, dann auf höchster Stufe gut durcharbeiten, anschließend auf der Arbeitsfläche zu einem glatten Teig verkneten, ihn eine Zeitlang kalt stellen
	den Teig auf einer bemehlten Arbeitsfläche ausrollen (Foto 1), eine Springform (Ø 26 cm) damit auslegen, Teig am Rand etwas hochdrücken.

Für den Belag

250 g Aprikosen	waschen, halbieren, entsteinen
3 mittelgroße Äpfel	
2 Birnen	
	beide Zutaten schälen, vierteln, entkernen, in Spalten schneiden
	den Teig mit dem Obst belegen.

Für den Guß

2 Eigelb	mit
250 ml (1/4 l) Schlagsahne	verschlagen
60 g Zucker	
1 Pck. Vanillin-Zucker	
2 gestr. EL Speisestärke	unterrühren, die Masse über das Obst verteilen (Foto 2)

(Fortsetzung S. 88)

Ober-/Unterhitze	170–200 °C (vorgeheizt)
Heißluft	160–170 °C (nicht vorgeheizt)
Gas	Stufe 3–4 (nicht vorgeheizt)
Backzeit	etwa 50 Minuten den Kuchen aus der Form lösen.
	Zum Aprikotieren
4–5 EL Aprikosenkonfitüre	durch ein Sieb streichen, mit
1 EL Wasser	unter Rühren aufkochen lassen den Kuchen sofort nach dem Backen damit bestreichen (Foto 3).

Terrassen

preiswert

300 g Weizenmehl	mit
2 gestr. TL Backpulver	mischen, in eine Rührschüssel sieben
100 g Zucker	
1 Pck. Vanillin-Zucker	
1 Ei	
150 g Margarine oder Butter	hinzufügen die Zutaten mit Handrührgerät mit Knethaken zunächst kurz auf niedrigster, dann auf höchster Stufe gut durcharbeiten, anschließend auf der Arbeitsfläche zu einem glatten Teig verkneten, sollte er kleben, ihn eine Zeitlang kalt stellen den Teig dünn ausrollen, Plätzchen von gleicher Form, aber in drei verschiedenen Größen (die gleiche Anzahl von jeder Größe) ausstechen, auf ein Backblech legen
Ober-/ Unterhitze	180–200 °C (vorgeheizt)
Heißluft	160–170 °C (nicht vorgeheizt)
Gas	Stufe 3–4 (vorgeheizt)
Backzeit	8–10 Minuten von je drei Plätzchen verschiedener Größe die beiden kleinen auf der Unterseite mit
Gelee oder Konfitüre (durch ein Sieb gestrichen)	bestreichen, terrassenförmig auf das größte setzen, die Plätzchen mit
Puderzucker	bestäuben, mit einem Konfitüretüpfchen verzieren.

Käsekuchen mit Streuseln

beliebt

	Für den Teig
150 g Weizenmehl	mit
1/2 gestr. TL Backpulver	mischen, in eine Rührschüssel sieben
75 g Zucker	
1 Pck. Vanillin-Zucker	
1 Prise Salz	
1 Ei	
75 g Margarine oder Butter	hinzufügen die Zutaten mit Handrührgerät mit Knethaken zunächst kurz auf niedrigster, dann auf höchster Stufe gut durcharbeiten, anschließend auf der Arbeitsfläche zu einem glatten Teig verkneten, evtl. kalt stellen, gut 2/3 des Teiges auf dem Boden einer Springform (Ø 28 cm) ausrollen, unter den Rest des Teiges
1 gestr. EL Weizenmehl	kneten, zu einer Rolle formen, sie als Rand auf den Teigboden legen, so an die Form drücken, daß ein etwa 3 cm hoher Rand entsteht, den Teigboden mehrmals mit einer Gabel einstechen
Ober-/Unterhitze	200–220 °C (vorgeheizt)
Heißluft	180–200 °C (nicht vorgeheizt)
Gas	Stufe 3–4 (vorgeheizt)
Backzeit	etwa 10 Minuten.
	Für die Füllung
750 g Magerquark	mit
150 g Zucker	
3 EL Zitronensaft	
50 g Speisestärke	
3 Eigelb	gut verrühren
3 Eiweiß	steif schlagen
250 ml (1/4 l) Schlagsahne	steif schlagen, beide Zutaten unter die Quarkmasse heben, gleichmäßig auf den Boden streichen.
	Für die Streusel
100 g Weizenmehl	in eine Rührschüssel sieben
75 g Zucker	
1 Pck. Vanillin-Zucker	
75 g Butter	hinzufügen, mit dem Handrührgerät mit Knethaken zu Streuseln verarbeiten, gleichmäßig auf der Füllung verteilen
Ober-/Unterhitze	etwa 170 °C (vorgeheizt)
Heißluft	etwa 150 °C (nicht vorgeheizt)
Gas	Stufe 2–3 (nicht vorgeheizt)
Backzeit	70–80 Minuten den Kuchen nach der Backzeit (Backofen ausgeschaltet) noch 15 Minuten bei geöffneter Backofentür stehen lassen.

Mohn-Quark-Kuchen

traditionell

	Für den Teig
375 g Weizenmehl	mit
1 gestr. TL Backpulver	mischen, in eine Rührschüssel sieben
75 g Zucker	
1 Pck. Vanillin-Zucker	
2 Eier	
175 g Margarine oder Butter	hinzufügen
	die Zutaten mit Handrührgerät mit Knethaken zunächst kurz auf niedrigster, dann auf höchster Stufe gut durcharbeiten, anschließend auf der Arbeitsfläche zu einem glatten Teig verkneten, sollte er kleben, ihn eine Zeitlang kalt stellen.
	Für den Quarkbelag
750 g Magerquark	mit
150 g Zucker	
2 Eigelb	
1 Prise Salz	
abgeriebener Schale von	
1/2 Zitrone (unbehandelt)	
75 g zerlassener Butter	
1 Pck. Käsekuchen-Hilfe	verrühren
2 Eiweiß	steif schlagen, unterrühren.
	Für den Mohnbelag
1 Pck. (250 g) Mohn-back	mit
2 EL Honig	
2 Eiern	
100 g Sultaninen	verrühren
	zwei Drittel des Teiges auf einem Backblech (38 x 28 cm) ausrollen, zunächst den Quarkbelag darauf streichen, dann den Mohnbelag darauf verteilen
	den restlichen Teig dünn ausrollen, etwa 1 cm breite Streifen ausrädeln
	die Teigstreifen als Gitter auf die Mohnmasse legen
Ober-/Unterhitze	170–200 °C (vorgeheizt)
Heißluft	etwa 160 °C (nicht vorgeheizt)
Gas	Stufe 3–4 (nicht vorgeheizt)
Backzeit	etwa 50 Minuten.
	Zum Aprikotieren
3–4 EL Aprikosenkonfitüre	durch ein Sieb streichen, mit
3 EL Wasser	unter Rühren etwas einkochen lassen, die Teigstreifen damit bestreichen.

Nuß- oder Kokosecken

beliebt

Für den Teig

150 g Weizenmehl	mit
1/2 gestr. TL Backpulver	mischen, in eine Rührschüssel sieben
65 g Zucker	
1 Pck. Vanillin-Zucker	
1 Prise Salz	
1 Ei	
65 g Margarine	hinzufügen die Zutaten mit Handrührgerät mit Knethaken zunächst kurz auf niedrigster, dann auf höchster Stufe kurz durcharbeiten, anschließend auf der Arbeitsfläche zu einem glatten Teig verkneten, sollte er kleben, ihn eine Zeitlang kalt stellen den Teig zu einem Rechteck (28 x 28 cm) auf einem Backblech ausrollen, mit
2 EL Aprikosenkonfitüre	bestreichen.

Für den Belag

100 g Margarine oder Butter	
100 g Zucker	
1 Pck. Vanillin-Zucker	
2 EL Wasser	langsam erwärmen, zerlassen
75 g gemahlene Haselnußkerne	
125 g gehobelte Haselnußkerne	
oder	
200 g Kokosraspel	unterrühren, etwas abkühlen lassen, die Masse gleichmäßig auf dem Teig verteilen, vor den Teig einen mehrfach umgeknickten Streifen Alufolie legen, so daß ein Rand entsteht
Ober-/Unterhitze	180–200 °C (vorgeheizt)
Heißluft	160–180 °C (nicht vorgeheizt)
Gas	Stufe 3–4 (vorgeheizt)
Backzeit	20–30 Minuten das Gebäck etwas abkühlen lassen, in Vierecke (8 x 8 cm) schneiden, diese so in Hälften teilen, daß Dreiecke entstehen.

Für den Guß

50 g Kuvertüre	mit
10 g Kokosfett	in einem kleinen Topf im Wasserbad bei schwacher Hitze zu einer geschmeidigen Masse verrühren, die beiden spitzen Ecken des Gebäcks in den Guß tauchen.

Schokocremetörtchen

gut vorzubereiten

(20 Törtchen)

Für den Teig

250 g Weizenmehl mit
50 g Speisestärke mischen, in eine Rührschüssel sieben
1 gestr. TL Backpulver
50 g Zucker
1 Pck. Vanillin-Zucker
2 EL saure Sahne oder Milch
175 g Margarine oder Butter hinzufügen
die Zutaten mit Handrührgerät mit Knethaken zunächst kurz auf niedrigster, dann auf höchster Stufe gut durcharbeiten, anschließend auf der Arbeitsfläche zu einem glatten Teig verkneten, sollte er kleben, ihn eine Zeitlang kalt stellen
den Teig etwa 3 mm dick ausrollen, 40 Plätzchen(Ø etwa 7 cm) mit einer gezackten Form ausstechen, auf ein Backblech legen

Ober-/Unterhitze 170–200 °C (vorgeheizt)
Heißluft 160–170 °C (nicht vorgeheizt)
Gas Stufe 3–4 (vorgeheizt)
Backzeit 12–15 Minuten.

Für die Buttercreme

aus
1 Pck. Pudding-Pulver Schokolade
50 g Zucker
4 EL Milch zum Anrühren
375 ml (3/8 l) Milch nach Anleitung auf dem Päckchen (jedoch nur mit 3/8 l Milch) einen Pudding zubereiten, während des Erkaltens ab und zu durchrühren
150 g Butter geschmeidig rühren, den erkalteten Pudding eßlöffelweise darunter geben (darauf achten, daß weder Pudding noch Butter zu kalt sind)
25 g Kokosfett zerlassen, unterrühren.

Für den Guß

100 g Halbbitter-Kuvertüre in kleine Stücke schneiden, mit
25 g Kokosfett in einem kleinen Topf im Wasserbad bei schwacher Hitze zu einer geschmeidigen Masse verrühren
die Hälfte der erkalteten Plätzchen auf der Oberseite damit bestreichen, den Guß fest werden lassen.

Die nicht bestrichenen Plätzchen auf der Unterseite spiralförmig mit Creme bespritzen, die übrigen darauf legen, mit einem Cremetuff verzieren.

Tip Törtchen einen Tag vor dem Verzehr zubereiten.

Tarte Tatin

raffiniert

	Für den Teig
150 g Weizenmehl	mit
2 TL Puderzucker	in eine Rührschüssel sieben
1 Pck. Vanillin-Zucker	
1 Prise Salz	
1 Eigelb	
3–4 EL Wasser	
80 g Butter	hinzufügen die Zutaten mit Handrührgerät mit Knethaken zunächst kurz auf niedrigster, dann auf höchster Stufe kurz durcharbeiten, anschließend auf der Arbeitsfläche zu einem glatten Teig verkneten, ihn etwa 1 Stunde kalt stellen.
	Für den Belag
2 kg Äpfel	schälen, vierteln, entkernen, ein rundes Kuchenblech (Ø 27 cm) mit
60 g weicher Butter	ausstreichen, mit
125 g Zucker	ausstreuen, die Apfelviertel – mit der Spitze nach unten – dicht nebeneinander in die Form legen (Foto 1), die Form auf die Kochstelle stellen, den Zucker bei schwacher Hitze karamelisieren lassen (Foto 2), den Teig in Größe der Form ausrollen, auf die Äpfel legen (Foto 3)
Ober-/Unterhitze	200–220 °C (vorgeheizt)
Heißluft	etwa 180 °C (nicht vorgeheizt)
Gas	Stufe 4–5 (vorgeheizt)
Backzeit	etwa 45 Minuten sofort nach dem Backen den Gebäckrand mit Hilfe eines Messers lösen, das Gebäck etwa 20 Minuten in der Form abkühlen lassen, stürzen.
Beigabe	Angeschlagene Schlagsahne.

Tarte à l'orange

für Gäste

	Für den Teig
200 g Weizenmehl	in eine Rührschüssel sieben
25 g Zucker	
1 EL Speiseöl	
1 Pck. Vanillin-Zucker	
100 g Butter	hinzufügen die Zutaten mit Handrührgerät mit Knethaken zunächst kurz auf niedrigster, dann auf höchster Stufe gut durcharbeiten, anschließend auf der Arbeitsfläche zu einem glatten Teig verkneten, sollte er kleben, ihn eine Zeitlang kalt stellen eine Tarteform (Ø 26 cm) ausfetten, den Teig zu einer Platte (Ø 30 cm) ausrollen, die Tarteform damit auslegen, den Teigboden mehrmals mit einer Gabel einstechen.
	Für den Belag
	den Teigboden mit
2–3 EL Orangenmarmelade	bestreichen
125 ml (1/8 l) Schlagsahne	mit
50 g Zucker	
3 Eiern	
abgeriebener Schale	
von 1 Orange (unbehandelt)	verrühren, in die Form geben
5 Orangen	schälen, so daß die Haut entfernt wird, die Orangen in Scheiben schneiden, schuppenförmig in Kreisen auf den Guß legen
Ober-/Unterhitze	200–220 °C (vorgeheizt)
Heißluft	170–190 °C (nicht vorgeheizt)
Gas	etwa Stufe 4 (nicht vorgeheizt)
Backzeit	etwa 30 Minuten die Tarte in der Form auf einem Rost auskühlen lassen, nach dem Auskühlen in der Form schneiden, mit
30 g Puderzucker	bestäuben.

Heidelbeerkuchen vom Blech

für Gäste

Für den Teig

300 g Weizenmehl	mit
2 gestr. TL Backpulver	mischen, in eine Rührschüssel sieben
100 g Zucker	
1 Pck. Vanillin-Zucker	
2 Eier	
100 g Butter	hinzufügen die Zutaten mit Handrührgerät mit Knethaken zunächst kurz auf niedrigster, dann auf höchster Stufe gut durcharbeiten, anschließend auf der Arbeitsfläche zu einem glatten Teig verkneten, sollte er kleben, ihn eine Zeitlang kalt stellen den Teig auf einem gefetteten Backblech ausrollen, goldgelb vorbacken
Ober-/Unterhitze	170–200 °C (vorgeheizt)
Heißluft	160–180 °C (nicht vorgeheizt)
Gas	Stufe 3–4 (vorgeheizt)
Backzeit	etwa 15 Minuten.

Für den Belag

2 Pck. (je 200 g) Doppelrahm-Frischkäse	mit
1 Pck. Feine Zitronenschale	
125 g Zucker	
2 Pck. Vanillin-Zucker	
1 Pck. Dessert-Soße Vanille-Geschmack	verrühren
250 ml (1/4 l) Schlagsahne	steif schlagen, unterheben
400 g Heidelbeeren	verlesen, waschen, gut abtropfen lassen, vorsichtig unterrühren, die Masse auf den vorgebackenen Boden verteilen, fertig backen
Ober-/Unterhitze	etwa 180 °C (vorgeheizt)
Heißluft	etwa 160 °C (nicht vorgeheizt)
Gas	Stufe 2–3 (vorgeheizt)
Backzeit	etwa 25 Minuten.
Tip	Nach Belieben können tiefgefrorene Heidelbeeren verwendet werden. Die Beeren so lange antauen lassen, bis sie sich gut in der Creme verteilen lassen.

Quarktaschen

	Für den Teig
150 g Weizenmehl	in eine Rührschüssel sieben
1 Pck. Vanillin-Zucker	
1 Prise Salz	
150 g Magerquark	
150 g Margarine oder Butter	hinzufügen
	die Zutaten mit Handrührgerät mit Knethaken zunächst kurz auf niedrigster, dann auf höchster Stufe gut durcharbeiten, anschließend auf der Arbeitsfläche zu einem glatten Teig verkneten, den Teig etwa 1 Stunde kalt stellen.
	Für die Füllung
250 g Magerquark	mit
50 g Zucker	
1 Pck. Vanillin-Zucker	
1 Pck. Feine Zitronenschale	
1 Eigelb	verrühren
1 Eiweiß	steif schlagen, mit
30 g Rosinen	unterrühren
	die Hälfte des Teiges zu einem Viereck von 30 x 30 cm ausrollen, in Quadrate von 10 x 10 cm schneiden, auf jedes Teigstück in die Mitte etwas von der Füllung geben
1 Eigelb	mit
1 1/2 EL Milch	verschlagen, die Teigränder damit bestreichen
	die Teigstücke zu Taschen zusammenklappen, auf ein mit Backpapier belegtes Backblech legen, mit Eigelbmilch bestreichen, den restlichen Teig ebenso verarbeiten, die Teigreste ausrollen, in schmale Streifen schneiden, je zwei davon über Kreuz auf jede Tasche legen, ebenfalls mit Eigelbmilch bestreichen
Ober-/Unterhitze	200–220 °C (vorgeheizt)
Heißluft	etwa 180 °C (nicht vorgeheizt)
Gas	Stufe 3–4 (vorgeheizt)
Backzeit	etwa 25 Minuten.

Zartes Mandelgebäck

einfach

	Für den Teig
375 g Weizenmehl	mit
1 gestr. TL Backpulver	mischen, in eine Rührschüssel sieben
125 g Zucker **1 Pck. Vanillin-Zucker** **1 Prise Salz** **2 Tropfen Bittermandel-Aroma** **abgeriebene Schale von 1 Zitrone (unbehandelt)** **1 Ei** **250 g Margarine oder Butter**	hinzufügen die Zutaten mit Handrührgerät mit Knethaken zunächst kurz auf niedrigster, dann auf höchster Stufe gut durcharbeiten
100 g abgezogene, gehobelte Mandeln	kurz auf mittlerer Stufe unterkneten, anschließend alles auf der Arbeitsfläche zu einem glatten Teig verkneten den Teig zu einem Rechteck (14 x 22 cm) ausrollen, über Nacht kalt stellen den Teig in Streifen von 22 x 3,5 cm schneiden, davon 1/2–1 cm dicke Stücke abschneiden, auf ein Backblech legen
Ober-/Unterhitze	170–200 °C (vorgeheizt)
Heißluft	160–170 °C (nicht vorgeheizt)
Gas	Stufe 3–4 (vorgeheizt)
Backzeit	10–15 Minuten.
	Für den Guß
175 g Kuvertüre	in kleine Stücke brechen, mit
25 g Kokosfett	in einem kleinen Topf im Wasserbad bei schwacher Hitze zu einer geschmeidigen Masse verrühren die erkalteten Plätzchen zur Hälfte hineintauchen.

Heidesand

traditionell

250 g Butter	zerlassen, bräunen, in eine Rührschüssel geben, kalt stellen, die wieder festgewordene Butter mit Handrührgerät mit Rührbesen auf höchster Stufe geschmeidig rühren, nach und nach
200 g Zucker **1 Pck. Vanillin-Zucker** **1 Prise Salz** **2–3 EL Milch**	unterrühren, so lange rühren, bis eine gebundene Masse entstanden ist

375 g Weizenmehl	mit
1 gestr. TL Backpulver	mischen, sieben, zwei Drittel davon portionsweise auf mittlerer Stufe unterrühren den Teigbrei mit dem Rest des Mehls auf der Arbeitsfläche zu einem glatten Teig verkneten daraus etwa 3 cm dicke Rollen formen, kalt stellen, bis sie hart geworden sind die Rollen in etwa 1/2 cm dicke Scheiben schneiden, auf ein Backblech legen
Ober-/Unterhitze	170–200 °C (vorgeheizt)
Heißluft	160–170 °C (nicht vorgeheizt)
Gas	Stufe 3–4 (vorgeheizt)
Backzeit	10–15 Minuten.

Weinplätzchen

für Gäste

	Für den Teig
375 g Weizenmehl	in eine Rührschüssel sieben
125 g Zucker	
1 Pck. Vanillin-Zucker	
3 EL Weißwein	
200 g Butter	hinzufügen die Zutaten mit Handrührgerät mit Knethaken zunächst kurz auf niedrigster, dann auf höchster Stufe gut durcharbeiten, anschließend auf der Arbeitsfläche zu einem glatten Teig verkneten, sollte er kleben, ihn eine Zeitlang kalt stellen den Teig in kleinen Portionen dünn ausrollen, mit einer runden Form (Ø etwa 4 cm) ausstechen, auf ein Backblech legen.
	Für den Belag
2 Eiweiß	steif schlagen, der Schnee muß so fest sein, daß ein Messerschnitt sichtbar bleibt, die Teigplätzchen damit bestreichen
40 g Zucker	
etwas gemahlenen Zimt	mischen, die Plätzchen damit und mit
50 g abgezogenen, gehackten Mandeln	bestreuen
Ober-/Unterhitze	170–200 °C (vorgeheizt)
Heißluft	160–170 °C (nicht vorgeheizt)
Gas	Stufe 3–4 (vorgeheizt)
Backzeit	10–15 Minuten.
Tip	Sollte der Belag nicht ausreichend sein, die restlichen Plätzchen nur mit Zimt-Zucker bestreuen.

Leipziger Lerchen

traditionell

Für den Teig

200 g Weizenmehl mit
1/2 gestr. TL Backpulver mischen, in eine Rührschüssel sieben
75 g Zucker
1 Pck. Vanillin-Zucker
2 EL Wasser
100 g Margarine oder Butter hinzufügen
die Zutaten mit Handrührgerät mit Knethaken zunächst kurz auf niedrigster, dann auf höchster Stufe gut durcharbeiten, anschließend auf der Arbeitsfläche zu einem glatten Teig verkneten, sollte er kleben, ihn eine Zeitlang kalt stellen
den Teig dünn ausrollen, 12 Platten (Ø etwa 10 cm) ausstechen (Foto 1), 12 leicht gefettete Förmchen (Ø unten etwa 4 cm, oben etwa 8 cm, Höhe 3–4 cm) damit auslegen, aus dem restlichen Teig 12 kleine Sterne ausstechen, beiseite legen
von
100 g Aprikosenkonfitüre jeweils 1 Teelöffel voll hineingeben (Foto 2).

Für die Füllung

80 g Butter mit Handrührgerät mit Rührbesen geschmeidig rühren
125 g Zucker
1 Ei
1 Eiweiß hinzufügen, verrühren
100 g Weizenmehl sieben, mit
125 g abgezogenen, gemahlenen Mandeln
2 Tropfen Bittermandel-Aroma
5 EL Milch
2 EL Rum unterrühren, die Masse in die Förmchen füllen, mit Sternen belegen (Foto 3)
1 Eigelb mit
1 EL Milch verschlagen, die Sterne damit bestreichen

(Fortsetzung S. 104)

Ober-/Unterhitze	180–200 °C (vorgeheizt)
Heißluft	160–170 °C (nicht vorgeheizt)
Gas	Stufe 3–4 (nicht vorgeheizt)
Backzeit	etwa 25 Minuten das Gebäck etwa 10 Minuten abkühlen lassen, aus den Förmchen lösen.

Haselnußkranz

raffiniert

Für den Teig

300 g Weizenmehl	mit
2 gestr. TL Backpulver	mischen, in eine Rührschüssel sieben
100 g Zucker	
1 Pck. Vanillin-Zucker	
1 Prise Salz	
1 Ei	
2 EL Milch oder Wasser	
125 g Margarine oder Butter	hinzufügen die Zutaten mit Handrührgerät mit Knethaken zunächst kurz auf niedrigster, dann auf höchster Stufe gut durcharbeiten, anschließend auf der Arbeitsfläche zu einem glatten Teig verkneten, sollte er kleben, ihn eine Zeitlang kalt stellen.

Für die Füllung

200 g gemahlene Haselnußkerne	mit
100 g Zucker	
4–5 Tropfen Bittermandel-Aroma	
1/2 Eigelb	
1 Eiweiß	
3–4 EL Wasser	zu einer geschmeidigen Masse verrühren den Teig zu einem Rechteck (etwa 45 x 35 cm) ausrollen, die Nußmasse darauf streichen, den Teig von der längeren Seite her aufrollen, als Kranz auf ein gefettetes Backblech legen
1/2 Eigelb	mit
1 EL Milch	verschlagen, den Kranz damit bestreichen, sternförmig einschneiden

Ober-/Unterhitze	170–200 °C (vorgeheizt)
Heißluft	160–170 °C (nicht vorgeheizt)
Gas	Stufe 3–4 (vorgeheizt)
Backzeit	etwa 45 Minuten.

Aprikosenschnitten

beliebt

	Für den Teig
250 g Weizenmehl	mit
10 g Kakaopulver	
1 gestr. TL Backpulver	mischen, in eine Rührschüssel sieben
100 g Zucker	
1 Pck. Vanillin-Zucker	
3 Tropfen Rum-Aroma	
200 g Margarine oder Butter	hinzufügen die Zutaten mit Handrührgerät mit Knethaken zunächst kurz auf niedrigster, dann auf höchster Stufe gut durcharbeiten, anschließend auf der Arbeitsfläche zu einem glatten Teig verkneten, ihn auf einem Backblech (38 x 28 cm) ausrollen, vorbacken
Ober-/Unterhitze	etwa 200 °C (vorgeheizt)
Heißluft	etwa 170 °C (nicht vorgeheizt)
Gas	Stufe 3–4 (vorgeheizt)
Backzeit	etwa 12 Minuten.
	Für den Belag
480 g Aprikosenhälften (aus der Dose)	gut abtropfen lassen, von dem Saft 250 ml (1/4 l) abmessen
2 Eiweiß	steif schlagen, aus
2 Pck. Pudding-Pulver Vanille-Geschmack	
100 g Zucker	
1 Pck. Vanillin-Zucker	
2 Eigelb	
750 ml (3/4 l) Milch	nach Anleitung auf dem Päckchen (aber nur mit 750 ml Milch) einen Pudding kochen, sofort
2 Becher (je 150 g) Crème fraîche	und das steifgeschlagene Eiweiß unterrühren, die Masse auf die vorgebackene Platte streichen, einen mehrfach geknickten Streifen Alufolie davor legen die Aprikosen in gleichmäßigen Abständen auf dem Pudding verteilen (mit der Wölbung nach oben)
Ober-/Unterhitze	170–200 °C (vorgeheizt)
Heißluft	etwa 160 °C (nicht vorgeheizt)
Gas	Stufe 3–4 (vorgeheizt)
Backzeit	30–35 Minuten das Gebäck erkalten lassen.
	Für den Guß
1 Pck. Tortenguß, klar	
25 g Zucker	
250 ml (1/4 l) Aprikosensaft	nach Anleitung auf dem Päckchen zubereiten, auf dem Belag verteilen, fest werden lassen.

Zimtblätter

einfach

Für den Teig

350 g Weizenmehl	mit
1 gestr. TL Backpulver	mischen, in eine Rührschüssel sieben
100 g gesiebten Puderzucker	
1 Pck. Vanillin-Zucker	
1 Prise Salz	
1 gestr. TL gemahlenen Zimt	
2 Eigelb	
250 g Margarine oder Butter	
300 g abgezogene, grob gemahlene Mandeln	hinzufügen
	die Zutaten mit Handrührgerät mit Knethaken zunächst kurz auf niedrigster, dann auf höchster Stufe gut durcharbeiten, anschließend auf der Arbeitsfläche zu einem glatten Teig verkneten
	den Teig eine Zeitlang kalt stellen, etwa 3 mm dick ausrollen, mit einer runden Form ovale Plätzchen ausstechen (Foto 1), auf ein mit Backpapier belegtes Backblech legen
1 Eigelb	mit
1 EL Honig	verschlagen, die Plätzchen damit bestreichen, mit
Zimt-Zucker	bestreuen (Foto 2)
Ober-/Unterhitze	170–200 °C (vorgeheizt)
Heißluft	160–170 °C (nicht vorgeheizt)
Gas	Stufe 3–4 (vorgeheizt)
Backzeit	12–15 Minuten.

Für den Guß

125 g Kuvertüre	in kleine Stücke brechen, mit
20 g Kokosfett	in einem kleinen Topf im Wasserbad bei schwacher Hitze zu einer geschmeidigen Masse verrühren, die Unterseite der erkalteten Plätzchen damit bestreichen (Foto 3).

Florentiner Plätzchen

dauert länger

	Für den Teig
150 g Weizenmehl	in eine Rührschüssel sieben
50 g Zucker	
1 Pck. Vanillin-Zucker	
1 Ei	
75 g Margarine oder Butter	hinzufügen die Zutaten mit Handrührgerät mit Knethaken zunächst kurz auf niedrigster, dann auf höchster Stufe gut durcharbeiten, anschließend auf der Arbeitsfläche zu einem glatten Teig verkneten, evtl. kalt stellen den Teig dünn ausrollen, runde Plätzchen (Ø etwa 5 cm) ausstechen, auf ein Backblech legen, hellgelb vorbacken
Ober-/Unterhitze	170–200 °C (vorgeheizt)
Heißluft	etwa 160 °C (nicht vorgeheizt)
Gas	Stufe 3–4 (vorgeheizt)
Backzeit	etwa 8 Minuten die Plätzchen erkalten lassen.
	Für den Belag
50 g Butter	
50 g Zucker	
2 gestr. EL Honig	unter Rühren langsam zerlassen, erhitzen, bräunen lassen
125 ml (1/8 l) Schlagsahne	hinzufügen, rühren, bis der Zucker gelöst ist
100 g abgezogene, gehobelte Mandeln	
100 g gehobelte Haselnußkerne	
2 EL gemahlene Haselnußkerne	
50 g in Stücke geschnittene Belegkirschen	dazugeben, so lange unter Rühren schwach kochen lassen, bis die Masse gebunden ist den Belag auf die Unterseite der erkalteten Plätzchen verteilen, wieder auf das Backblech legen
Ober-/Unterhitze	etwa 170 °C (vorgeheizt)
Heißluft	etwa 150 °C (nicht vorgeheizt)
Gas	Stufe 3–4 (vorgeheizt)
Backzeit	10–12 Minuten.
	Für den Guß
75 g dunkle Kuchenglasur	nach Anleitung auf dem Päckchen auflösen, die erkalteten Plätzchen auf der Unterseite damit bestreichen.

Teegebäck

traditionell

250 g Weizenmehl	mit
1 gestr. TL Backpulver	mischen, in eine Rührschüssel sieben
75 g Zucker	
1 Pck. Vanillin-Zucker	
1 Prise Salz	
1 Ei	
125 g Margarine	hinzufügen die Zutaten mit Handrührgerät mit Knethaken zunächst kurz auf niedrigster, dann auf höchster Stufe kurz durcharbeiten, anschließend auf der Arbeitsfläche zu einem glatten Teig verkneten, sollte er kleben, ihn eine Zeitlang kalt stellen aus diesem Teig verschiedene Plätzchen zubereiten:
	Für Brezeln aus dem Teig bleistiftdicke Rollen formen, zu Brezeln legen, mit
Milch	bestreichen, in
Zucker	drücken, auf ein Backblech legen.
	Für Frucht-Plätzchen den Teig dünn ausrollen, runde Plätzchen und Ringe in gleicher Größe ausstechen, auf ein Backblech legen, die erkalteten Plätzchen mit
Konfitüre	bestreichen, auf jedes einen mit
Puderzucker	bestäubten Ring legen.
	Für gefüllte Plätzchen den Teig dünn ausrollen, mit einer runden Form Plätzchen ausstechen, auf ein Backblech legen, die Hälfte der erkalteten Plätzchen auf der Unterseite mit
Konfitüre oder Gelee	bestreichen, die übrigen darauf legen, mit
Puderzucker	bestäuben oder mit
aufgelöster Kuvertüre	besprenkeln.
Ober-/Unterhitze	180–200 °C (vorgeheizt)
Heißluft	160–180 °C (nicht vorgeheizt)
Gas	Stufe 3–4 (vorgeheizt)
Backzeit	für jedes Gebäck 8–10 Minuten.

Englische Butterplätzchen
(Foto)

375 g Weizenmehl	in eine Rührschüssel sieben
200 g Rohrzucker	
1 Pck. Bourbon Vanille-Zucker	
250 g Butter	hinzufügen die Zutaten mit Handrührgerät mit Knethaken zunächst kurz auf niedrigster, dann auf höchster Stufe gut durcharbeiten, anschließend auf der Arbeitsfläche zu einem glatten Teig verkneten aus dem Teig 2–2 1/2 cm dicke Rollen formen, so lange kalt stellen, bis sie hart geworden sind die Rollen in etwa 1/2 cm dicke Scheiben schneiden, auf ein Backblech legen
Ober-/Unterhitze	170–200 °C (vorgeheizt)
Heißluft	160–170 °C (nicht vorgeheizt)
Gas	Stufe 3–4 (vorgeheizt)
Backzeit	etwa 10 Minuten.

Kulleraugen

250 g Weizenmehl	mit
1 gestr. TL Backpulver	mischen, in eine Rührschüssel sieben
100 g Zucker	
1 Pck. Vanillin-Zucker	
3 Eigelb	
150 g Margarine oder Butter	hinzufügen die Zutaten mit Handrührgerät mit Knethaken zunächst kurz auf niedrigster, dann auf höchster Stufe gut durcharbeiten, anschließend auf der Arbeitsfläche zu einem glatten Teig verkneten, sollte er kleben, ihn eine Zeitlang kalt stellen aus dem Teig daumendicke Rollen formen, in so große Stücke schneiden, daß sich daraus knapp walnußgroße Kugeln formen lassen jede Kugel zuerst mit der oberen Seite in
etwas verschlagenes Eiweiß	tauchen, dann in
etwa 50 g abgezogene, gehackte Mandeln	drücken, mit der Teigseite auf ein Backblech legen, mit einem Rührlöffelstiel in jede Kugel eine Vertiefung drücken, mit
etwas rotem Gelee	füllen
Ober-/Unterhitze	170–200 °C (vorgeheizt)
Heißluft	150–180 °C (nicht vorgeheizt)
Gas	Stufe 3–4 (vorgeheizt)
Backzeit	etwa 15 Minuten.

Käsegebäck

für Gäste

	Für den Teig
250 g Weizenmehl	
3 gestr. TL Backpulver	mischen, in eine Rührschüssel sieben
250 g Magerquark	gut auspressen, hineingeben
250 g weiche Butter	hinzufügen die Zutaten mit Handrührgerät mit Knethaken zunächst kurz auf niedrigster, dann auf höchster Stufe gut durcharbeiten, anschließend auf der Arbeitsfläche zu einem glatten Teig verkneten, etwa 1/2 cm dick ausrollen, mehrfach übereinander-schlagen, wieder ausrollen das Übereinanderschlagen und Ausrollen ein- bis zweimal wiederholen, den Teig knapp 1/2 cm dick ausrollen, Streifen und Vierecke ausrädeln, mit
Kondensmilch	bestreichen, mit
geriebenem Parmesan	
Kümmel	bestreuen, auf ein mit kaltem Wasser abgespültes Backblech legen
Ober-/Unterhitze	200–220 °C (vorgeheizt)
Heißluft	180–200 °C (nicht vorgeheizt)
Gas	Stufe 4–5 (vorgeheizt)
Backzeit	etwa 10 Minuten.

Vollkorn-Käsegebäck

375 g Weizenvollkornmehl	mit
Meersalz	mischen, in eine Rührschüssel geben
knapp 125 ml (1/8) l Milch	
225 g würzigen, feingeriebenen Käse, z. B. Greyerzer	
225 g Butter	hinzufügen die Zutaten mit Handrührgerät mit Knethaken zunächst kurz auf niedrigster, dann auf höchster Stufe gut durcharbeiten, an-schließend auf der Arbeitsfläche zu einem glatten Teig verkneten den Teig zu einer Kugel formen, etwa 30 Minuten kalt stellen den Teig etwa 1/2 cm dick ausrollen, Streifen, Quadrate oder Taler ausschneiden oder -rädeln, mit
Milch	bestreichen, auf ein mit Backpapier belegtes Backblech legen, mit
Mohn, Sesamen, Kümmel, Sonnen-blumenkernen, Paprikapulver	bestreuen
Ober-/Unterhitze	200–220 °C (vorgeheizt)
Heißluft	180–200 °C (nicht vorgeheizt)
Gas	Stufe 4–5 (vorgeheizt)
Backzeit	etwa 10 Minuten.

Wirsingtorte

für Gäste/raffiniert

	Für den Teig
200 g Weizenmehl	mit
1 gestr. TL Backpulver	mischen, in eine Rührschüssel sieben
1 Ei	
1 Prise Salz	
125 g Butter	hinzufügen
	die Zutaten mit Handrührgerät mit Knethaken zunächst kurz auf niedrigster, dann auf höchster Stufe gut durcharbeiten, anschließend auf der Arbeitsfläche zu einem glatten Teig verkneten, 30 Minuten kalt stellen
	2/3 des Teiges auf dem Boden einer Springform (Ø 26 cm) ausrollen, den restlichen Teig zu einer Rolle formen, sie als Rand auf den Teigboden legen, so an die Form drücken, daß ein etwa 3 cm hoher Rand entsteht, den Boden mehrmals mit einer Gabel einstechen, vorbacken
Ober-/Unterhitze	200–220 °C (vorgeheizt)
Heißluft	etwa 180 °C (nicht vorgeheizt)
Gas	Stufe 4–5 (vorgeheizt)
Backzeit	etwa 15 Minuten.
	Für den Belag
	von
1 Kopf (1 kg) Wirsing	die groben äußeren Blätter lösen, den Wirsing vierteln, den Strunk herausschneiden, den Wirsing abspülen, abtropfen lassen, fein schneiden, wiegen (etwa 800 g)
100 g Zwiebeln	abziehen, in Scheiben schneiden
2 EL Speiseöl	erhitzen, die Zwiebelscheiben darin andünsten, Wirsing,
200 ml Fleischbrühe	hinzufügen, 15 Minuten dünsten lassen, mit
Salz	
Currypulver	
gestoßenem Pfeffer	würzen, etwas abkühlen lassen
3 Eier	unterrühren
	den Belag auf dem vorgebackenen Boden verteilen, fertig backen
Ober-/Unterhitze	200–220 °C (vorgeheizt)
Heißluft	etwa 180 °C (nicht vorgeheizt)
Gas	Stufe 4–5 (vorgeheizt)
Backzeit	etwa 30 Minuten.
Tip	Wirsinggemüse nicht mit Currypulver sondern mit Kümmel würzen.
Beigabe	Crème fraîche.

Quiche Lorraîne

für Gäste

	Für den Teig
250 g Weizenmehl	in eine Rührschüssel sieben
1 Eigelb	
1 Prise Salz	
4 EL Wasser	
125 g Butter	hinzufügen die Zutaten mit Handrührgerät mit Knethaken zunächst kurz auf niedrigster, dann auf höchster Stufe gut durcharbeiten, anschließend auf der Arbeitsfläche zu einem glatten Teig verkneten 2/3 des Teiges auf dem Boden einer Spring- oder Tarteform (Ø 26 cm) ausrollen, den restlichen Teig zu einer Rolle formen, sie als Rand auf den Teigboden legen, so an die Form drücken, daß ein etwa 2 cm hoher Rand entsteht, den Boden mehrmals mit einer Gabel einstechen, vorbacken
Ober-/Unterhitze	200–220 °C (vorgeheizt)
Heißluft	etwa 180 °C (nicht vorgeheizt)
Gas	Stufe 4–5 (vorgeheizt)
Backzeit	etwa 15 Minuten.
	Für den Belag
100 g Gouda Käse	in feine Streife schneiden
120 g durchwachsenen Speck	würfeln, andünsten, abkühlen lassen, mit dem Käse,
4 Eiern	
250 ml (1/4 l) Schlagsahne	verrühren, mit
Salz	
frisch gemahlenem Pfeffer	
geriebener Muskatnuß	würzen, den Belag auf dem vorgebackenen Boden verteilen, fertig backen
Ober-/Unterhitze	200–220 °C (vorgeheizt)
Heißluft	etwa 180 °C (nicht vorgeheizt)
Gas	Stufe 4–5 (vorgeheizt)
Backzeit	etwa 25 Minuten.

Im Handel ist Trockenhefe und Frischhefe erhältlich. Das Backen mit Trockenhefe erfordert keine besonderen Vorarbeiten. Die Hefe wird sofort aus dem Päckchen ins Mehl gestreut und mit dem Mehl sorgfältig vermischt (Ausnahme: Bei zutatenreichen Teigen, z.B. Hefe-Napfkuchen und Stollen, muß die Hefe angerührt werden).

Die einzelnen Arbeitsgänge

Das Mehl in eine Rührschüssel sieben (geben) und die Trockenhefe gleichmäßig mit einer Gabel unterrühren.
Alle übrigen im Rezept angegebenen Zutaten zu dem Mehl geben.
Nur in Gegenwart von Wärme entfaltet Hefe ihre volle Triebkraft – vor allem die Flüssigkeit (Milch oder Wasser) sollte etwa 37 °C haben.

Die Zutaten zunächst mit Handrührgerät mit Knethaken kurz auf niedrigster, dann auf höchster Stufe etwa 5 Minuten verarbeiten. Der Teig muß glatt sein.
Das Kneten des Hefeteiges bewirkt eine besonders gute Verbindung aller Zutaten untereinander unter Einschlagen von Luft. Die Hefe wandelt dabei Zucker und Mehl (Stärke) als Kohlenhydrate in Kohlensäure und Alkohol um und bewirkt dadurch eine Lockerung des Teiges.

Bei der Zubereitung mit Frischhefe und zutatenreichen Teigen mit Trockenhefe muß die Hefe angerührt werden.
Wichtig dabei ist, daß die angesetzte Hefe tatsächlich gegangen ist. Voraussetzung dafür ist, daß die zerbröckelte Hefe (oder Trockenhefe) zusammen mit etwas Zucker (Honig) und mit lauwarmer Milch angerührt wird und 15 Minuten bei Zimmertemperatur stehen bleibt. Nur in Gegenwart von Wärme entfaltet die Hefe ihre volle Triebkraft – die Milch sollte etwa handwarm sein, also etwa 37 °C haben.

Die übrigen Zutaten dürfen erst bei der Teigbereitung selbst mit der Hefe in Berührung kommen, vor allem Salz und Fett, denn sie würden die Tätigkeit der Hefe hemmen. Deshalb sollten diese Zutaten an den Rand der Schüssel gegeben werden und erst nachdem die Hefe mit dem Mehl vermischt ist, untergerührt werden. Am schnellsten kann sie Zucker verarbeiten, während sie Mehl (Stärke) vorher abbauen muß.

Die Zutaten wie beim Hefeteig mit Trockenhefe verarbeiten. Mit Handrührgerät mit Knethaken zuerst auf niedrigster, danach auf höchster Stufe so lange kneten, bis ein glatter Teig entstanden ist.
Zum Schluß evtl. Früchte oder Nüsse unterkneten.

Den Teig zugedeckt (mit Geschirrtuch oder Klarsichtfolie) an einem warmen Ort so lange stehen lassen, bis er sich sichtbar vergrößert hat. Hefeteige nicht sofort nach der Zubereitung backen, sondern vorher genügend aufgehen lassen. Sie an einen warmen Ort stellen; z.B. in den Gas- oder Elektroherd.

Den Teig, je nach Rezept, weiterverarbeiten (in eine vorbereitete Napfkuchenform füllen oder ausrollen, formen, flechten usw.), in jedem Fall vor dem Backen nochmals gehen lassen.

Backbleche und -formen im allgemeinen fetten, am zweckmäßigsten mit streichfähiger Margarine oder Butter, und, je nach Rezept, mit Semmelbröseln ausstreuen.

Hefeteig gehen lassen

Gas: Auf Stufe 8 drei Minuten vorheizen. **Flamme ausdrehen**, Schüssel mit Teig so lange in den Backofen stellen, bis er sich sichtbar vergrößert hat.
Strom: 50 °C einschalten. Schüssel mit Teig so lange in den Backofen stellen, bis er sich sichtbar vergrößert hat. Backofentür mit Rührlöffel geöffnet halten.
Mikrowelle: 80 oder 90 Watt etwa 8 Minuten. In einem Gerät ohne Drehteller Schüssel nach etwa 4 Minuten drehen.
Wasserbad: Schüssel mit Teig (mit feuchtem Tuch abgedeckt) so lange in heißes Wasser stellen, bis er sich sichtbar vergrößert hat.

Grundrezept

500 g Weizenmehl **1 Pck. Trockenhefe**	in eine Rührschüssel sieben, mit sorgfältig vermischen
75 g Zucker **1 Pck. Vanillin-Zucker** **1 Prise Salz** **250 ml (1/4 l) lauwarme Milch** **75–100 g zerlassene, abgekühlte Margarine oder Butter oder 6–7 EL Speiseöl**	hinzufügen
	o d e r (für kleine Bleche 38 x 28 cm)
375 g Weizenmehl **1 Pck. Trockenhefe**	in eine Rührschüssel sieben, mit sorgfältig vermischen
50 g Zucker **1 Pck. Vanillin-Zucker** **1 Prise Salz** **1 Ei** **200 ml lauwarme Milch** **50 g zerlassene, abgekühlte Margarine oder Butter oder 4–5 EL Speiseöl**	hinzufügen die Zutaten mit Handrührgerät mit Knethaken zunächst auf niedrigster, dann auf höchster Stufe in etwa 5 Minuten zu einem Teig verarbeiten den Teig zugedeckt so lange an einem warmen Ort stehen lassen, bis er sich sichtbar vergrößert hat (etwa 20 Minuten), ihn leicht mit Mehl bestäuben, aus der Schüssel nehmen, auf der Arbeitsfläche nochmals kurz durchkneten den Teig – je nach Rezept – in der Form oder auf dem Backblech nochmals gehen lassen je nach Rezept backen.

Das Backen von Hefeteigen

Hefeteige sollten in jedem Fall vor dem Backen nochmals an einem warmen Ort gehen, dadurch wird eine weitere Lockerung des Teiges hervorgerufen.

Um ein schnelles „Gehen“ des Teiges zu erzielen, ihn mit einem Geschirrtuch zudecken.
Teig dann weiterverarbeiten und backen wie im Rezept angegeben.

Hefezopf „Dreierlei"

raffiniert

(Foto Seite 116/117)

Für den Teig

500 g Weizenmehl	in eine Rührschüssel sieben, mit
1 Pck. Trockenhefe	sorgfältig vermischen
50 g Zucker	
1 Pck. Vanillin-Zucker	
1 Prise Salz	
1 Becher (150 g) Crème fraîche	
150 ml lauwarme Milch	
75 g zerlassene, abgekühlte Margarine oder Butter	hinzufügen die Zutaten mit Handrührgerät mit Knethaken zunächst auf niedrigster, dann auf höchster Stufe in etwa 5 Minuten zu einem Teig verarbeiten den Teig zugedeckt an einem warmen Ort so lange stehen lassen, bis er sich sichtbar vergrößert hat.

Für die Füllungen

100 g Rosinen	mit
2 EL Rum	vermengen, etwa 30 Minuten stehen lassen
4 kleine Ananasscheiben (aus der Dose)	gut abtropfen lassen, in sehr kleine Stücke schneiden, mit
50 g Kokosraspeln	vermengen
70 g nicht abgezogene Mandeln	grob hacken
100 g Marzipan-Rohmasse	in Würfel schneiden, beide Zutaten vermengen.

Den gegangenen Teig leicht mit Mehl bestäuben, aus der Schüssel nehmen, auf der Arbeitsfläche nochmals kurz durchkneten
den Teig in sechs gleich große Stücke teilen
unter zwei Teigstücke die Ananasmischung, unter zwei Teigstücke die getränkten Rosinen und unter zwei Teigstücke die Mandelmischung kneten, die Teigstücke zu etwa 30 cm langen Rollen formen, aus den Rollen zwei Zöpfe flechten, auf ein gefettetes Backblech legen, nochmals so lange an einem warmen Ort gehen lassen, bis sie sich sichtbar vergrößert haben

1 Eigelb	mit
1 EL Milch	verschlagen, die Zöpfe damit bestreichen

Ober-/Unterhitze	170–200 °C (vorgeheizt)
Heißluft	160–170 °C (nicht vorgeheizt)
Gas	Stufe 3–4 (vorgeheizt)
Backzeit	etwa 35 Minuten.
Tip	Beim Unterkneten der Füllungen evtl. noch etwas Mehl dazugeben.

Abwandlungen	**Für die Füllungen**
200 g Marzipan-Rohmasse	mit
2 Eiern	
2 EL Aprikosenkonfitüre	und
2 EL Aprikosenlikör	
oder Orangensaft	geschmeidig rühren
200 g getrocknete Aprikosen	würfeln und zusammen mit
50 g feingehackten Bananen-Chips	unterheben
	o d e r
1 Pck. Mohn-back	mit
1 Becher (125 g) Crème double	verrühren
2 große Äpfel (400 g)	grob raspeln und unterheben
	den Teig zu zwei Rechtecken (30 x 39 cm) ausrollen, von der Längsseite in drei Streifen schneiden
	die Füllung darauf geben und jeden Streifen aufrollen, anschließend zwei Zöpfe flechten.

Sächsischer Heidelbeerkuchen

traditionell

	Für den Teig
375 g Weizenmehl	in eine Rührschüssel sieben, mit
1 Pck. Trockenhefe	sorgfältig vermischen
50 g Zucker	
1 Pck. Vanillin-Zucker	
1 Prise Salz	
1 Ei	
2 Eigelb	
200 ml lauwarme Milch	
50 g zerlassene, abgekühlte Margarine oder Butter	hinzufügen
	die Zutaten mit Handrührgerät mit Knethaken zunächst auf niedrigster, dann auf höchster Stufe in etwa 5 Minuten zu einem Teig verarbeiten
	den Teig zugedeckt an einem warmen Ort so lange stehen lassen, bis er sich sichtbar vergrößert hat, ihn leicht mit Mehl bestäuben, aus der Schüssel nehmen, auf der Arbeitsfläche nochmals kurz durchkneten, auf einem gefetteten Backblech (38 x 28 cm) ausrollen, vor den Teig einen mehrfach umgeknickten Streifen Alufolie legen
	den Teig nochmals 15 Minuten stehen lassen.

(Fortsetzung S. 124)

	Für den Belag
1 kg Heidelbeeren	waschen, gut abtropfen lassen
50 g Butter	zerlassen, den Teig damit bestreichen, mit 3 von
5 EL Semmelbröseln	bestreuen, die Heidelbeeren gleichmäßig darauf verteilen
100 g Zucker	mit
1 TL gemahlenem Zimt	mischen, über die Heidelbeeren streuen
50 g Butterflöckchen	darauf verteilen, die restlichen Semmelbrösel darüberstreuen
Ober-/Unterhitze	etwa 220 °C (vorgeheizt)
Heißluft	etwa 200 °C (nicht vorgeheizt)
Gas	Stufe 4–5 (vorgeheizt)
Backzeit	etwa 25 Minuten.

Apfel-, Streusel- oder Pflaumenkuchen

traditionell

	Für den Teig
375 g Weizenmehl	in eine Rührschüssel sieben, mit
1 Pck. Trockenhefe	sorgfältig vermischen
50 g Zucker	
1 Pck. Vanillin-Zucker	
1 Prise Salz	
1 Ei	
200 ml lauwarme Milch	
50 g zerlassene, abgekühlte Margarine oder Butter	hinzufügen die Zutaten mit Handrührgerät mit Knethaken zunächst auf niedrigster, dann auf höchster Stufe in etwa 5 Minuten zu einem Teig verarbeiten den Teig zugedeckt so lange an einem warmen Ort stehen lassen, bis er sich sichtbar vergrößert hat, ihn leicht mit Mehl bestäuben, aus der Schüssel nehmen, auf der Arbeitsfläche nochmals kurz durchkneten, auf einem gefetteten Backblech (38 x 28 cm) ausrollen, vor den Teig einen mehrfach umgeknickten Streifen Alufolie legen.
	Für den Apfelkuchen
etwa 1 ½ kg Äpfel	schälen, vierteln, entkernen, in dicke Scheiben schneiden, gleichmäßig auf den Teig legen, mit
20 g abgezogenen, gestiftelten Mandeln	
20 g Rosinen	bestreuen, den Teig nochmals so lange an einem warmen Ort gehen lassen, bis er sich sichtbar vergrößert hat

(Fortsetzung S. 126)

Ober-/Unterhitze	200–220 °C (vorgeheizt)
Heißluft	etwa 180 °C (nicht vorgeheizt)
Gas	Stufe 3–4 (vorgeheizt)
Backzeit	20–30 Minuten.
	Zum Aprikotieren
gut 3 EL Aprikosenkonfitüre	mit
1 EL Wasser	unter Rühren aufkochen lassen, den Apfelkuchen sofort nach dem Backen damit bestreichen.
	Für den Streuselkuchen
300 g Weizenmehl	in eine Rührschüssel sieben, mit
150 g Zucker	
1 Pck. Vanillin-Zucker	mischen
150–200 g Margarine	
oder Butter	hinzufügen, alle Zutaten mit Handrührgerät mit Knethaken zu Streuseln von gewünschter Größe verarbeiten, gleichmäßig auf dem Teig verteilen den Teig nochmals so lange an einem warmen Ort gehen lassen, bis er sich sichtbar vergrößert hat
Ober-/Unterhitze	200–220 °C (vorgeheizt)
Heißluft	170–180 °C (nicht vorgeheizt)
Gas	Stufe 3–4 (vorgeheizt)
Backzeit	15–20 Minuten.
	Für den Pflaumenkuchen
2 ½ kg Pflaumen	waschen, gut abtropfen lassen, einzeln mit einem Tuch abreiben, entsteinen, schuppenförmig – mit der Innenseite nach oben – auf den Teig legen den Teig nochmals so lange an einem warmen Ort gehen lassen, bis er sich sichtbar vergrößert hat
Ober-/Unterhitze	200–220 °C (vorgeheizt)
Heißluft	etwa 180 °C (nicht vorgeheizt)
Gas	Stufe 3–4 (vorgeheizt)
Backzeit	20–30 Minuten den etwas ausgekühlten Kuchen mit
Zucker	bestreuen.

Marzipan-Krokant-Kuchen

beliebt

	Für den Teig
375 g Weizenmehl	in eine Rührschüssel sieben, mit
1 Pck. Trockenhefe	sorgfältig vermischen
75 g Zucker	
1 Pck. Vanillin-Zucker	
1 Ei	
200 ml lauwarme Schlagsahne	
50 g zerlassene, abgekühlte Margarine oder Butter	hinzufügen
	die Zutaten mit Handrührgerät mit Knethaken zunächst auf niedrigster, dann auf höchster Stufe in etwa 5 Minuten zu einem Teig verarbeiten, den Teig zugedeckt so lange an einem warmen Ort stehen lassen, bis er sich sichtbar vergrößert hat.
	Für die Füllung
200 g Marzipan-Rohmasse	
2 Eier	
2 EL Aprikosenkonfitüre	
2 EL Aprikosenlikör	mit Handrührgerät mit Rührbesen geschmeidig rühren
200 g kleingeschnittene, getrocknete Aprikosen	
100 g abgezogene, gehobelte Mandeln	unterrühren.
	Den gegangenen Teig leicht mit Mehl bestäuben, aus der Schüssel nehmen, auf der Arbeitsfläche nochmals kurz durchkneten, die Hälfte des Teiges auf einem gefetteten Backblech (38 x 23 cm) ausrollen, gleichmäßig mit der Füllung bestreichen die andere Teighälfte zu einem Rechteck (38 x 23 cm) ausrollen, mit Backpapier aufrollen, auf der Füllung abrollen, mehrmals mit einer Gabel einstechen vor den Teig einen mehrfach umgeknickten Streifen Alufolie legen den Teig nochmals so lange an einem warmen Ort gehen lassen, bis er sich sichtbar vergrößert hat.
	Für den Belag
30 g Butter	
30 g Zucker	
1 Pck. Vanillin-Zucker	
1 EL Honig (40 g)	
3 EL Schlagsahne	
50 g abgezogene, gemahlene Mandeln	in einem Topf erwärmen, 1 Minute unter Rühren kochen lassen
100 g abgezogene, gehobelte Mandeln	unterrühren

(Fortsetzung S. 128)

	die Masse vorsichtig auf dem gegangenen Teig verteilen
Ober-/Unterhitze	170–200 °C (vorgeheizt)
Heißluft	150–180 °C (nicht vorgeheizt)
Gas	Stufe 3–4 (vorgeheizt)
Backzeit	etwa 20 Minuten.

Kokoskuchen aus Thüringen

einfach

	Für den Teig
375 g Weizenmehl	in eine Rührschüssel sieben, mit
1 Pck. Trockenhefe	sorgfältig vermischen
50 g Zucker	
1 Pck. Vanillin-Zucker	
1 Ei	
200 ml lauwarme Milch	
50 g zerlassene, abgekühlte Margarine oder Butter	hinzufügen
	die Zutaten mit Handrührgerät mit Knethaken zunächst auf niedrigster, dann auf höchster Stufe in etwa 5 Minuten zu einem Teig verarbeiten, den Teig zugedeckt so lange an einem warmen Ort stehen lassen, bis er sich sichtbar vergrößert hat.
	Für den Belag
200 g Butter	zerlassen
150 g Zucker	
1 Pck. Vanillin-Zucker	hinzufügen, unter Rühren aufkochen lassen
200 g Kokosraspel	hinzufügen, unter Rühren leicht bräunen, erkalten lassen
3 Eier	unterrühren.
	Den gegangenen Teig leicht mit Mehl bestäuben, aus der Schüssel nehmen, auf der Arbeitsfläche nochmals kurz durchkneten
	den Teig auf einem gefetteten Backblech (38 x 28 cm) ausrollen, mit
20 g zerlassener Butter	bestreichen, vor den Teig einen mehrfach umgeknickten Streifen Alufolie legen, den Belag auf den Teig streichen, sofort backen
Ober-/Unterhitze	200–220 °C (nicht vorgeheizt, unterste Einschubleiste)
Heißluft	170–180 °C (nicht vorgeheizt)
Gas	Stufe 4–5 (nicht vorgeheizt)
Backzeit	etwa 25 Minuten
	den noch heißen Kuchen mit
150 ml heißer Milch	bepinseln, erkalten lassen.
Tip	Den erkalteten Kuchen mit 50 g aufgelöster Schokolade besprenkeln.

Bienenstich

für Gäste

Für den Teig

375 g Weizenmehl in eine Rührschüssel sieben, mit
1 Pck. Trockenhefe sorgfältig vermischen
50 g Zucker
1 Pck. Vanillin-Zucker
1 Prise Salz
1 Ei
200 ml lauwarme Milch
50 g zerlassene, abgekühlte Margarine oder Butter hinzufügen
die Zutaten mit Handrührgerät mit Knethaken zunächst auf niedrigster, dann auf höchster Stufe in etwa 5 Minuten zu einem Teig verarbeiten
den Teig zugedeckt an einem warmen Ort so lange stehen lassen, bis er sich sichtbar vergrößert hat.

Für den Belag

150 g Butter mit
75 g Zucker
1 Pck. Vanillin-Zucker
1 EL Honig
3 EL Schlagsahne unter Rühren langsam erhitzen, kurz aufkochen lassen
150 g abgezogene, gehobelte Mandeln unterrühren, die Masse abkühlen lassen, dabei ab und zu umrühren.

Den gegangenen Teig leicht mit Mehl bestäuben, aus der Schüssel nehmen, auf der Arbeitsfläche nochmals kurz durchkneten, in einer gefetteten Fettfangschale (38 x 28 cm) ausrollen
den Belag gleichmäßig auf dem Teig verteilen (Foto 1), ihn nochmals so lange gehen lassen, bis er sich sichtbar vergrößert hat

(Fortsetzung S. 132)

Ober-/Unterhitze	200–220 °C (vorgeheizt)
Heißluft	180–200 °C (nicht vorgeheizt)
Gas	Stufe 3–4 (vorgeheizt)
Backzeit	12–15 Minuten.
	Für die Füllung
	aus
2 Pck. Pudding-Pulver Vanille-Geschmack	
750 ml (3/4 l) Milch	
100 g Zucker	nach Anleitung auf dem Päckchen (jedoch nur mit 3/4 l Milch) einen Pudding zubereiten, sofort
100 g Butter	unterrühren, den Pudding kalt stellen, ab und zu durchrühren das erkaltete Gebäck halbieren, jede Hälfte einmal waagerecht durchschneiden (Foto 2), mit der Creme füllen (Foto 3).

Gefüllte Schnitten

raffiniert

	Für den Hefeteig
200 g Weizenmehl	in eine Rührschüssel sieben, mit
1 Pck. Trockenhefe	sorgfältig vermischen
25 g Zucker	
1 Pck. Vanillin-Zucker	
1 Eigelb	
1 Becher (150 g) Crème fraîche	hinzufügen die Zutaten mit Handrührgerät mit Knethaken zunächst auf niedrigster, dann auf höchster Stufe in etwa 5 Minuten zu einem Teig verarbeiten den Teig zugedeckt so lange an einem warmen Ort stehen lassen, bis er sich sichtbar vergrößert hat.
	Für den Blätterteig
300 g (5 Platten) TK-Blätterteig	zugedeckt bei Zimmertemperatur auftauen lassen, die Platten so aneinanderlegen, daß die Kanten etwas übereinanderliegen die Platten in Größe einer Fettfangschale ausrollen, in die gefettete, mit kaltem Wasser ausgespülte Fettfangschale legen, mehrmals mit einer Gabel einstechen, etwa 30 Minuten ruhen lassen
Ober-/Unterhitze	etwa 220 °C (vorgeheizt)
Heißluft	180–200 °C (nicht vorgeheizt)
Gas	Stufe 3–4 (vorgeheizt)
Backzeit	etwa 20 Minuten die Blätterteigplatte etwas abkühlen lassen.

	Für die Füllung
	aus
2 Pck. Pudding-Pulver Vanille-Geschmack	
700 ml Milch	
80 g Zucker	nach Anleitung auf dem Päckchen (mit den hier angegebenen Zutaten) einen Pudding zubereiten, etwas abkühlen lassen
250 g Crème fraîche	unterrühren den Pudding auf den Blätterteig streichen.
	Den gegangenen Hefeteig leicht mit Mehl bestäuben, aus der Schüssel nehmen, auf der Arbeitsfläche nochmals kurz durchkneten, in Größe der Fettfangschale ausrollen, auf den Pudding legen.
	Für den Belag
100 g Margarine oder Butter	
100 g Zucker	
2 EL Milch oder Schlagsahne	unter Rühren aufkochen lassen
100 g abgezogene, gehobelte Mandeln	unterrühren, etwas abkühlen lassen, die Masse gleichmäßig auf den Hefeteig streichen den Teig nochmals so lange an einem warmen Ort gehen lassen, bis er sich sichtbar vergrößert hat
Ober-/Unterhitze	etwa 180 °C (vorgeheizt)
Heißluft	etwa 150 °C (nicht vorgeheizt)
Gas	Stufe 3–4 (vorgeheizt)
Backzeit	etwa 30 Minuten.
Tip	Den Belag durch Streusel ersetzen. Dafür
200 g Weizenmehl	sieben, mit
70 g abgezogenen, gemahlenen Mandeln	
150 g Zucker	
150–200 g Margarine oder Butter	in eine Schüssel geben, mit Handrührgerät mit Knethaken zu Streuseln von gewünschter Größe verarbeiten, gleichmäßig auf den Hefeteig verteilen.

Streuselkuchen aus Thüringen

raffiniert

Für den Teig

375 g Weizenmehl	in eine Rührschüssel sieben, mit
1 Pck. Trockenhefe	sorgfältig vermischen
50 g Zucker	
1 Pck. Vanillin-Zucker	
1 Prise Salz	
1 Ei	
200 ml lauwarme Milch	
50 g zerlassene, abgekühlte Margarine oder Butter	hinzufügen die Zutaten mit Handrührgerät mit Knethaken zunächst auf niedrigster, dann auf höchster Stufe in etwa 5 Minuten zu einem Teig verarbeiten den Teig zugedeckt so lange an einem warmen Ort stehen lassen, bis er sich sichtbar vergrößert hat, ihn leicht mit Mehl bestäuben, aus der Schüssel nehmen, auf der Arbeitsfläche nochmals kurz durchkneten den Teig auf einem gefetteten Backblech (38 x 28 cm) ausrollen, mit
20 g zerlassener Butter	bestreichen, vor den Teig einen mehrfach umgeknickten Streifen Alufolie legen.

Für die Streusel

300 g Weizenmehl	in eine Rührschüssel sieben, mit
150 g Zucker	
1 Pck. Vanillin-Zucker	mischen
200 g weiche Butter oder Margarine	hinzufügen, alle Zutaten mit Handrührgerät mit Knethaken zu Streuseln von gewünschter Größe verarbeiten (Foto 1) die Hälfte der Streusel großzügig auf dem Teig verteilen unter die restlichen Streusel

(Fortsetzung S. 136)

10 g Kakaopulver	arbeiten, die Lücken damit füllen, so daß ein schwarz-weißes Muster entsteht (Foto 2) den Teig nochmals an einem warmen Ort gehen lassen, bis er sich sichtbar vergrößert hat
Ober-/Unterhitze	200–220 °C (vorgeheizt)
Heißluft	180–200 °C (nicht vorgeheizt)
Gas	Stufe 4–5 (vorgeheizt)
Backzeit	15–20 Minuten.
	Zum Beträufeln
125 ml (1/8 l) Milch	erhitzen
60 g Butter	darin auflösen, den noch heißen Kuchen damit beträufeln, erkalten lassen den erkalteten Kuchen mit
100 g zerlassener Butter	bestreichen (Foto 3), mit
50 g Puderzucker	bestäuben.

Butterkuchen

einfach

	Für den Teig
375 g Weizenmehl	in eine Rührschüssel sieben, mit
1 Pck. Trockenhefe	sorgfältig vermischen
50 g Zucker **1 Pck. Vanillin-Zucker** **1 Prise Salz** **1 Ei** **200 ml lauwarme Milch** **50 g zerlassene, abgekühlte Butter**	hinzufügen die Zutaten mit Handrührgerät mit Knethaken zunächst auf niedrigster, dann auf höchster Stufe in etwa 5 Minuten zu einem Teig verarbeiten den Teig zugedeckt so lange an einem warmen Ort stehen lassen, bis er sich sichtbar vergrößert hat, ihn leicht mit Mehl bestäuben, aus der Schüssel nehmen, auf der Arbeitsfläche nochmals kurz durchkneten den Teig auf einem gefetteten Backblech (38 x 28 cm) ausrollen, vor den Teig einen mehrfach umgeknickten Streifen Alufolie legen.

Für den Belag

100 g Butter in Flöckchen gleichmäßig auf den Teig setzen (vorher Vertiefungen in den Teig drücken, Foto 1) oder zerlassen darauf streichen

75 g Zucker mit
1 Pck. Vanillin-Zucker mischen, darüberstreuen (Foto 2)

100 g abgezogene, gehobelte Mandeln gleichmäßig darüber verteilen (Foto 3), den Teig nochmals so lange an einem warmen Ort gehen lassen, bis er sich sichtbar vergrößert hat

Ober-/Unterhitze 200–220 °C (vorgeheizt)
Heißluft 180–200 °C (nicht vorgeheizt)
Gas Stufe 3–4 (vorgeheizt)
Backzeit etwa 15 Minuten

Kuchen auf dem Backblech abkühlen lassen, dann in Portionsstücke schneiden.

Tip 250 ml (1/4 l) Schlagsahne steif schlagen, sofort nach dem Backen gleichmäßig auf den Butterkuchen streichen.

Abwandlung **Butterkuchen mit Nußkruste**

Dafür

100 g Hasel- oder Walnüsse grob hacken, auf dem Hefeteig verteilen, dann erst
100 g Butter in Flöckchen gleichmäßig auf den Teig setzen und mit der Zuckermischung bestreuen

etwa 8 EL Schlagsahne über den Teig träufeln, den Teig nochmals so lange an einem warmen Ort gehen lassen, bis er sich sichtbar vergrößert hat, wie oben backen.

Feiner Gugelhupf

für Gäste

1 Pck. Trockenhefe	mit
1 TL Zucker	
200 ml lauwarmer Schlagsahne	in einem Schüsselchen sehr sorgfältig anrühren, 15 Minuten bei Zimmertemperatur stehen lassen
500 g Weizenmehl	in eine Rührschüssel sieben, in die Mitte eine Vertiefung eindrücken
150 g Zucker	
1 Pck. Vanillin-Zucker	
6 Tropfen Zitronen-Aroma	
1 Prise Salz	
4 Eier	
200 g zerlassene, abgekühlte Butter	an den Rand des Mehls geben die angesetzte Hefe in die Vertiefung geben die Zutaten mit Handrührgerät mit Knethaken zunächst auf niedrigster, dann auf höchster Stufe in etwa 5 Minuten zu einem Teig verarbeiten
150 g Rosinen	
150 g Korinthen	
100 g nicht abgezogene, grobgehackte Mandeln	unterarbeiten den Teig zugedeckt so lange an einem warmen Ort stehen lassen, bis er sich sichtbar vergrößert hat, ihn dann auf höchster Stufe kurz durchkneten den Teig in eine gefettete Napfkuchenform (Ø 24 cm) füllen, nochmals so lange an einem warmen Ort gehen lassen, bis er sich sichtbar vergrößert hat
Ober-/Unterhitze	170–200 °C (vorgeheizt)
Heißluft	160–170 °C (nicht vorgeheizt)
Gas	Stufe 2–3 (nicht vorgeheizt)
Backzeit	etwa 1 Stunde Kuchen etwa 10 Minuten in der Form stehen lassen, stürzen, erkalten lassen, mit
20 g Puderzucker	bestäuben.

Apfeltaschen

für Kinder

Für die Füllung

500 g Äpfel schälen, vierteln, entkernen, in kleine Stücke schneiden, mit
50 g Rosinen
40 g Zucker
20 g Butter unter Rühren leicht dünsten, erkalten lassen.

Für den Teig

375 g Weizenmehl in eine Rührschüssel sieben, mit
1 Pck. Trockenhefe sorgfältig vermischen
50 g Zucker
1 Pck. Vanillin-Zucker
1 Prise Salz
1 Ei
200 ml lauwarme Milch
50 g zerlassene, abgekühlte Margarine oder Butter hinzufügen
die Zutaten mit Handrührgerät mit Knethaken zunächst auf niedrigster, dann auf höchster Stufe in etwa 5 Minuten zu einem Teig verarbeiten
den Teig zugedeckt an einem warmen Ort so lange stehen lassen, bis er sich sichtbar vergrößert hat, ihn leicht mit Mehl bestäuben, aus der Schüssel nehmen, auf der Arbeitsfläche nochmals kurz durchkneten, dünn ausrollen, runde Platten (Ø 12 cm) ausstechen (Foto 1)
die eine Hälfte jeder Teigplatte mit etwas Apfelfüllung belegen (Foto 2), den Rand jeder Teigplatte mit
Milch bestreichen, die andere Teighälfte darüberklappen
die Taschen gut an den Rändern andrücken (Foto 3), Apfeltaschen mit Milch bestreichen und nach Belieben mit

(Fortsetzung S. 142)

abgezogenen, gehobelten Mandeln	bestreuen, auf ein mit Backpapier belegtes Backblech legen Apfeltaschen nochmals so lange an einem warmen Ort stehen lassen, bis sie sich sichtbar vergrößert haben
Ober-/Unterhitze	200–220 °C (vorgeheizt)
Heißluft	170–180 °C (nicht vorgeheizt)
Gas	Stufe 3–4 (vorgeheizt)
Backzeit	etwa 15 Minuten.
	Für den Guß
100 g Puderzucker	sieben, mit
1 EL Zitronensaft	glattrühren
10 g zerlassene Butter	unterrühren das Gebäck sofort nach dem Backen damit bestreichen.
Tip	Anstelle von Äpfeln Sauerkirschen, Pfirsiche oder Aprikosen verwenden. Das Obst nach Belieben mit 50–100 g gestiftelten Mandeln bestreuen.

Eierschecke

traditionell

	Für den Teig
300 g Weizenmehl	in eine Rührschüssel sieben, mit
1 Pck. Trockenhefe	sorgfältig vermischen
50 g Zucker	
1 Pck. Vanillin-Zucker	
4 Tropfen Zitronen-Aroma	
1 Prise Salz	
1 Ei	
125 ml (1/8 l) lauwarme Milch	
100 g zerlassene, abgekühlte Margarine oder Butter	hinzufügen die Zutaten mit Handrührgerät mit Knethaken zunächst auf niedrigster, dann auf höchster Stufe in etwa 5 Minuten zu einem Teig verarbeiten, den Teig zugedeckt so lange an einem warmen Ort stehen lassen, bis er sich sichtbar vergrößert hat.

	Für den Quarkbelag
	aus
1 Pck. Pudding-Pulver Vanille-Geschmack	
40 g Zucker	
500 ml (1/2 l) Milch	nach Anleitung auf dem Päckchen einen Pudding kochen, in eine Schüssel geben, Klarsichtfolie auf den Pudding legen, erkalten lassen
500 g Magerquark	
65 g Rosinen	unterrühren.
	Den gegangenen Teig leicht mit Mehl bestäuben, aus der Schüssel nehmen, auf der Arbeitsfläche nochmals kurz durchkneten, in einer gefetteten Fettfangschale ausrollen, den Quarkbelag auf den Teig streichen.
	Für die Eiercreme
125 g weiche Butter	mit Handrührgerät mit Rührbesen geschmeidig rühren, nach und nach
125 g Zucker	unterrühren, so lange rühren, bis eine gebundene Masse entstanden ist
4 Eigelb	nach und nach unterrühren
4 Eiweiß	steif schlagen, auf die Eigelbmasse geben
15 g Speisestärke	darüber sieben, vorsichtig unter die Eigelbmasse heben die Creme auf dem Quarkbelag verteilen, glattstreichen, sofort backen
Ober-/Unterhitze	170–200 °C (vorgeheizt)
Heißluft	150–180 °C (nicht vorgeheizt)
Gas	Stufe 3–4 (vorgeheizt)
Backzeit	etwa 30 Minuten.
Tip	Die Rosinen in 2 Eßlöffeln Rum einweichen.

Puddingschnecken

tiefkühlgeeignet

	Für den Teig
500 g Weizenmehl	in eine Rührschüssel sieben, mit
1 Pck. Trockenhefe	sorgfältig vermischen
50 g Zucker	
1 Pck. Vanillin-Zucker	
1 Prise Salz	
2 Eier	
125 ml (1/8 l) lauwarme Milch	
100 g zerlassene, abgekühlte Margarine oder Butter	hinzufügen die Zutaten mit Handrührgerät mit Knethaken zunächst auf niedrigster, dann auf höchster Stufe in etwa 5 Minuten zu einem Teig verarbeiten den Teig zugedeckt so lange an einem warmen Ort stehen lassen, bis er sich sichtbar vergrößert hat.
	Für die Füllung
	aus
2 Pck. Pudding-Pulver Vanille-Geschmack	
750 ml (3/4 l) Milch	
80 g Zucker	nach Anleitung auf dem Päckchen (jedoch nur mit 3/4 l Milch) einen Pudding zubereiten, während des Erkaltens ab und zu durchrühren
100 g Rosinen	unterrühren.
	Den gegangenen Teig leicht mit Mehl bestäuben, aus der Schüssel nehmen, auf der Arbeitsfläche nochmals kurz durchkneten, zu einem Rechteck (40 x 60 cm) ausrollen, mit dem Pudding bestreichen, den Teig von der kurzen Seite her aufrollen, in etwa 2 cm dicke Scheiben schneiden, auf gefettete, mit Backpapier belegte Backbleche legen den Teig nochmals so lange an einem warmen Ort gehen lassen, bis er sich sichtbar vergrößert hat
Ober-/Unterhitze	200–220 °C (vorgeheizt)
Heißluft	180–200 °C (nicht vorgeheizt)
Gas	Stufe 3–4 (vorgeheizt)
Backzeit	10–15 Minuten.
	Zum Aprikotieren
2 EL Aprikosenkonfitüre	durch ein Sieb streichen, mit
1 EL Wasser	unter Rühren etwas einkochen lassen das Gebäck sofort nach dem Backen damit bestreichen.

Buchteln

beliebt

500 g Weizenmehl	in eine Rührschüssel sieben, mit
1 Pck. Trockenhefe	sorgfältig vermischen
50 g Zucker	
1 Pck. Vanillin-Zucker	
4 Tropfen Zitronen-Aroma	
1 Prise Salz	
1 Ei	
250 ml (1/4 l) lauwarme Milch	
75 g zerlassene, abgekühlte Margarine oder Butter	hinzufügen die Zutaten mit Handrührgerät mit Knethaken zunächst auf niedrigster, dann auf höchster Stufe in etwa 5 Minuten zu einem Teig verarbeiten den Teig zugedeckt so lange an einem warmen Ort stehen lassen, bis er sich sichtbar vergrößert hat, ihn leicht mit Mehl bestäuben, aus der Schüssel nehmen, auf der Arbeitsfläche nochmals kurz durchkneten den Teig zu einer Rolle formen, in zwölf gleich große Stücke schneiden, zu Bällchen formen, in eine Auflaufform (etwa 20 x 30 cm) legen (nicht zu dicht)
50 g Butter	zerlassen, die Teigbällchen damit bestreichen, sie nochmals an einem warmen Ort gehen lassen, bis sie sich sichtbar vergrößert haben
Ober-/Unterhitze	200–220 °C (vorgeheizt)
Heißluft	170–180 °C (nicht vorgeheizt)
Gas	Stufe 3–4 (nicht vorgeheizt)
Backzeit	20–30 Minuten die garen Buchteln nach Belieben mit
Puderzucker	bestäuben.
Beigabe	Kompott oder Vanillesauce.
Abwandlung	**Für gefüllte Buchteln**
	für eine Haselnußfüllung
100 g Marzipan-Rohmasse	mit
1 Ei	verrühren
50 g gehobelte Haselnußkerne	unterrühren
	o d e r
	für eine Fruchtfüllung
je 50 g getrocknete, gewürfelte Aprikosen	und
Pflaumen	in
3 EL Sherry	tränken (am besten über Nacht).

Zwiebelkuchen auf dem Blech

traditionell

	Für den Teig
400 g Weizenmehl (Type 550)	in eine Rührschüssel sieben, mit
1 Pck. Trockenhefe	sorgfältig vermischen
1 TL Zucker	
1/2 gestr. TL Salz	
4 EL Speiseöl	
250 ml (1/4 l) lauwarme Milch	hinzufügen
	die Zutaten mit Handrührgerät mit Knethaken zunächst auf niedrigster, dann auf höchster Stufe in etwa 5 Minuten zu einem Teig verarbeiten, den Teig zugedeckt so lange an einem warmen Ort stehen lassen, bis er sich sichtbar vergrößert hat.
	Für den Belag
1 1/2 kg Gemüsezwiebeln	abziehen, vierteln, in Scheiben schneiden
300 g durchwachsenen Speck	würfeln
2 EL Speiseöl	in einem großen Topf erhitzen, die Speckwürfel hinzufügen, andünsten, die Zwiebelscheiben hinzufügen, 5 Minuten bei starker Hitze braten, mit
Salz	
frisch gemahlenem Pfeffer	
1 TL Kümmel	würzen, etwas abkühlen lassen
200 g mittelalten Gouda	raspeln
3 Eier	
2 EL Crème fraîche	
	die 3 Zutaten unter die Zwiebelmasse rühren.
	Den gegangenen Teig leicht mit Mehl bestäuben, aus der Schüssel nehmen, auf der Arbeitsfläche nochmals kurz durchkneten, ihn in einer gefetteten Fettfangschale ausrollen, an den Seiten etwas hochdrücken, die Zwiebelmasse auf dem Teig verteilen, ihn nochmals an einem warmen Ort so lange stehen lassen, bis er sich sichtbar vergrößert hat
Ober-/Unterhitze	200–220 °C (vorgeheizt)
Heißluft	180–200 °C (nicht vorgeheizt)
Gas	Stufe 3–4 (vorgeheizt)
Backzeit	etwa 25 Minuten.

Mini-Pizza

für Gäste

	Für den Hefeteig
250 g Weizenvollkornmehl	in eine Rührschüssel geben, mit
1 Pck. Trockenhefe	sorgfältig vermischen
1 TL Zucker	
1/2 TL Meersalz	
1 EL Speiseöl	
200 ml lauwarmes Wasser	hinzufügen die Zutaten mit Handrührgerät mit Knethaken zunächst auf niedrigster, dann auf höchster Stufe in etwa 5 Minuten zu einem Teig verarbeiten den Teig zugedeckt so lange an einem warmen Ort stehen lassen, bis er sich sichtbar vergrößert hat.
	Für den Belag
200 g Doppelrahm-Frischkäse	mit
1 geh. TL Senf	
etwas Salz	
2 EL gehackten Basilikumblättchen	verrühren
3 Tomaten	waschen, abtrocknen, würfeln, dabei die Stengelansätze herausschneiden
Champignonscheiben (aus dem Glas, Abtropfgewicht 200 g)	abtropfen lassen
150 g Weichkäse mit Blauschimmel	würfeln.
	Den gegangenen Teig leicht mit Mehl bestäuben, aus der Schüssel nehmen, auf der Arbeitsfläche nochmals kurz durchkneten, in 4 gleich große Stücke teilen, zu Kugeln formen, jeweils zu einer Platte (Ø etwa 14 cm) ausrollen, auf ein mit Backpapier belegtes Backblech legen, mit der Käsemasse bestreichen Tomaten, Champignons und Käse darauf verteilen, sofort backen
Ober-/Unterhitze	170–200 °C (vorgeheizt)
Heißluft	150–180 °C (nicht vorgeheizt)
Gas	Stufe 3–4 (vorgeheizt)
Backzeit	etwa 25 Minuten
Basilikum	abspülen, trockentupfen, die Blättchen von den Stengeln zupfen, in Streifen schneiden, die Pizzen damit bestreuen.

Mini-Calzone

raffiniert

	Für den Teig
300 g Weizenmehl	in eine Rührschüssel sieben, mit
1/2 Pck. Trockenhefe	sorgfältig vermischen
1 TL Zucker	
1 TL Salz	
1 EL Speiseöl	
200 ml lauwarmes Wasser	hinzufügen die Zutaten mit Handrührgerät mit Knethaken zunächst auf niedrigster, dann auf höchster Stufe in etwa 5 Minuten zu einem Teig verarbeiten, den Teig zugedeckt so lange an einem warmen Ort stehen lassen, bis er sich sichtbar vergrößert hat.
	Für die Füllung
1 Zwiebel	abziehen, würfeln
1 EL Speiseöl	erhitzen, die Zwiebelwürfel darin andünsten, von
1 Zucchini (200 g)	die Enden abschneiden, die Zucchini waschen, abtrocknen, grob raspeln, mit den Zwiebelwürfeln vermengen
150 g Rauchenden	in Scheiben schneiden.
	Den gegangenen Teig leicht mit Mehl bestäuben, aus der Schüssel nehmen, auf der Arbeitsfläche nochmals kurz durchkneten den Teig dünn ausrollen, runde Platten (Ø 10 cm) ausstechen, die eine Hälfte jeder Platte mit etwas Zucchinimasse und einigen Wurstscheiben belegen (Foto 1), die andere Teighälfte darüberklappen, die Taschen gut an den Rändern andrücken, auf ein mit Backpapier belegtes Backblech legen, die Taschen mit
lauwarmem Wasser	bestreichen, mit
80 g geraspeltem Käse, z.B. Gouda	bestreuen (Foto 2), nochmals an einem warmen Ort stehen lassen, bis sie sich sichtbar vergrößert haben (Foto 3)
Ober-/Unterhitze	200–220 °C (vorgeheizt)
Heißluft	etwa 170 °C (nicht vorgeheizt)
Gas	Stufe 3–4 (vorgeheizt)
Backzeit	etwa 15 Minuten.

Notwendige Vorarbeiten

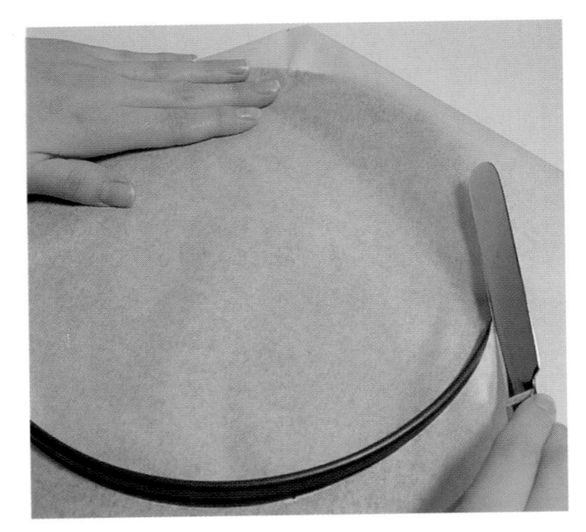

Für Biskuitteige den Boden der Backbleche und Backformen mit Papier belegen (Abb. a-c).

Es ist empfehlenswert, Springformböden und Backbleche mit Backpapier zu belegen.

a) Das Papier für eine Springform so herstellen: Die Form umdrehen (Boden nach oben), das Papier darauf legen. Mit einem Messerrücken das am Rand überstehende Papier abstreifen.

b) Das Fetten der Form.
Den Boden an etwa 4 Stellen mit streichfähiger Margarine oder Butter einfetten – am besten mit einem Pinsel. **Den Rand nicht fetten.**

c) Das Papier auf den Boden legen und gut andrücken. Dazu das Papier von einer Seite ausgehend auf den Boden der zusammengesetzten Springform legen. Mit den Händen glattstreichen, so daß keine Unebenheiten oder Falten entstehen.

Die einzelnen Arbeitsgänge

Eier
Zum Backen sollten stets frische Eier verwendet werden. Trotzdem sollte jedes Ei in eine Tasse aufgeschlagen werden, um zu prüfen, ob es gut ist. Ein schlechtes Ei – als letztes hinzugegeben – verdirbt die schon verrührten Zutaten.

Eier und heißes Wasser mit Handrührgerät mit Rührbesen auf höchster Stufe in 1 Minute schaumig schlagen.
Zum Ei das Wasser geben. Ist die Wassermenge in dem Rezept in einer Spanne angegeben, sich nach der Größe der Eier richten. Bei kleinen Eiern die größere und bei großen Eiern die kleinere Wassermenge nehmen.

Den mit Vanillin-Zucker gemischten Zucker oder Honig in 1 Minute hinzufügen. Dann noch etwa 2 Minuten schlagen. Unter die Eiercreme die Gewürze geben.

Darüber die Hälfte des mit Speisestärke und Backpulver gemischten Mehls sieben und kurz auf niedrigster Stufe unterrühren. Den Rest des Mehls auf die gleiche Weise unterarbeiten.
Mischen und Sieben lockern das Mehl auf und verteilen Speisestärke (Pudding-Pulver, Kakao) und Backpulver gleichmäßig darin. Das Gebäck wird dadurch besser gelockert.
Bei Verwendung von **Vollkornmehl** das mit Backpulver gemischte Mehl in zwei Portionen auf niedrigster Stufe unterrühren.
Bei Verwendung von Nüssen oder Mandeln diese nur grob gemahlen verarbeiten. Sie sind sehr fetthaltig und machen fein gemahlen den Teig zäh und fest.

Den Teig in die mit Papier vorbereitete Form (Backblech) füllen.
Am besten den Teig mit einem Teigschaber in die vorbereitete Form füllen und gleichmäßig verteilen.

Das Backen von Biskuitteigen

Biskuitteige müssen sofort nach der Zubereitung gebacken werden und zwar nach den Angaben unter den Rezepten.
Bevor das Gebäck aus dem Backofen genommen wird, muß geprüft werden, ob es gar ist. Dieses am besten durch leichtes Auflegen der flachen Hand feststellen. Der gare Biskuit darf sich nicht mehr feucht anfühlen und muß in der Krume weich und watteähnlich sein. Ein zu stark ausgebackener Biskuit ist trocken und fest. Heißluft ist für das Backen von Biskuit nicht geeignet, daher werden an dieser Stelle keine Temperaturangaben gemacht.

Wenn der Biskuit etwas abgekühlt ist, ihn mit einem Messer vom Springformrand lösen und den Rand entfernen.

Damit das Gebäck besser auskühlen kann, es auf einen Kuchenrost legen. Soll der Biskuitboden nicht am gleichen Tag verwendet werden, das Papier bis zum Gebrauch des Bodens darauf lassen.

Das Füllen von Torten

Den Biskuitboden so auf einen Bogen Papier legen, daß die Unterseite, die besonders schön glatt ist, nach oben kommt. Er kann mit einem Zwirnsfaden oder großen Messer in Schichten geteilt werden. Damit die Schichten gleichmäßig dick werden, den Tortenrand vorher mit einem kleinen spitzen Messer ringsherum etwa 1 cm tief einschneiden.

Einen Zwirnsfaden in den Einschnitt legen, die Enden des Zwirnsfadens über Kreuz legen und fest anziehen, dabei durchschneidet der Faden das Gebäck.

Damit die Tortenschicht nicht bricht, sie mit einem Papier abheben. Dazu das Papier an der vorderen Kante nach unten knicken und unter die obere Schicht schieben. Mit den Zeigefingern ab und zu an die obere Schicht fassen, damit das Papier nachgezogen wird.

Die obere Schicht abheben.
Beim Abheben der Schicht muß darauf geachtet werden, daß das Papier möglichst waagerecht gehalten wird, da der Biskuitboden ansonsten leicht durchbrechen kann.

Soll der Biskuitboden mit einem Messer geteilt werden, am besten ein Messer nehmen, das länger ist als der Boden.

Zum Füllen eignet sich Konfitüre (Marmelade) oder Buttercreme, zubereitet mit Pudding, bei Buttercremefüllung zur Abwechslung auch eine Schicht mit Konfitüre bestreichen. Dazu ein Messer, eine Teigkarte oder ein Pfannenmesser nehmen.

Mit Hilfe des Papiers die beiden Schichten wieder aufeinanderlegen. Hierbei ist es wichtig, daß die Schichten „Kante auf Kante“ gesetzt werden.

Die andere Schicht mit Buttercreme bestreichen und die dritte Schicht darauf legen.

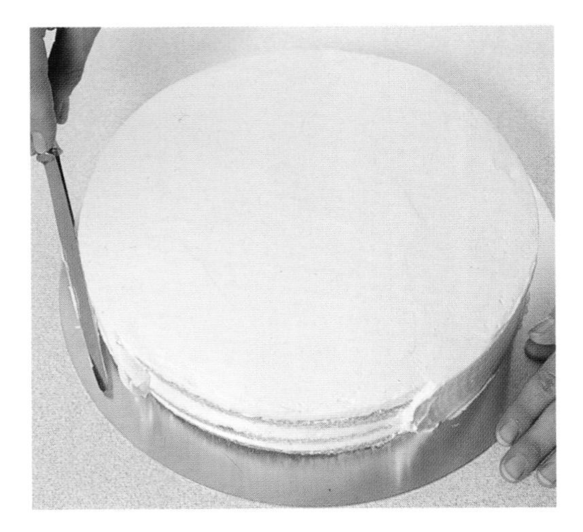

Obere Seite und Rand der Torte zunächst dünn mit Buttercreme, dann mit der übrigen Creme bestreichen. Für das Verteilen der Creme am Rand am besten ein Tafelmesser nehmen.

Das Verzieren der gefüllten Torte

Den Rand der Torte mit Schokoladenraspeln, abgezogenen, gehobelten Mandeln, gemahlenen Haselnußkernen oder gebräunten Haferflocken bestreuen. Dazu z. B. die Raspel ganz dicht an die Torte geben und sie am Rand mit einer Teigkarte oder einem Messer hoch schieben.

Bevor die Torte verziert wird, die Oberfläche mit einem Tortenteiler einteilen.

Beim Verzieren Spritzbeutel senkrecht halten. Mit der rechten Hand Beutel zuhalten, Creme (Sahne) herausdrücken. Die linke Hand führt den Beutel. Ihn nicht mit der ganzen Hand umfassen, sondern mit Daumen und Zeigefinger Tülle bzw. Tüllenansatz führen. Die Creme oder Sahne wird sonst durch Handwärme flüssig.
Bei dieser Buttercremetorte als Verzierung dicht aneinanderliegende Fragezeichen spritzen. Je Portionsstück den Spritzbeutel in der Mitte ansetzen und zum Rand führen.

Für die Marzipanmasse 200 g Marzipan-Rohmasse mit 50 g Puderzucker verkneten. Die angewirkte Masse zwischen Frischhaltefolie ausrollen.

Den Boden einer Springform als Schablone für die Marzipandecke auf das ausgerollte Marzipan legen, mit einem Küchenrädchen bzw. Messer ausschneiden.

Marzipan für den Randstreifen ausrollen. Umfang und Höhe der Torte abmessen, Marzipanstreifen ausschneiden, aufrollen, Rolle an die Torte setzen, abrollen und leicht andrücken.

Erdbeertorte
Tortenrand mit Erdbeersahne gleichmäßig bestreichen, Sahnerest bergartig auf die Torte häufen, etwas glattstreichen. Mit Hilfe eines Teelöffels kleine Vertiefungen eindrücken. Mit Erdbeeren und gehackten Pistazien garnieren.

Exotic
Torte vollständig mit einem Teil der Sahne oder Creme bestreichen. Sahnerest in einen Spritzbeutel mit kleiner, glatter Tülle füllen. Die Tortenoberfläche ganz mit gleichmäßigen Tupfen verzieren. Mit zur Hälfte in Schokolade getauchten Früchten, z. B. Kapstachelbeeren, garnieren.

Bunte Torte
Torte mit farbigem Marzipanrand (siehe Seite 162) umlegen, den hochstehenden Rand mit einer Schere einschneiden. Dosenfrüchte, frische Früchte oder Tiefkühlfrüchte pürieren (Konfitüre durch ein Sieb streichen), auf die Tortenoberfläche verteilen, mit einem Kochlöffelstiel durchziehen, so daß ein „Marmormuster“ entsteht.
Nach Belieben mit einem Marzipanrest verzieren.

Das Überziehen von Torten mit Guß

Die Torte vor dem Auftragen des Gusses mit Konfitüre aprikotieren, damit der Guß nicht einzieht. Dazu eine glatte, nicht stückige Konfitüre verwenden. (Stückige Konfitüre vorher durch ein Sieb streichen, unter Rühren evtl. mit etwas Wasser aufkochen lassen).
Den Guß mitten auf die Torte gießen.

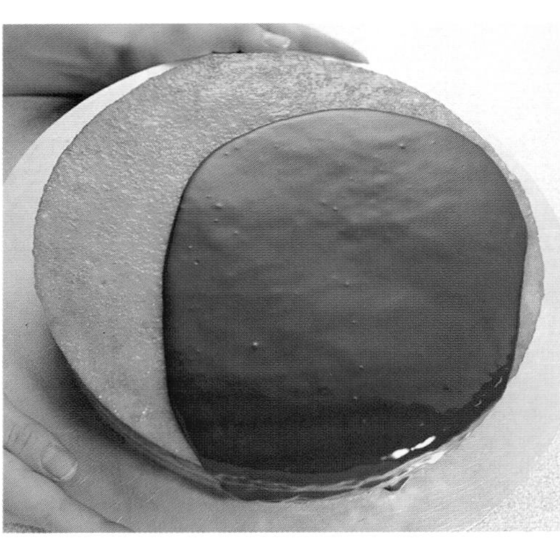

Den Guß durch ein Bewegen (schräg halten) der Torte auf der Oberfläche und am Rand gleichmäßig verlaufen lassen.

Es ist wichtig, daß die Torte so schnell wie möglich auf eine Tortenplatte (mit Hilfe eines großen Messers) umgesetzt wird. Dabei muß sie zuerst mit dem Messer von der Platte gelöst werden. Durch leichte Schrägstellung der Platte und Führung der Torte durch das Messer sollte sie vorsichtig auf die Tortenplatte gleiten.

Einzelne Arbeitsgänge zur Herstellung der Biskuitrolle

Das Backblech mit Backpapier belegen.
Dazu das Blech an etwa 3 Stellen mit streichfähiger Margarine oder Butter einfetten – am besten mit einem Pinsel –, das Papier darauf legen, gut andrücken, an der offenen Seite des Blechs so zu einer Falte knicken, daß ein Rand entsteht (damit der Teig nicht auslaufen kann). Den Teig auf das vorbereitete Blech streichen.

Nach dem Backen den Biskuit sofort mit einem Messer von den Rändern des Blechs und von dem Papierrand lösen, mit Hilfe des anhaftenden Papiers hochheben, auf ein mit Zucker bestreutes Geschirrtuch stürzen.

Das Backpapier mit kaltem Wasser (mit einem Pinsel) bestreichen und es vorsichtig, aber schnell abziehen.

Den Biskuit sofort mit dem Geschirrtuch aufrollen und kalt stellen oder mit Konfitüre bestreichen. Es empfiehlt sich, die im Rezept angegebene Konfitürenmenge gleichmäßig mit einem Löffel auf der Biskuitplatte zu verteilen und sie dann schnell mit einer Teigkarte zu verstreichen.

Den Biskuit schnell aufrollen. Dieser Arbeitsgang muß schnell erfolgen, denn – je abgekühlter die Biskuitplatte ist – desto schneller kann sie beim Aufrollen brechen. Als Hilfestellung kann das unter der Biskuitrolle liegende Geschirrtuch dienen, welches durch leichtes Anheben das Aufrollen der Platte erleichtert.

Klassisches Grundrezept

Für einen Tortenboden

3–4 Eier
3–4 EL heißes Wasser* mit Handrührgerät mit Rührbesen auf höchster Stufe in 1 Minute schaumig schlagen

150 g Zucker mit
1 Pck. Vanillin-Zucker mischen, in 1 Minute einstreuen, dann noch etwa 2 Minuten schlagen

100 g Weizenmehl mit
100 g Speisestärke
2–3 gestr. TL Backpulver
(die kleinere Menge bei 4 Eiern) mischen, die Hälfte davon auf die Eiercreme sieben, kurz auf niedrigster Stufe unterrühren

den Rest des Mehl-Gemisches auf die gleiche Weise unterarbeiten
den Teig in einer Springform (Ø 28 cm, Boden gefettet, mit Backpapier belegt) laut Anweisung backen.

Für eine Biskuitrolle

3 Eier
5–6 EL heißes Wasser* mit Handrührgerät mit Rührbesen auf höchster Stufe in 1 Minute schaumig schlagen

150 g Zucker mit
1 Pck. Vanillin-Zucker mischen, in 1 Minute einstreuen, dann noch etwa 2 Minuten schlagen

100 g Weizenmehl mit
50 g Speisestärke
1 gestr. TL Backpulver mischen, die Hälfte davon auf die Eiercreme sieben, kurz auf niedrigster Stufe unterrühren
den Rest des Mehl-Gemisches auf die gleiche Weise unterarbeiten
den Teig etwa 1 cm dick auf ein gefettetes, mit Backpapier belegtes Backblech streichen, an der offenen Seite des Blechs das Papier unmittelbar vor dem Teig zur Falte knicken, so daß ein Rand entsteht
laut Anweisung backen.

* Bei großen Eiern die kleinere Wassermenge, bei kleinen Eiern die größere nehmen.

Grundrezept dunkel, mit Fett

Für einen dunklen Tortenboden

3 Eier
4 EL heißes Wasser mit Handrührgerät mit Rührbesen auf höchster Stufe in 1 Minute schaumig schlagen

125 g Zucker mit
1 Pck. Vanillin-Zucker mischen, in 1 Minute einstreuen, dann noch etwa 2 Minuten schlagen
75 g Weizenmehl mit
65 g Speisestärke
15 g Kakaopulver
2 gestr. TL Backpulver mischen, die Hälfte davon auf die Eiercreme sieben, kurz auf niedrigster Stufe unterrühren
den Rest des Mehl-Gemisches auf die gleiche Weise unterrühren

75 g zerlassene, etwas abgekühlte Butter unterrühren
den Teig in einer Springform (Ø 26–28 cm, Boden gefettet, mit Backpapier belegt) laut Anweisung backen.

Erdbeer-Sahne-Torte

beliebt

(Foto Seite 152/153)

	Für den Teig
2 Eier	
2–3 EL heißes Wasser*	mit Handrührgerät mit Rührbesen auf höchster Stufe in 1 Minute schaumig schlagen
100 g Zucker	mit
1 Pck. Vanillin-Zucker	mischen, in 1 Minute einstreuen, dann noch etwa 2 Minuten schlagen
75 g Weizenmehl	mit
50 g Speisestärke	
1 gestr. TL Backpulver	mischen, die Hälfte davon auf die Eiercreme sieben, kurz auf niedrigster Stufe unterrühren den Rest des Mehl-Gemisches auf die gleiche Weise unterarbeiten den Teig in eine Springform (Ø 28 cm, Boden gefettet, mit Backpapier belegt) füllen, sofort backen
Ober-/Unterhitze	170–200 °C (vorgeheizt)
Heißluft	–
Gas	Stufe 3–4 (nicht vorgeheizt)
Backzeit	20–30 Minuten den Tortenboden aus der Form lösen, stürzen, erkalten lassen.
	Für die Füllung aus
1 Pck. Soßen-Pulver Vanille-Geschmack	
25 g Zucker	
knapp 250 ml (1/4 l) Milch	nach Anleitung auf dem Päckchen (aber nur mit knapp 1/4 l Milch) einen Pudding zubereiten, kalt stellen, ab und zu durchrühren
500 g Erdbeeren	waschen, gut abtropfen lassen, entstielen, halbieren
2 schwach geh. TL gemahlene Gelatine, weiß	mit
3 EL kaltem Wasser	in einem kleinen Topf anrühren, 10 Minuten zum Quellen stehen lassen, unter Rühren erwärmen, bis sie gelöst ist
500 ml (1/2 l) Schlagsahne	fast steif schlagen die lauwarme Gelatinelösung unter Schlagen hinzufügen, die Sahne vollkommen steif schlagen
40 g Puderzucker	sieben, mit
1 Pck. Vanillin-Zucker	mischen, unterrühren den Tortenboden einmal durchschneiden, den unteren Boden mit dem Pudding bestreichen, mit den Erdbeeren belegen, drei Viertel der Sahne gleichmäßig darauf streichen, den oberen Boden darauf legen, gut andrücken

	Rand und Oberfläche der Torte gleichmäßig mit einem Teil der zurückgelassenen Sahne bestreichen, die Torte mit der restlichen Sahne verzieren, mit
Erdbeeren abgezogenen, gehobelten, gebräunten Mandeln	garnieren.

* Bei kleinen Eiern die größere Wassermenge, bei großen Eiern die kleinere nehmen.

Malakoff-Torte

für Gäste

150 g Butter	mit Handrührgerät mit Rührbesen auf höchster Stufe geschmeidig rühren, nach und nach
125 g feinkörnigen Zucker **1 Pck. Vanillin-Zucker**	unterrühren, so lange rühren, bis eine gebundene Masse entstanden ist
3 Eigelb	nach und nach unterrühren
150 g abgezogene, gemahlene Mandeln **125 ml (1/8 l) Schlagsahne**	auf mittlerer Stufe unterrühren
250 ml (1/4 l) Milch	mit
1/2 Pck. Vanillin-Zucker **2–3 EL Rum**	verrühren
250 g Löffelbiskuits	kurz darin wenden einen Springformrand (Ø etwa 26 cm) auf eine Tortenplatte setzen den Boden mit der Hälfte der Löffelbiskuits auslegen, die Hälfte der Creme darüber streichen, die restlichen Löffelbiskuits und die restliche Creme darauf geben, glattstreichen, kühl stellen (evtl. über Nacht), den Springformrand lösen
250 ml (1/4 l) Schlagsahne	1/2 Minute schlagen
1 TL Zucker **1 Pck. Sahnesteif**	mischen, einstreuen, die Sahne steif schlagen etwas von der Sahne in einen Spritzbeutel mit gezackter Tülle füllen, mit der restlichen Sahne Rand und obere Seite der Torte bestreichen die Torte mit der Sahne aus dem Spritzbeutel verzieren, mit
roten Belegkirschen	garnieren.

Schwarzwälder Kirschtorte

traditionell/tiefkühlgeeignet

	Für den Knetteig
125 g Weizenmehl	mit
10 g Kakaopulver	
1 Msp. Backpulver	mischen, in eine Rührschüssel sieben
50 g Zucker	
1 Pck. Vanillin-Zucker	
1 EL Kirschwasser	
75 g Margarine oder Butter	hinzufügen die Zutaten mit Handrührgerät mit Knethaken zunächst kurz auf niedrigster, dann auf höchster Stufe gut durcharbeiten, anschließend auf der Arbeitsfläche zu einem glatten Teig verkneten, sollte er kleben, ihn eine Zeitlang kalt stellen den Teig auf dem Boden einer Springform (Ø 28 cm) ausrollen, mehrmals mit einer Gabel einstechen, den Springformrand darumlegen
Ober-/Unterhitze	200–220 °C (vorgeheizt)
Heißluft	etwa 170 °C (nicht vorgeheizt)
Gas	Stufe 3–4 (vorgeheizt)
Backzeit	etwa 15 Minuten sofort nach dem Backen den Tortenboden vom Springformboden lösen, darauf erkalten lassen, dann auf eine Tortenplatte legen.
	Für den Biskuitteig
4 Eier	mit Handrührgerät mit Rührbesen auf höchster Stufe in 1 Minute schaumig schlagen
100 g Zucker	mit
1 Pck. Vanillin-Zucker	mischen, in 1 Minute einstreuen, dann noch etwa 2 Minuten schlagen
100 g Weizenmehl	mit
25 g Speisestärke	
10 g Kakaopulver	
gut 1 Msp. gemahlenem Zimt	

(Fortsetzung S. 172)

1/2 gestr. TL Backpulver	mischen, die Hälfte davon auf die Eiercreme sieben, kurz auf niedrigster Stufe unterrühren den Rest des Mehl-Gemisches auf die gleiche Weise unterarbeiten den Teig in eine Springform (Ø 28 cm, Boden gefettet, mit Backpapier belegt) füllen, sofort backen
Ober-/Unterhitze	170–200 °C (vorgeheizt)
Heißluft	–
Gas	Stufe 3–4 (nicht vorgeheizt)
Backzeit	25–30 Minuten den Tortenboden aus der Form lösen, stürzen, erkalten lassen.
	Für die Füllung
etwa 350 g entsteinte Sauerkirschen (aus dem Glas)	abtropfen lassen (den Saft auffangen) o d e r
500 g Sauerkirschen	waschen, entstielen, entsteinen, mit
75 g Zucker	mischen, kurze Zeit zum Saftziehen stehen lassen, zum Kochen bringen, abtropfen (den Saft auffangen) und erkalten lassen 250 ml (1/4 l) von dem Saft abmessen (evtl. mit Wasser ergänzen)
30 g Speisestärke	mit 4 Eßlöffeln von dem Saft anrühren, den übrigen Saft zum Kochen bringen, die Speisestärke unter Rühren in den von der Kochstelle genommenen Saft geben, kurz aufkochen lassen, die Kirschen unterrühren, die Masse kalt stellen, mit
etwa 25 g Zucker etwa 3 EL Kirschwasser	abschmecken
1 Pck. gemahlene Gelatine, weiß	mit
5 EL kaltem Wasser	in einem kleinen Topf anrühren, 10 Minuten zum Quellen stehen lassen, unter Rühren erwärmen, bis sie gelöst ist
750 ml (3/4 l) Schlagsahne	fast steif schlagen, die lauwarme Gelatinelösung unter Schlagen hinzufügen, die Sahne vollkommen steif schlagen
40 g Puderzucker	sieben, mit
1 Pck. Vanillin-Zucker	mischen, unterrühren zunächst die Kirschmasse, dann ein Drittel der Sahne auf den Knetteigboden streichen (Foto 1) den Biskuitboden einmal durchschneiden, den unteren Boden auf die Sahne legen (Foto 2), gut andrücken, mit der Hälfte der restlichen Sahne bestreichen, mit dem oberen Boden bedecken den Rand und die Oberfläche gleichmäßig mit der restlichen Sahne bestreichen, die Torte mit
geschabter Schokolade Kirschen Schlagsahne	mit Hilfe eines Spritzbeutels garnieren (Foto 3).

Preiselbeer-Eierlikör-Torte

für Gäste

	Für den Teig
4 Eier	
2 EL heißes Wasser	mit Handrührgerät mit Rührbesen auf höchster Stufe in 1 Minute schaumig schlagen
160 g Zucker	mit
1 Pck. Vanillin-Zucker	mischen, in 1 Minute einstreuen
30 g Weizenmehl	mit
1 gestr. TL Backpulver	mischen, auf die Eiercreme sieben, kurz auf niedrigster Stufe unterrühren
200 g gemahlene Haselnußkerne	mit
1 TL gemahlenem Zimt	mischen, zusammen mit
60 g geraspelter Schokolade	auf die gleiche Weise unterrühren
50 g zerlassene, etwas abgekühlte Butter	unterrühren
	den Teig in eine Springform (Ø 28 cm, Boden gefettet) füllen, sofort backen
Ober-/Unterhitze	170–200 °C (vorgeheizt)
Heißluft	–
Gas	Stufe 3–4 (nicht vorgeheizt)
Backzeit	etwa 30 Minuten
	den Biskuitboden aus der Form lösen, erkalten lassen.
	Für den Belag
	den Biskuitboden mit
5–6 EL angedickten Preiselbeeren (aus dem Glas)	bestreichen (1 cm am Rand frei lassen)
500 ml (½ l) Schlagsahne	mit
1 Pck. Sahnesteif	
30 g gesiebtem Puderzucker	
1 Pck. Vanillin-Zucker	nach Anleitung auf dem Päckchen steif schlagen, die Hälfte der Sahne auf die Preiselbeeren streichen, die restliche Sahne in einen Spritzbeutel mit gezackter Tülle füllen, den Tortenrand damit verzieren
250 ml (¼ l) Eierlikör	auf der Torte verteilen, 3–4 Stunden kalt stellen.

Zaubertorte

raffiniert

	Für den Teig
2 Eier	
2 EL heißes Wasser	mit Handrührgerät mit Rührbesen auf höchster Stufe in 1 Minute schaumig schlagen
75 g Zucker	mit
1 Pck. Vanillin-Zucker	mischen, in 1 Minute einstreuen, dann noch etwa 2 Minuten schlagen
75 g Weizenmehl	mit
1/2 gestr. TL Backpulver	mischen, auf die Eiercreme sieben
50 g abgezogene, gemahlene, leicht geröstete Mandeln	
50 g geriebene Zartbitter-Schokolade	
	beide Zutaten auf das Mehl geben, alles kurz auf niedrigster Stufe unterrühren den Teig in eine Springform (Ø 22 cm, Boden gefettet, mit Backpapier belegt) füllen, sofort backen
Ober-/Unterhitze	170–200 °C (vorgeheizt)
Heißluft	–
Gas	Stufe 3–4 (nicht vorgeheizt)
Backzeit	etwa 25 Minuten den Biskuitboden aus der Form lösen, stürzen, erkalten lassen, einmal durchschneiden den unteren Boden auf eine Tortenplatte legen, den Springformrand darum legen (mit einem Pergamentpapierstreifen auslegen).
	Für die Füllung
1 Pck. gemahlene Gelatine, weiß	mit
4 EL kaltem Wasser	in einem kleinen Topf anrühren, 10 Minuten zum Quellen stehen lassen, unter Rühren erwärmen, bis sie gelöst ist, die Hälfte davon mit
abgeriebener gelber Schale von einer halben Orange (unbehandelt)	
150 ml Orangensaft	
25 g Zucker	verrühren, kalt stellen
50 g Zartbitter-Schokolade	in einem kleinen Topf im Wasserbad bei schwacher Hitze zu einer geschmeidigen Masse verrühren

(Forsetzung S. 176)

500 ml (½ l) Schlagsahne	steif schlagen, etwa 2/3 davon unter den dicklich gewordenen Orangensaft rühren, die Orangensahne (etwas zum Bestreichen zurücklassen) auf den unteren Boden streichen, unter die restliche Sahne die abgekühlte Schokolade, die restliche Gelatine rühren die Schokoladensahne in einen Spritzbeutel mit Gebäckfüll-Tülle geben, unregelmäßig tupfenweise in die Orangensahne spritzen (Oberfläche evtl. glattstreichen), mit der oberen Tortenbodenhälfte bedecken, leicht andrücken, mit etwas von der zurückgelassenen Orangensahne bestreichen, garnieren, kalt stellen, damit die Füllung fest wird den Springformrand (Pergamentpapierstreifen) vorsichtig von der Torte lösen den Rand der Torte mit
steifgeschlagener Schlagsahne	garnieren und die Torte mit
30 g geriebener Schokolade	bestreuen.

Mandarinenomeletts

preiswert

	Für die Förmchen
30 cm breite Alufolie	so falzen, daß 7 mal ein 15 cm langes Stück aufeinander liegt 2 Kreise (jeweils Ø 15 cm) nebeneinander aufzeichnen, ausschneiden, so daß 14 runde Folienblätter entstehen, diese über den Boden einer Konservendose (Ø etwa 10 cm) legen (Foto 1) und andrücken, so daß Förmchen mit einem gleichmäßig hohen Rand (2 cm) entstehen, innen fetten, auf ein Backblech stellen.
	Für den Teig
3 Eier	mit
60 g Zucker	
1 Pck. Vanillin-Zucker	in einer Rührschüssel über kochendem Wasser (Wasserbad) mit Handrührgerät mit Rührbesen auf höchster Stufe so lange schlagen, bis eine cremeartige Masse entstanden ist die Schüssel aus dem Wasserbad nehmen, so lange weiter schlagen, bis die Creme kalt ist
50 g Weizenmehl	mit
50 g Speisestärke	mischen, sieben, abwechselnd mit
100 g zerlassener, etwas abgekühlter Butter	auf niedrigster Stufe unter die Eiercreme rühren

	den Teig auf die Förmchen verteilen (Foto 2), sofort backen
Ober-/Unterhitze	200–220 °C (vorgeheizt)
Heißluft	–
Gas	Stufe 3–4 (vorgeheizt)
Backzeit	10–15 Minuten
	die Gebäckplatten sofort aus den Förmchen lösen, jeweils zur Hälfte überschlagen (am besten über einen Rührlöffelstiel – Foto 3), erkalten lassen, leicht mit
Puderzucker	bestäuben.

Für die Füllung

2 gestr. TL gemahlene Gelatine, weiß	mit
3 EL kaltem Wasser	in einem kleinen Topf anrühren, 10 Minuten zum Quellen stehen lassen
Mandarinenspalten (aus der Dose, Abtropfgewicht 300 g)	zum Abtropfen auf ein Sieb geben, den Saft auffangen
	die gequollene Gelatine unter Rühren erwärmen, bis sie gelöst ist
375 ml (3/8 l) Schlagsahne	fast steif schlagen, die lauwarme Gelatinelösung,
2 EL Zitronensaft	
2 EL Mandarinensaft	
10 g Zucker	
1 Pck. Vanillin-Zucker	hinzufügen, die Sahne vollkommen steif schlagen, in die Omeletts spritzen, mit Mandarinenspalten garnieren.
Tip	Variieren Sie die Füllung: je nach Saison frisches Obst, z.B. Johannisbeeren, Himbeeren oder füllen Sie die Omeletts mit einer Schokoladensahne (Rezept S. 181, 1/2 Füllung der Schokoladen-Sahne-Torte).

Zuger Kirschtorte

traditionell

	Für den Teig
4 Eigelb	
1 Eiweiß	
2–3 EL heißes Wasser*	mit Handrührgerät mit Rührbesen auf höchster Stufe in 1 Minute schaumig schlagen
100 g Zucker	mit
1 Pck. Vanillin-Zucker	mischen, in 1 Minute einstreuen, dann noch etwa 2 Minuten schlagen
75 g Weizenmehl	mit
50 g Speisestärke	
1 gestr. TL Backpulver	mischen, die Hälfte davon auf die Eiercreme sieben, kurz auf niedrigster Stufe unterrühren den Rest des Mehl-Gemisches auf die gleiche Weise unterarbeiten den Teig in eine Springform (Ø 28 cm, Boden gefettet, mit Backpapier belegt) füllen, sofort backen
Ober-/Unterhitze	170–200 °C (vorgeheizt)
Heißluft	–
Gas	Stufe 3–4 (nicht vorgeheizt)
Backzeit	25–30 Minuten den Tortenboden aus der Form lösen, stürzen, erkalten lassen.
	Für die Baisermasse
3 Eiweiß	steif schlagen, nach und nach eßlöffelweise
150 g Zucker	
1 Pck. Vanillin-Zucker	unterschlagen
100 g abgezogene, gemahlene Mandeln	vorsichtig unterheben aus der Masse zwei Baiserböden herstellen dazu jeweils die Hälfte der Baisermasse in eine Springform (Ø 28 cm, Boden gefettet, mit Backpapier belegt) geben, glattstreichen
Ober-/Unterhitze	100–110 °C (vorgeheizt)
Heißluft	100–110 °C (nicht vorgeheizt)
Gas	Stufe 1, nach 30–40 Minuten Ofen ausschalten, Böden noch etwa 20 Minuten im Ofen stehen lassen
Backzeit	etwa 1 1/2 Stunden sobald die Böden gebacken sind, das Papier mit Wasser bestreichen, abziehen, die Baiserböden in gut schließendem Gefäß (evtl. auch in Alufolie gewickelt) aufbewahren, damit sie nicht weich werden.

(Fortsetzung S. 180)

Für die Buttercreme
aus

1 Pck. Pudding-Pulver Himbeer-Geschmack
75–100 g Zucker
500 ml (1/2 l) Milch — nach Anleitung auf dem Päckchen (aber mit 75–100 g Zucker) einen Pudding zubereiten, kalt stellen, ab und zu durchrühren

250 g Butter — geschmeidig rühren, den Pudding eßlöffelweise darunter geben (darauf achten, daß weder Butter noch Pudding zu kalt sind, da dann die sogenannte Gerinnung eintritt).

Zum Tränken des Biskuitbodens

6 EL Wasser
60 g Zucker — aufkochen, erkalten lassen

6 EL Kirschwasser — hinzufügen

einen der Baiserböden mit einem Viertel der Buttercreme bestreichen, den Biskuitboden darauf legen, mit dem Kirschwasser beträufeln, mit knapp der Hälfte der übrigen Buttercreme bestreichen, den zweiten Baiserboden darauf legen, gut andrücken, Rand und Oberfläche der Torte mit der restlichen Creme gleichmäßig bestreichen

50 g abgezogene, gehobelte Mandeln — auf einem Backblech im Backofen unter Wenden leicht gelblich rösten, erkalten lassen, den Rand der Torte damit bestreuen

ein Messer in heißes Wasser tauchen, ein Gittermuster auf der Torte ziehen, die Torte kurz vor dem Servieren mit

25 g Puderzucker — bestäuben.

Tip — Die Torte läßt sich gut schneiden, wenn sie einen Tag vor dem Verzehr gefüllt wird.

* Bei kleinen Eiern die größere Wassermenge, bei großen Eiern die kleinere nehmen.

Schokoladen-Sahne-Torte

für Gäste

	Für den Teig
2 Eier	
2–3 EL heißes Wasser*	mit Handrührgerät mit Rührbesen auf höchster Stufe in 1 Minute schaumig schlagen
100 g Zucker	mit
1 Pck. Vanillin-Zucker	mischen, in 1 Minute einstreuen, dann noch etwa 2 Minuten schlagen
75 g Weizenmehl	mit
50 g Speisestärke	
1 gestr. TL Backpulver	mischen, die Hälfte davon auf die Eiercreme sieben, kurz auf niedrigster Stufe unterrühren den Rest des Mehl-Gemisches auf die gleiche Weise unterarbeiten den Teig in eine Springform (Ø 28 cm, Boden gefettet, mit Backpapier belegt) füllen, sofort backen
Ober-/Unterhitze	170–200 °C (vorgeheizt)
Heißluft	–
Gas	Stufe 3–4 (nicht vorgeheizt)
Backzeit	20–30 Minuten den Tortenboden aus der Form lösen, stürzen, erkalten lassen.
	Für die Füllung
750 ml (3/4 l) Schlagsahne	erhitzen, von der Kochstelle nehmen
75 g Vollmilch-Kuvertüre	
75 g Halbbitter-Kuvertüre	kleinhacken, in der Sahne auflösen, kalt stellen (am besten über Nacht) die Sahne mit
2 Pck. Sahnesteif	steif schlagen den Tortenboden einmal durchschneiden, den unteren Boden mit gut zwei Drittel der Füllung bestreichen, den oberen darauf legen, gut andrücken Rand und Oberfläche der Torte mit einem Teil der zurückgelassenen Sahne bestreichen, den Rand mit
25 g geraspelter Schokolade	bestreuen, die Torte mit der restlichen Sahne verzieren, mit
Schokoladen-Täfelchen	garnieren.

* Bei kleinen Eiern die größere Wassermenge, bei großen Eiern die kleinere nehmen.

Biskuitrolle

schnell

3 Eier	
5–6 EL heißes Wasser*	mit Handrührgerät mit Rührbesen auf höchster Stufe in 1 Minute schaumig schlagen
150 g Zucker	mit
1 Pck. Vanillin-Zucker	mischen, in 1 Minute einstreuen, dann noch etwa 2 Minuten schlagen
100 g Weizenmehl	mit
50 g Speisestärke	
1 gestr. TL Backpulver	mischen, die Hälfte davon auf die Eiercreme sieben, kurz auf niedrigster Stufe unterrühren den Rest des Mehl-Gemisches auf die gleiche Weise unterarbeiten den Teig etwa 1 cm dick auf ein gefettetes, mit Backpapier belegtes Backblech streichen (Foto 1), an der offenen Seite des Blechs das Papier unmittelbar vor dem Teig zur Falte knicken, so daß ein Rand entsteht, sofort backen
Ober-/Unterhitze	200–220 °C (vorgeheizt)
Heißluft	–
Gas	Stufe 3–4 (vorgeheizt)
Backzeit	10–15 Minuten den Biskuit sofort nach dem Backen auf ein mit
Zucker	bestreutes Geschirrtuch stürzen, das Backpapier mit kaltem Wasser bestreichen, vorsichtig, aber schnell abziehen den Biskuit sofort gleichmäßig mit
250–375 g Konfitüre	bestreichen (Foto 2), von der kürzeren Seite her aufrollen (Foto 3), die Rolle mit
30 g Puderzucker	bestäuben.

* Bei kleinen Eiern die größere Wassermenge, bei großen Eiern die kleinere nehmen.

Buttercremetorte

tiefkühlgeeignet

	Für den Teig
4 Eier	
2–4 EL heißes Wasser*	mit Handrührgerät mit Rührbesen auf höchster Stufe in 1 Minute schaumig schlagen
150 g Zucker	mit
1 Pck. Vanillin-Zucker	mischen, in 1 Minute einstreuen, dann noch etwa 2 Minuten schlagen
100 g Weizenmehl	mit
100 g Speisestärke	
2 gestr. TL Backpulver	mischen, die Hälfte davon auf die Eiercreme sieben, kurz auf niedrigster Stufe unterrühren den Rest des Mehl-Gemisches auf die gleiche Weise unterarbeiten den Teig in eine Springform (Ø 28 cm, Boden gefettet, mit Backpapier belegt) füllen, sofort backen
Ober-/Unterhitze	170–200 °C (vorgeheizt)
Heißluft	–
Gas	Stufe 3–4 (nicht vorgeheizt)
Backzeit	20–30 Minuten den Tortenboden aus der Form lösen, stürzen, erkalten lassen.
	Für die Schokoladen-Buttercreme aus
1 Pck. Feiner Schokoladen-Pudding	
25 g Zucker	
500 ml (1/2 l) Milch	nach Anleitung auf dem Päckchen (aber mit nur 25 g Zucker) einen Pudding zubereiten
100 g Zartbitter-Schokolade	in kleine Stücke brechen, in den heißen Pudding geben, so lange rühren, bis sie gelöst ist, den Pudding kalt stellen, ab und zu durchrühren
	o d e r
	für die helle Buttercreme aus
1 Pck. Pudding-Pulver Vanille-, Mandel-, Sahne- oder Karamel-Geschmack	
75–100 g Zucker	
500 ml (1/2 l) Milch	nach Anleitung auf dem Päckchen (aber mit 75–100 g Zucker) einen Pudding zubereiten, kalt stellen, ab und zu durchrühren

o d e r

für die Mokka-Buttercreme
aus

1 Pck. Feiner Schokoladen-Pudding
75–100 g Zucker
1 EL Instant-Kaffee
500 ml (½ l) Milch nach Anleitung auf dem Päckchen (aber mit 75–100 g Zucker) einen Pudding zubereiten, kalt stellen, ab und zu durchrühren

250 g Butter geschmeidig rühren, den erkalteten Pudding eßlöffelweise darunter geben (darauf achten, daß weder Butter noch Pudding zu kalt sind, da dann die sogenannte Gerinnung eintritt).

Den Tortenboden zweimal durchschneiden, den unteren Boden mit gut einem Viertel der Buttercreme bestreichen (nach Belieben den Boden zunächst mit 2–3 Eßlöffeln Konfitüre bestreichen) den zweiten Boden darauf legen, mit knapp der Hälfte der restlichen Creme bestreichen, mit dem dritten Boden bedecken Rand und Oberfläche der Torte dünn und gleichmäßig mit einem Teil der zurückgelassenen Creme bestreichen, den Rand der Torte mit

Schokoladen-Streuseln oder abgezogenen, gehobelten, gebräunten Mandeln bestreuen, die Torte mit der restlichen Creme verzieren, nach Belieben garnieren.

Tip Für eine helle Buttercremetorte können Sie auch einen dunklen Tortenboden (s. Grundrezept S. 167) backen.

* Bei kleinen Eiern die größere Wassermenge, bei großen Eiern die kleinere nehmen.

Mokka-Sahne-Torte

traditionell

	Für den Teig
3 Eier	
3 EL heißes Wasser	mit Handrührgerät mit Rührbesen auf höchster Stufe in 1 Minute schaumig schlagen
150 g Zucker	mit
1 Pck. Vanillin-Zucker	mischen, in 1 Minute einstreuen, dann noch etwa 2 Minuten schlagen
100 g Weizenmehl	mit
100 g Speisestärke	
3 gestr. TL Backpulver	mischen, die Hälfte davon auf die Eiercreme sieben, kurz auf niedrigster Stufe unterrühren, den Rest des Mehl-Gemisches auf die gleiche Weise unterarbeiten den Teig in eine Springform (Ø 28 cm, Boden gefettet, mit Backpapier belegt) füllen, sofort backen
Ober-/Unterhitze	170–200 °C (vorgeheizt)
Heißluft	–
Gas	Stufe 3–4 (nicht vorgeheizt)
Backzeit	20–30 Minuten den Biskuitboden aus der Form lösen, erkalten lassen.
	Für die Füllung
3 schwach geh. TL Instant-Kaffee	in
150 ml kaltem Wasser	auflösen
750 ml (3/4 l) Schlagsahne	
1 Pck. Sahnetorten-Hilfe	und die Kaffeelösung nach Anleitung auf dem Päckchen zubereiten den Biskuitboden einmal durchschneiden, den unteren Boden mit
gut 1 EL Orangenlikör	beträufeln, mit
2 EL (70 g) Aprikosenkonfitüre	bestreichen, 2/3 der Sahnemasse bergartig darauf streichen (Foto 1)

(Fortsetzung S. 188)

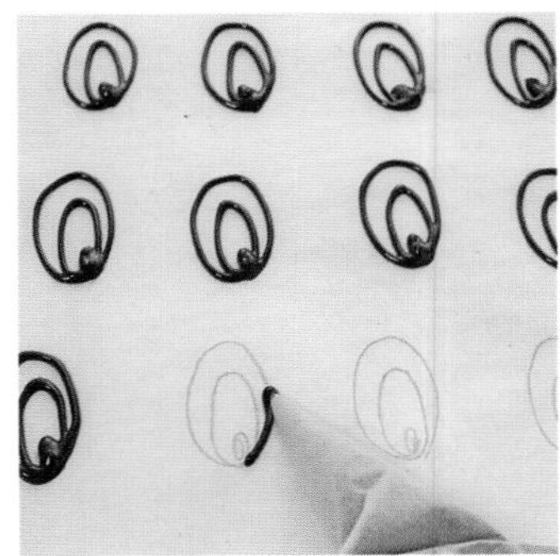

	den oberen Boden auf die Sahnemasse legen, gut andrücken die Torte mit restlicher Sahnemasse bergartig bestreichen, mit Hilfe eines Eßlöffels Vertiefungen eindrücken (Foto 2), kalt stellen.
	Zum Garnieren
50 g Halbbitter-Kuvertüre	in einem kleinen Topf im Wasserbad bei schwacher Hitze zu einer geschmeidigen Masse verrühren, Motive auf Backpapier spritzen (Foto 3), fest werden lassen, die Torte mit Motiven garnieren und mit
Kakaopulver	bestäuben, in 16 Stücke schneiden.

Canachetorte

dauert länger

	Für den Teig
4 Eier	
4–5 EL heißes Wasser*	mit Handrührgerät mit Rührbesen auf höchster Stufe in 1 Minute schaumig schlagen
150 g Zucker	mit
1 Pck. Vanillin-Zucker	mischen, in 1 Minute einstreuen, dann noch etwa 2 Minuten schlagen
150 g Weizenmehl	mit
1 gestr. TL Backpulver	mischen, die Hälfte davon auf die Eiercreme sieben, kurz auf niedrigster Stufe unterrühren den Rest des Mehl-Gemisches auf die gleiche Weise unterarbeiten, zuletzt
100 g abgezogene, gemahlene Mandeln	unterrühren den Teig in eine Springform (Ø 28 cm, Boden gefettet, mit Backpapier belegt) füllen, sofort backen
Ober-/Unterhitze	170–200 °C (vorgeheizt)
Heißluft	–
Gas	Stufe 3–4 (nicht vorgeheizt)
Backzeit	etwa 30 Minuten den Tortenboden aus der Form lösen, stürzen, erkalten lassen.

Für die helle Canache

200 g weiße Kuvertüre kleinhacken

100 ml Schlagsahne aufkochen, von der Kochstelle nehmen, die Kuvertüre unterrühren, so lange rühren, bis sie geschmolzen ist, dann

100 g Butter unterrühren, die Masse mit

2–3 EL Kirschwasser abschmecken, kalt stellen, bevor sie fest ist, so lange mit Handrührgerät mit Rührbesen schlagen, bis eine cremige Masse entstanden ist.

Für die dunkle Canache

400 g Halbbitter-Kuvertüre
200 ml Schlagsahne
2–3 EL Weinbrand ebenso wie die helle Canache zubereiten (aber ohne Butter)

100 g Aprikosenkonfitüre durch ein Sieb streichen, mit

1 EL Wasser unter Rühren etwas einkochen lassen
den Tortenboden zweimal durchschneiden
den unteren Boden mit der Aprikosenkonfitüre bestreichen, darauf die Hälfte der dunklen Canache streichen, mit dem mittleren Boden bedecken, gut andrücken

100 g Waldbeerkonfitüre durch ein Sieb streichen, mit

1 EL Wasser unter Rühren etwas einkochen lassen, den mittleren Boden damit bestreichen, darauf zwei Drittel der hellen Canache streichen, mit dem oberen Boden bedecken, andrücken
Rand und Oberfläche der Torte mit der restlichen dunklen Canache bestreichen
die Torte kalt stellen, damit die Canache fest wird
die restliche helle Canache nochmals etwas erwärmen, aufschlagen, den Rand der Torte damit bestreichen, mit

10 g gemahlenen Pistazienkernen bestreuen.

Zum Garnieren

75 g weiße Kuvertüre in einem kleinen Topf im Wasserbad bei schwacher Hitze geschmeidig rühren, unter zwei Drittel der Kuvertüre

30 g abgezogene, gehackte, leicht geröstete Mandeln rühren, auf Backpapier streichen, fest werden lassen, in unterschiedlich große Dreiecke schneiden, auf eine Tortenhälfte legen, die andere Hälfte mit der übrigen Kuvertüre besprenkeln.

* Bei kleinen Eiern die größere Wassermenge, bei großen Eiern die kleinere nehmen.

Punschtorte

für Gäste

Für diese Torte 2 Böden backen.

Für den Teig (pro Biskuitboden)

4 Eier	
3–4 EL heißes Wasser*	mit Handrührgerät mit Rührbesen auf höchster Stufe in 1 Minute schaumig schlagen
150 g Zucker	mit
1 Pck. Vanillin-Zucker	mischen, in 1 Minute einstreuen, dann noch etwa 2 Minuten schlagen
100 g Weizenmehl	mit
100 g Speisestärke	
3 gestr. TL Backpulver	mischen, die Hälfte davon auf die Eiercreme sieben, kurz auf niedrigster Stufe unterrühren, den Rest des Mehl-Gemisches auf die gleiche Weise unterarbeiten, den Teig in eine Springform (Ø 28 cm, Boden gefettet, mit Backpapier belegt) füllen, sofort backen
Ober-/Unterhitze	180–200 °C (vorgeheizt)
Heißluft	–
Gas	Stufe 3–4 (nicht vorgeheizt)
Backzeit	20–30 Minuten
	auf diese Weise 2 Böden zubereiten, aus der Form lösen, erkalten lassen.

Für die Füllung

	einen der beiden Biskuitböden zerkrümeln
	mit den Ecken von
8 Stücken Würfelzucker	die
Schale von 1 Orange (unbehandelt)	abreiben, mit
8 EL Orangensaft	
2–3 EL Zitronensaft	
200 ml Rotwein	
6 EL Rum	

(Fortsetzung S. 192)

50 g Zartbitter-Schokolade	erhitzen, die heiße Masse sofort unter die Biskuitkrümel rühren.
	Von dem zweiten Biskuitboden eine gut 1 cm dicke Platte abschneiden, den unteren Boden mit etwas von
200 g glattgerührtem Johannisbeergelee	bestreichen
	die Füllung darauf verteilen, ebenfalls mit etwas Johannisbeergelee bestreichen, die Gebäckplatte darauflegen (Foto 1), gut andrücken, die Torte von außen mit restlichem Johannisbeergelee bestreichen
200 g Marzipan-Rohmasse	mit
100 g gesiebtem Puderzucker	verkneten, etwa 2 mm dick ausrollen (Foto 2), einen Streifen in Höhe des Tortenrandes und eine Decke in Größe der Torte daraus schneiden
	die Torte damit be- und umlegen (Foto 3), das Marzipan fest andrücken.
	Für den Guß
100 g gesiebten Puderzucker	mit
etwa 2 EL Malventee (zubereitet aus 1 Aufgußbeutel mit 4 EL kochendem Wasser)	zu einer dickflüssigen Masse verrühren, die Torte damit überziehen, mit
halbierten, kandierten Kirschen	garnieren und nach Belieben mit
50 g Puderzucker	mit
etwas heißem Wasser	und
Rote-Bete-Saft	verrührt, garnieren.

* Bei kleinen Eiern die größere Wassermenge, bei großen Eiern die kleinere nehmen.

Blitz-Käsetorte

beliebt

Für den Boden

150 g Löffelbiskuits in eine Plastiktüte geben, die Tüte verschließen, die Löffelbiskuits mit einem Teigroller zerdrücken, in eine Schüssel geben

120 g Margarine oder Butter zerlassen, zu den Löffelbiskuits geben, gut verrühren die Masse gleichmäßig auf den Boden einer Springform (Ø 26 cm) verteilen, gut andrücken.

Für die Füllung

1 Beutel aus 1 Pck. Götterspeise Zitronen-Geschmack mit

200 ml Wasser anrühren, 10 Minuten zum Quellen stehen lassen, unter Rühren erhitzen, bis die Götterspeise gelöst ist, etwas abkühlen lassen

200 g Doppelrahm-Frischkäse mit

125 g Zucker
1 Pck. Vanillin-Zucker
2 EL Zitronensaft verrühren, die lauwarme Götterspeise unterrühren wenn die Masse anfängt dicklich zu werden,

500 ml (1/2 l) steifgeschlagene Schlagsahne unterheben, die Käsemasse auf dem Boden verteilen, glattstreichen.

Für den Belag

30 g Löffelbiskuits zerkrümeln, auf die Käsemasse streuen, die Torte bis zum Verzehr kalt stellen.

Tip Tortenring auf eine Tortenplatte stellen, die Masse für den Boden hineingeben, gut andrücken.
Die Torte nach Belieben mit Mandarinenspalten oder Ananasstückchen (aus der Dose) garnieren.

Möhren-Nuß-Torte

raffiniert

	Für den Teig
6 Eier	
3 EL Zitronensaft	mit Handrührgerät mit Rührbesen auf höchster Stufe in 1 Minute schaumig schlagen
300 g Zucker	mit
1 Pck. Vanillin-Zucker	mischen, in 1 Minute einstreuen, dann noch etwa 2 Minuten schlagen
100 g Weizenmehl	mit
1 Msp. Backpulver	mischen, die Hälfte davon auf die Eiercreme sieben, kurz auf niedrigster Stufe unterrühren den Rest des Mehl-Gemisches auf die gleiche Weise unterarbeiten
etwas abgeriebene Zitronenschale (unbehandelt)	
600 g geschälte, feingeraspelte Möhren	
100 g gemahlene Haselnußkerne	
300 g gehackte Haselnußkerne	unterheben den Teig in eine Springform (Ø 28 cm, Boden gefettet, mit Backpapier belegt) füllen, sofort backen
Ober-/Unterhitze	170–200 °C (vorgeheizt)
Heißluft	–
Gas	Stufe 3–4 (nicht vorgeheizt)
Backzeit	etwa 1 Stunde den Tortenboden aus der Form lösen, stürzen, erkalten lassen.
	Zum Aprikotieren
100 g Aprikosenkonfitüre (durch ein Sieb gestrichen)	
gut 3 EL Wasser	unter Rühren etwas einkochen lassen, die Torte damit bestreichen.
	Für die Marzipandecke
200 g Marzipan-Rohmasse	mit
50 g gesiebtem Puderzucker	verkneten, dünn auf
gesiebtem Puderzucker	ausrollen, daraus 1 Platte für die Oberfläche und einen Streifen in Höhe des Tortenrandes schneiden, die Torte damit be- und umlegen.
	Für den Guß
250 g Puderzucker	sieben, mit
etwa 4 EL Zitronensaft	zu einer dickflüssigen Masse verrühren, die Torte damit überziehen, nach Belieben mit
Marzipan-Möhren	garnieren.
Beigabe	Schwach gesüßte, steifgeschlagene Schlagsahne.

Lüneburger Buchweizentorte

traditionell

	Für den Teig
5 Eier **2 EL heißes Wasser**	mit Handrührgerät mit Rührbesen auf höchster Stufe in 1 Minute schaumig schlagen
150 g Zucker **1 Pck. Bourbon Vanille-Zucker**	mit mischen, in 1 Minute einstreuen, dann noch etwa 2 Minuten schlagen
3 Tropfen Bittermandel-Aroma	unterrühren
150 g Buchweizenmehl **1 gestr. TL Backpulver**	mit mischen, die Hälfte davon auf die Eiercreme geben, kurz auf niedrigster Stufe unterrühren (Foto 1), den Rest des Mehls und
100 g sehr feingemahlene Haselnußkerne	auf die gleiche Weise unterarbeiten den Teig in eine Springform (Ø 28 cm, Boden gefettet, mit Backpapier belegt) füllen, sofort backen
Ober-/Unterhitze	170–200 °C (vorgeheizt)
Heißluft	–
Gas	Stufe 3–4 (nicht vorgeheizt)
Backzeit	etwa 30 Minuten den Biskuitboden aus der Form lösen, stürzen, erkalten lassen.
	Für die Füllung
2 Gläser Wild-Preiselbeer-Dessert (Abtropfgewicht jeweils 175 g)	abtropfen lassen, von dem Saft 350 ml abmessen, mit
2 Pck. Tortenguß, rot **30 g Zucker**	nach Anleitung auf dem Päckchen einen Guß zubereiten, die Preiselbeeren unterrühren (Foto 2), nochmals kurz aufkochen, erkalten lassen
3 gestr. TL gemahlene Gelatine, weiß **3 EL kaltem Wasser**	mit in einem kleinen Topf anrühren, 10 Minuten zum Quellen stehen lassen, unter Rühren erwärmen, bis sie gelöst ist

(Fortsetzung S. 198)

600 ml Schlagsahne	und
1 Pck. Vanillin-Zucker	fast steif schlagen, die lauwarme Gelatinelösung unter Schlagen hinzufügen, die Sahne vollkommen steif schlagen.
	Den Biskuitboden zweimal durchschneiden, den unteren Boden mit 1/3 der Preiselbeermasse bestreichen, etwa 3 Eßlöffel der Sahne darauf streichen, mit dem mittleren Boden bedecken, ebenso mit Preiselbeermasse und Sahne bestreichen, mit dem oberen Boden bedecken (Foto 3) den Rand und die obere Seite mit Sahne bestreichen, den Tortenrand mit Hilfe eines Tortengarnierkammes verzieren, die restliche Sahne in einen Spritzbeutel mit gezackter Tülle füllen, die Torte damit verzieren, mit der restlichen Preiselbeermasse,
gemahlenen Pistazienkernen	garnieren.
Tip	Die Torte schmeckt am besten, wenn sie am Vortag zubereitet und im Kühlschrank aufbewahrt wird.
Abwandlung	Statt der Preiselbeerfüllung 350 g Pflaumenmus verwenden.

Ananas-Mascarpone-Torte

für Gäste

	Für den Teig
3 Eier	
3 EL heißes Wasser	mit Handrührgerät mit Rührbesen auf höchster Stufe in 1 Minute schaumig schlagen
150 g Zucker	mit
1 Pck. Vanillin-Zucker	mischen, in 1 Minute einstreuen, dann noch etwa 2 Minuten schlagen
100 g Weizenmehl	mit
100 g Speisestärke	
3 gestr. TL Backpulver	mischen, die Hälfte davon auf die Eiercreme sieben, kurz auf niedrigster Stufe unterrühren den Rest des Mehl-Gemisches auf die gleiche Weise unterarbeiten den Teig in eine Springform (Ø 28 cm, Boden gefettet, mit Backpapier belegt) füllen, sofort backen
Ober-/Unterhitze	170–200 °C (vorgeheizt)
Heißluft	–
Gas	Stufe 3–4 (nicht vorgeheizt)
Backzeit	etwa 30 Minuten den Tortenboden aus der Form lösen, stürzen, erkalten lassen.

Für die Füllung

260 g geraspelte Ananas (aus der Dose)	auf einem Sieb gut abtropfen lassen, den Saft auffangen
100 ml Ananassaft	mit
100 ml weißem Portwein	mischen
1 Pck. gemahlene Gelatine, weiß	mit 4 Eßlöffeln von dieser Flüssigkeit in einem kleinen Topf anrühren, 10 Minuten quellen lassen, auflösen
500 g Mascarpone (italienischer Frischkäse, direkt aus dem Kühlschrank verwenden)	mit der übrigen Ananasflüssigkeit,
30 g Zucker	
2 Pck. Vanillin-Zucker	glattrühren
300 ml Schlagsahne	fast steif schlagen, die lauwarme Gelatinelösung unterrühren die Sahne vollkommen steif schlagen Sahne und geraspelte Ananas unter die Mascarponecreme heben.

Den Tortenboden zweimal durchschneiden, den unteren Boden auf eine Tortenplatte legen, einen Tortenring darum stellen
zunächst ein Drittel der Füllung auf den unteren Boden streichen, mit dem mittleren Boden bedecken, mit der Hälfte der restlichen Füllung bestreichen, mit dem oberen Boden bedecken, leicht andrücken, die restliche Füllung auf den oberen Boden geben, glattstreichen
die Torte etwa 1 1/2 Stunden kalt stellen.

Für den Belag

4 Scheiben Ananas (140 g, aus der Dose)	gut abtropfen lassen, so halbieren, daß 8 dünne Scheiben entstehen
25 g Pistazienkerne	mit
15 g Puderzucker	mahlen, die Ananasscheiben mit den Rändern darin drehen den Tortenring mit Hilfe eines feuchten Messers von der Torte lösen den Tortenrand mit
steifgeschlagener Schlagsahne	bestreichen, am unteren Rand mit den restlichen gemahlenen Pistazien bestreuen die Torte mit den Ananasscheiben belegen.

Eierlikörkuchen

schnell

5 Eier	
250 g gesiebten Puderzucker	
2 Pck. Vanillin-Zucker	mit Handrührgerät mit Rührbesen auf höchster Stufe in 1 Minute schaumig rühren
250 ml (1/4 l) Speiseöl	
250 ml (1/4 l) Eierlikör	unterrühren (Foto 1)
125 g Weizenmehl	mit
125 g Speisestärke	
4 gestr. TL Backpulver	mischen, sieben, portionsweise auf mittlerer Stufe unterrühren den Teig in eine gefettete, mit
Weizenmehl	ausgestreute Napfkuchenform (Ø 24 cm) füllen (Foto 2), sofort backen
Ober-/Unterhitze	170–200 °C (vorgeheizt)
Heißluft	–
Gas	Stufe 3–4 (nicht vorgeheizt)
Backzeit	etwa 1 Stunde Kuchen etwa 10 Minuten in der Form stehen lassen, stürzen, erkalten lassen, mit
40 g Puderzucker	bestäuben.
Abwandlung	**Für Eierlikörwaffeln** Teig aus
2 Eiern	
100 g Puderzucker	
1 Pck. Vanillin-Zucker	
100 ml Speiseöl	
100 ml Eierlikör	
50 g Weizenmehl	
50 g Speisestärke	
1 1/2 gestr. TL Backpulver	wie oben zubereiten, jeweils 3 Eßlöffel Teig in ein gut erhitztes, gefettetes Waffeleisen geben (Foto 3), die Waffeln goldgelb backen.

Prophetenkuchen

schnell

	Für den Teig
6 Eigelb	mit Handrührgerät mit Rührbesen auf höchster Stufe in 5 Minuten schaumig schlagen
100 ml Speiseöl	kurz unterrühren
100 ml Rum (40%ig)	kurz unterrühren (Foto 1)
100 g Weizenmehl	sieben, auf mittlerer Stufe in 1 Minute unterrühren die Masse nochmals kurz aber kräftig auf höchster Stufe schlagen den Teig auf ein gut gefettetes Backblech streichen (Foto 2)
Ober-/Unterhitze	etwa 250 °C (vorgeheizt)
Heißluft	–
Gas	Stufe 4–5 (vorgeheizt)
Backzeit	etwa 7 Minuten das Gebäck auf dem Blech auskühlen lassen.
	Für den Belag
100 g Butter	zerlassen, das Gebäck damit bestreichen (mit Hilfe eines Pinsels) (Foto 3), mit
2 Pck. Vanillin-Zucker	bestreuen, wenn die Butter fest ist, das Gebäck mit
100 g Puderzucker	bestäuben.
Tip	Gebäck darf nur hellgelb gebacken werden. Darauf achten, 40%igen Rum zu verwenden.

Zitronen-Sahne-Rolle

beliebt

Für den Teig

4 Eier	
3–4 EL heißes Wasser*	mit Handrührgerät mit Rührbesen auf höchster Stufe in 1 Minute schaumig schlagen
125 g Zucker	mit
1 Pck. Vanillin-Zucker	mischen, in 1 Minute einstreuen, dann noch etwa 2 Minuten schlagen
75 g Weizenmehl	mit
50 g Speisestärke	
1 Msp. Backpulver	mischen, die Hälfte davon auf die Eiercreme sieben, kurz auf niedrigster Stufe unterrühren den Rest des Mehl-Gemisches auf die gleiche Weise unterarbeiten den Teig etwa 1 cm dick auf ein gefettetes, mit Backpapier belegtes Backblech streichen, an der offenen Seite des Blechs das Papier unmittelbar vor dem Teig zur Falte knicken, so daß ein Rand entsteht, sofort backen
Ober-/Unterhitze	200–220 °C (vorgeheizt)
Heißluft	–
Gas	Stufe 3–4 (vorgeheizt)
Backzeit	10–15 Minuten den Biskuit sofort nach dem Backen auf ein mit
Zucker	bestreutes Geschirrtuch stürzen, das Backpapier mit kaltem Wasser bestreichen, vorsichtig, aber schnell abziehen den Biskuit von der kürzeren Seite her mit dem Geschirrtuch aufrollen, kalt stellen.

Für die Füllung

2 gestr. TL gemahlene Gelatine, weiß	mit
2 EL kaltem Wasser	in einem kleinen Topf anrühren, 10 Minuten zum Quellen stehen lassen mit den Ecken von
3 Stücken Würfelzucker	die
Schale von 1/2 Zitrone (unbehandelt)	abreiben, die gequollene Gelatine mit dem Würfelzucker unter Rühren erwärmen, bis alles gelöst ist
5 EL Zitronensaft	hinzufügen
500 ml (1/2 l) Schlagsahne	fast steif schlagen, die lauwarme Gelatinelösung unter Schlagen hinzufügen, die Sahne vollkommen steif schlagen

100 g Puderzucker	sieben, unterrühren.
	Die ausgekühlte Rolle vorsichtig auseinanderrollen, mit zwei Drittel der Zitronensahne bestreichen, aufrollen, dabei die äußere braune Haut entfernen die Rolle zunächst dünn mit etwas Sahne, dann mit der restlichen Sahne bestreichen die Rolle durch wellenförmige Längsstriche mit Hilfe einer Gabel verzieren.
	* Bei kleinen Eiern die größere Wassermenge, bei großen Eiern die kleinere nehmen.

Löffelbiskuits

für Kinder

2 Eier	
50 g Zucker	
1 Pck. Vanillin-Zucker	mit Handrührgerät mit Rührbesen auf höchster Stufe in 2 Minuten cremig schlagen
50 g Weizenmehl	mit
30 g Speisestärke	
1 gestr. TL Backpulver	mischen, auf die Eiercreme sieben, kurz auf niedrigster Stufe unterrühren, den Teig in einen Spritzbeutel (mit Lochtülle) füllen, in Form von Löffelbiskuits (nicht zu groß, Teig geht noch auf) auf ein gefettetes, leicht mit Weizenmehl bestäubtes Backblech spritzen, sofort backen
Ober-/Unterhitze	180–200 °C (vorgeheizt)
Heißluft	–
Gas	Stufe 2–3 (vorgeheizt)
Backzeit	etwa 10 Minuten die erkalteten Löffelbiskuits nach Belieben mit
Puderzucker	bestäuben.

Petits fours

dauert länger

	Für den Teig
100 g Marzipan-Rohmasse	
60 g Zucker	
1 Pck. Vanillin-Zucker	
2 Eigelb	mit Handrührgerät mit Rührbesen auf höchster Stufe verrühren
4 Eigelb	hinzufügen, cremig schlagen
6 Eiweiß	steif schlagen, unterheben
120 g Weizenmehl	mit
1 gestr. TL Backpulver	mischen, sieben, unterrühren
80 g gemahlene, leicht geröstete Haselnußkerne	
40 g zerlassene, abgekühlte Margarine oder Butter	unterziehen
	aus dem Teig 3 Platten backen, dazu jeweils ein Drittel des Teiges in der Größe von 28 x 24 cm auf ein gefettetes, mit Backpapier belegtes Backblech streichen, sofort backen
Ober-/Unterhitze	etwa 170 °C (vorgeheizt)
Heißluft	–
Gas	Stufe 3–4 (vorgeheizt)
Backzeit	10–12 Minuten
	die Gebäckplatten sofort nach dem Backen auf Papier stürzen, das Backpapier abziehen, die Platten erkalten lassen.
	Für die Füllung
250 g Aprikosenkonfitüre	durch ein Sieb streichen, mit jeweils einem Drittel davon jede Platte bestreichen, die Platten zusammensetzen.
	Für den Belag
100 g Marzipan-Rohmasse	mit
100 g gesiebtem Puderzucker	
knapp 1 EL Aprikosengeist	auf der Arbeitsfläche verkneten, zwischen Klarsichtfolie zu einer Platte (28 x 24 cm) ausrollen, auf die zusammengesetzten Platten legen, leicht andrücken, die Ränder glattschneiden
	Gebäck in Würfel (3 x 3 cm) schneiden oder nach Belieben ausstechen.
	Für den Guß
400 g Puderzucker	sieben, mit
etwa 6 EL warmem Wasser	zu einer dickflüssigen Masse verrühren, die Gebäckstücke damit überziehen, fest werden lassen.

(Fortsetzung S. 208)

	Zum Garnieren
100 g Halbbitter-Kuvertüre	mit
15 g Kokosfett	in einem kleinen Topf im Wasserbad bei schwacher Hitze zu einer geschmeidigen Masse verrühren, auf eine Tortenplatte streichen, fest werden lassen aus der Masse „Blüten" schaben, auf die Gebäckstücke legen.
	Zum Verzieren
	den restlichen Puderzuckerguß mit
Speisefarben	lila einfärben, die Petits fours damit verzieren.
Tip	Petits fours mit kandierten Veilchen garnieren. Aus Gebäckresten kleine Rumkugeln zubereiten.

Schokostäbchen

zum Vorbereiten

	Für den Teig
1 Ei **1 Eigelb** **125 g Zucker** **1 Pck. Vanillin-Zucker** **1 Prise Salz** **1 gestr. TL Instant-Kaffee-Pulver**	mit Handrührgerät mit Rührbesen auf höchster Stufe schaumig schlagen
60 g Zartbitter-Schokolade	in kleine Stücke brechen, in einem kleinen Topf im Wasserbad bei schwacher Hitze geschmeidig rühren, unter die Eiermasse rühren
200 g nicht abgezogene, gemahlene Mandeln	mit
1 Msp. Backpulver	mischen, zwei Drittel davon auf mittlerer Stufe unterrühren, den Rest unterkneten, den Teig kalt stellen.
	Für den Guß
1 Eiweiß	steif schlagen
60 g Puderzucker	sieben, eßlöffelweise unter den Eischnee schlagen den Teig zu einem Rechteck (12 x 40 cm) ausrollen, die Teigplatte gleichmäßig mit dem Guß bestreichen, daraus Stäbchen (6 x 1 cm) schneiden, auf ein gefettetes Backblech legen
Ober-/Unterhitze	170–200 °C (vorgeheizt)
Heißluft	–
Gas	Stufe 3–4 (vorgeheizt)
Backzeit	10–15 Minuten.

Mandelzungen

raffiniert

	Für den Teig
3 Eiweiß	mit Handrührgerät mit Rührbesen auf höchster Stufe fast steif schlagen, nach und nach
125 g Zucker	unterschlagen
30 g Weizenmehl	mit
1 EL (5 g) Kakaopulver	mischen, auf das steifgeschlagene Eiweiß sieben, unterziehen
100 g nicht abgezogene, gemahlene Mandeln	auf niedrigster Stufe unterrühren
60 g zerlassene, abgekühlte Margarine oder Butter	unterrühren, die Mandelmasse in einen Spritzbeutel mit Lochtülle füllen, Streifen (3–4 cm lang) auf ein gefettetes, mit Backpapier belegtes Backblech spritzen
Ober-/Unterhitze	170–200 °C (vorgeheizt)
Heißluft	–
Gas	Stufe 3–4 (vorgeheizt)
Backzeit	etwa 12 Minuten die Plätzchen sofort nach dem Backen vom Backblech lösen.
	Für die Füllung
etwa 100 g Nuß-Nougat	in einem kleinen Topf im Wasserbad bei schwacher Hitze geschmeidig rühren, die Hälfte der abgekühlten Plätzchen damit bestreichen, mit den übrigen Plätzchen bedecken.
	Für den Guß
50 g Speisefettglasur, dunkel	in einem kleinen Topf im Wasserbad bei schwacher Hitze zu einer geschmeidigen Masse verrühren, die Plätzchen mit den Enden hineintauchen, auf Backpapier trocknen lassen, in gut schließenden Dosen aufbewahren.

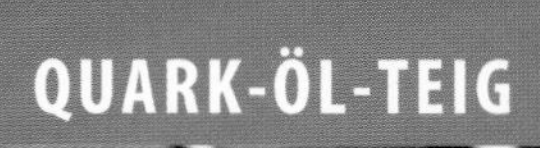

Notwendige Vorarbeiten

Mehl und Backpulver mischen und sieben.
Mischen und Sieben lockern das Mehl auf und verteilen das Backpulver gleichmäßig im Mehl. Das Gebäck wird dadurch besser gelockert.

Für Quark-Öl-Teige Backbleche und -formen fetten.
Dazu am besten streichfähige Margarine oder Butter verwenden und sie gut und gleichmäßig mit einem Pinsel verteilen.

Die einzelnen Arbeitsgänge

Das mit Backpulver gemischte, gesiebte Mehl, Quark, Milch, je nach Rezept Ei, Öl, Zucker (Honig), Vanillin-Zucker und Salz mit Handrührgerät mit Knethaken auf höchster Stufe in etwa 1 Minute verarbeiten.
Die Zutaten in der angegebenen Reihenfolge in die Rührschüssel geben. Dabei das Ei in eine Tasse aufschlagen und prüfen, ob es frisch ist.
Das Öl ist bei dieser Teigart von ausschlaggebender Bedeutung und sollte nicht durch ein festes Fett ersetzt werden. Jedes Speiseöl, das neutral im Geschmack ist, kann verwendet werden.

Den Teig mit bemehlten Händen auf der Arbeitsfläche zu einer Rolle formen.
Falls der Teig zu weich ist, noch etwas Mehl hinzufügen, aber nicht zu viel, damit das Gebäck nicht hart wird.

Aus diesem Teig lassen sich die verschiedensten Gebäcke zubereiten. Er kann nach Belieben ausgerollt, geformt, gefüllt oder belegt werden. Für Kleingebäck den Teig gut 1/2 cm dick ausrollen, ihn in Vierecke teilen und diese in der Mitte mit etwas Konfitüre belegen. Die Teigstücke zu Dreiecken, Taschen usw. zusammenschlagen, mit Milch bestreichen und auf einem gefetteten Backblech backen.

Grundrezept

300–400 g Weizenmehl	mit
1 Pck.–1 Pck. + 2 gestr. TL Backpulver	mischen, in eine Rührschüssel sieben
150–200 g Magerquark	
6 EL Milch	
6–8 EL Speiseöl	
75–100 g Zucker	
1 Pck. Vanillin-Zucker	
evtl. 1 Ei	
1 Prise Salz	
evtl. Gewürze	hinzufügen die Zutaten mit Handrührgerät mit Knethaken auf höchster Stufe in etwa 1 Minute zu einem Teig verarbeiten (nicht zu lange, Teig klebt sonst) anschließend auf der bemehlten Arbeitsfläche zu einer Rolle formen laut Anweisung weiterverarbeiten und backen.

Das Backen von Quark-Öl-Teigen

Alle Quark-Öl-Teige nach den Angaben unter den Rezepten backen. Wenn der Teig gebacken ist, wird das Gebäck sofort aus der Form gelöst oder vom Backblech genommen und zum Auskühlen auf einen Kuchenrost gelegt. Gebäck aus Quark-Öl-Teig sollte möglichst frisch gegessen werden.

Orangen-Marzipan-Zöpfchen

einfach

(Foto Seite 210/211)

	Für die Füllung
200 g Marzipan-Rohmasse	mit
50 g weicher Margarine oder Butter	
2 EL Orangenmarmelade	mit Handrührgerät mit Rührbesen verrühren.
	Für den Teig
300 g Weizenmehl	mit
1 Pck. Backpulver	mischen, in eine Rührschüssel sieben
150 g Magerquark	
100 ml Milch	
100 ml Speiseöl	
80 g Zucker	
1 Pck. Vanillin-Zucker	
1 Prise Salz	hinzufügen die Zutaten mit Handrührgerät mit Knethaken auf höchster Stufe in etwa 1 Minute verarbeiten (nicht zu lange, Teig klebt sonst), anschließend auf der bemehlten Arbeitsfläche zu einer Rolle formen den Teig zu einem Rechteck von etwa 36 x 48 cm ausrollen, in etwa 12 x 12 cm große Quadrate schneiden jeweils etwas von der Füllung auf eine Teighälfte streichen, dabei immer einen 1/2–1 cm breiten Rand freilassen die Teigränder mit
1 verschlagenen Eiweiß	bestreichen, jeweils die unbestrichene Teighälfte über die Füllung klappen, leicht andrücken jedes Teigstück zweimal längs bis etwa 1 cm unter den oberen Rand durchschneiden, die drei zusammenhängenden Teigstreifen zu Zöpfen flechten, die Enden etwas festdrücken die Teigzöpfe auf ein mit Backpapier belegtes Backblech legen
1 Eigelb	mit
1 EL Milch	verschlagen, die Teigzöpfe damit bestreichen
Ober-/Unterhitze	170–200 °C (vorgeheizt)
Heißluft	160–170 °C (nicht vorgeheizt)
Gas	Stufe 3–4 (vorgeheizt)
Backzeit	15–20 Minuten.
	Für den Guß
100 g gesiebten Puderzucker	mit so viel von
1–2 EL Orangensaft	glattrühren, daß eine dickflüssige Masse entsteht die Teigzöpfchen sofort nach dem Backen damit bestreichen.

Gerollte Schnitten

	Für den Teig
150 g Weizenmehl	mit
4 gestr. TL Backpulver	mischen, in eine Rührschüssel sieben
75 g Magerquark	
50 ml Milch	
50 ml Speiseöl	
40 g Zucker	
1 Pck. Vanillin-Zucker	
1 Fläschchen Butter-Vanille-Aroma	
1 Prise Salz	hinzufügen die Zutaten mit Handrührgerät mit Knethaken auf höchster Stufe in etwa 1 Minute verarbeiten (nicht zu lange, Teig klebt sonst), anschließend auf der bemehlten Arbeitsfläche zu einer Rolle formen.
	Für die Füllung
100 g Marzipan-Rohmasse	mit
50 g Margarine oder Butter	
1 Eigelb	mit Handrührgerät mit Rührbesen zu einer geschmeidigen Masse verrühren
125 g Rosinen	mit
50 g gehackten Haselnußkernen	
25 g sehr fein gehacktem Zitronat (Sukkade)	
1 Msp. gemahlenem Zimt	
1 Fläschchen Rum-Aroma	mischen den Teig auf der leicht mit Mehl bestäubten Arbeitsfläche zu einem Quadrat (30 x 30 cm) ausrollen, mit der Marzipanmasse bestreichen die Rosinenmischung darauf verteilen, leicht andrücken den Teig aufrollen, auf ein mit Backpapier belegtes Backblech legen, der Länge nach (etwa 25 cm) etwa 2 1/2 cm tief einschneiden, etwas auseinanderziehen, die Seiten wieder andrücken
Ober-/Unterhitze	170–200 °C (vorgeheizt)
Heißluft	etwa 160 °C (nicht vorgeheizt)
Gas	Stufe 3–4 (vorgeheizt)
Backzeit	25–35 Minuten.
	Für den Guß
80 g Puderzucker	sieben, mit so viel von
1–2 EL Rum	glattrühren, daß eine dickflüssige Masse entsteht das Gebäck sofort nach dem Backen damit bestreichen, den Guß fest werden lassen, in 1–2 cm breite Schnitten schneiden.

Johannisbeer-Quark-Kuchen mit Baiser

für Gäste

Für den Teig

300 g Weizenmehl	mit
1 Pck. Backpulver	mischen, in eine Rührschüssel sieben
150 g Magerquark	
100 ml Milch	
100 ml Speiseöl	
75 g Zucker	
1 Pck. Vanillin-Zucker	
1 Prise Salz	hinzufügen (Foto 1) die Zutaten mit Handrührgerät mit Knethaken auf höchster Stufe etwa 1 Minute verarbeiten (nicht zu lange, Teig klebt sonst), anschließend auf der bemehlten Arbeitsfläche zu einer Rolle formen den Teig auf einem gefetteten Backblech knapp 1/2 cm dick ausrollen (Backblech ist etwa zu 3/4 bedeckt), vor den Teig einen mehrfach umgeknickten Streifen Alufolie legen.

Für den Belag

500–750 g Johannisbeeren	waschen, gut abtropfen lassen, entstielen
750 g Magerquark	mit
200 g Zucker	
1 Pck. Vanillin-Zucker	
3 Eiern	
2 Eigelb	
50 g zerlassener Margarine oder Butter	
50 g Speisestärke	verrühren die Johannisbeeren unter die Quarkmasse heben, auf dem Teig verteilen (Foto 2), glattstreichen

(Fortsetzung S. 218)

Ober-/Unterhitze	170–200 °C (vorgeheizt)
Heißluft	160–170 °C (nicht vorgeheizt)
Gas	Stufe 3–4 (vorgeheizt)
Backzeit	etwa 25 Minuten.

Für die Baisermasse

2 Eiweiß	steif schlagen, es muß so fest sein, daß ein Messerschnitt sichtbar bleibt, nach und nach
100 g Zucker	eßlöffelweise unterschlagen, den Eierschnee auf die Quarkmasse streichen (Foto 3)
20 g abgezogene, gehobelte Mandeln	darüber streuen

Ober-/Unterhitze	200–220 °C (vorgeheizt)
Heißluft	170–190 °C (nicht vorgeheizt)
Gas	Stufe 4–5 (vorgeheizt)
Backzeit	etwa 5 Minuten.

Kirsch-Sahne-Torte

für Gäste

Für den Teig

150 g Weizenmehl	mit
4 gestr. TL Backpulver	
10 g Kakaopulver	mischen, in eine Rührschüssel sieben
75 g Magerquark	
100 ml Milch	
50 ml Speiseöl	
40 g Zucker	
1 Pck. Vanillin-Zucker	
1 Fläschchen Butter-Vanille-Aroma	
1 Prise Salz	hinzufügen

die Zutaten mit Handrührgerät mit Knethaken auf höchster Stufe in etwa 1 Minute verarbeiten (nicht zu lange, Teig klebt sonst), anschließend auf der bemehlten Arbeitsfläche zu einer Rolle formen

den Teig in eine Springform (Ø 28 cm, Boden gefettet) füllen, glattstreichen.

Für die Füllung

350 g Sauerkirschen (aus dem Glas)	auf einem Sieb abtropfen lassen, den Saft auffangen, davon 250 ml (1/4 l) abmessen die Sauerkirschen auf dem Teig verteilen, dabei am Rand 1 cm Teig frei lassen
Ober-/Unterhitze	etwa 170 °C (vorgeheizt)
Heißluft	etwa 150 °C (nicht vorgeheizt)
Gas	etwa Stufe 3 (nicht vorgeheizt)
Backzeit	etwa 25 Minuten das Gebäck aus der Form lösen, auf einem Kuchenrost erkalten lassen das erkaltete Gebäck auf eine Tortenplatte legen, den Tortenring darumlegen.

Für den Belag

500 ml (1/2 l) Schlagsahne	1/2 Minute schlagen
2 Pck. Sahnesteif	mit
20 g gesiebtem Puderzucker	mischen, einstreuen, die Sahne steif schlagen, gleichmäßig auf das Gebäck streichen.

Für den Guß

1 Pck. Tortenguß, klar	
1 EL Zucker	
250 ml (1/4 l) Kirschsaft	nach Anleitung auf dem Päckchen zubereiten, sofort über die Sahne gießen, so daß ein Muster entsteht.
Tip	Bei Verwendung von frischen Kirschen: 500 g Sauerkirschen waschen, entstielen, entsteinen, mit 50 g Zucker mischen, kurze Zeit zum Saftziehen stehen lassen, nur eben zum Kochen bringen, abtropfen lassen, wenn Saft und Kirschen kalt sind, 250 ml (1/4 l) Saft abmessen (evtl. mit Wasser ergänzen).

Kolatschen

einfach

(20 Stück)

	Für den Teig
400 g Weizenmehl	mit
1 Pck. Backpulver	mischen, in eine Rührschüssel sieben
200 g Magerquark	
100 ml Milch	
100 ml Speiseöl	
75 g Zucker	
1 Pck. Vanillin-Zucker	
1 Prise Salz	hinzufügen
	die Zutaten mit Handrührgerät mit Knethaken auf höchster Stufe in etwa 1 Minute verarbeiten (nicht zu lange, Teig klebt sonst), anschließend auf der bemehlten Arbeitsfläche zu einer Rolle formen.
	Für den Quarkbelag
300 g Magerquark	mit
50 g Margarine oder Butter	
50 g Zucker	
30 g Speisestärke	
2 EL Zitronensaft	
1 Ei	verrühren.
	Für den Mohnbelag
1 Pck. (250 g) Mohn-back	verrühren.
	Für den Pflaumenmusbelag
2 EL Pflaumenmus	glattrühren.
	Den Teig in 20 Stücke schneiden, die Teigstücke rund rollen, dann von der Mitte ausgehend so flach drücken, daß am Rand ein kleiner Wulst entsteht die Teigstücke auf ein gefettetes Backblech legen Quark-, Mohn- und Pflaumenmusbelag jeweils getrennt voneinander auf den Teigstücken verteilen, so daß sich ein Muster ergibt
Ober-/Unterhitze	etwa 200 °C (vorgeheizt)
Heißluft	160–170 °C (nicht vorgeheizt)
Gas	Stufe 3–4 (vorgeheizt)
Backzeit	etwa 15 Minuten.

(Fortsetzung S. 222)

Zum Aprikotieren

2 geh. EL Aprikosenkonfitüre durch ein Sieb streichen, mit
1 EL Wasser verrühren, unter Rühren etwas einkochen lassen, die erkalteten Kolatschen damit bestreichen, mit
40 g abgezogenen, gehobelten, gebräunten Mandeln bestreuen.

Tip Statt Quark-Öl-Teig können die Kolatschen auch mit einem Hefeteig zubereitet werden (s. Grundrezept für Hefeteig).

Quark-Apfel-Kuchen mit Streuseln

einfach

Für den Teig

300 g Weizenmehl mit
1 Pck. Backpulver mischen, in eine Rührschüssel sieben
150 g Magerquark
100 ml Milch
100 ml Speiseöl
75 g Zucker
1 Pck. Vanillin-Zucker
1 Prise Salz hinzufügen

die Zutaten mit Handrührgerät mit Knethaken auf höchster Stufe in etwa 1 Minute verarbeiten (nicht zu lange, Teig klebt sonst), anschließend auf der bemehlten Arbeitsfläche zu einer Rolle formen

den Teig auf einem gefetteten Backblech ausrollen, vor den Teig einen mehrfach umgeknickten Streifen Alufolie legen.

Für den Belag

1½ kg säuerliche Äpfel schälen, vierteln, entkernen, in dünne Spalten schneiden, schuppenförmig auf den Teig legen

150 g Margarine oder Butter
100 g Zucker geschmeidig rühren, nach und nach
½ Fläschchen Zitronen-Aroma
4 Eigelb
850 g Magerquark

50 g Grieß	unterrühren
4 Eiweiß	steif schlagen, unter die Quarkmasse ziehen, auf die Äpfel streichen.
	Für die Streusel
200 g Weizenmehl	sieben, mit
70 g abgezogenen, gemahlenen Mandeln	
150 g Zucker	
1/2 TL gemahlenem Zimt	
1 Eigelb	
150–200 g Margarine oder Butter	in eine Schüssel geben, mit Handrührgerät mit Knethaken zu Streuseln von gewünschter Größe verarbeiten, gleichmäßig auf der Quarkmasse verteilen
Ober-/Unterhitze	etwa 170 °C (vorgeheizt)
Heißluft	etwa 150 °C (nicht vorgeheizt)
Gas	etwa Stufe 3 (vorgeheizt)
Backzeit	etwa 1 Stunde.
Tip	Der Quark-Apfel-Kuchen schmeckt lauwarm am besten, nach Belieben mit Schlagsahne servieren.
Abwandlung	Anstelle der Streusel
50 g abgezogene, gehobelte Mandeln	und
50 g Rosinen	auf der Quarkmasse verteilen
	o d e r
	anstelle der Äpfel
960 g Aprikosen (aus der Dose)	
o d e r	
790 g Stachelbeeren (aus dem Glas)	verwenden Aprikosen oder Stachelbeeren zum Abtropfen auf ein Sieb geben, auf dem Teig verteilen.

Haselnußzopf

traditionell

	Für die Füllung
100 g gemahlene Haselnußkerne	in einer Pfanne unter Rühren leicht rösten, erkalten lassen
100 g Marzipan-Rohmasse	mit
1 Ei	
30 g Zucker	
1 Pck. Vanillin-Zucker	
1 Beutel Jamaica Rum-Aroma	zu einer geschmeidigen Masse verrühren, die Haselnüsse unterrühren.
	Für den Teig
300 g Weizenmehl	mit
1 Pck. Backpulver	
150 g Magerquark	
100 ml Milch	
100 ml Speiseöl	
80 g Zucker	
1 Pck. Vanillin-Zucker	
1 Fläschchen Butter-Vanille-Aroma	
1 Prise Salz	hinzufügen die Zutaten mit Handrührgerät mit Knethaken auf höchster Stufe in etwa 1 Minute verarbeiten (nicht zu lange, Teig klebt sonst), anschließend auf der bemehlten Arbeitsfläche zu einer Rolle formen den Teig zu einem Rechteck von etwa 40 x 35 cm ausrollen, mit der Füllung bestreichen, am Rand etwa 1 cm Teig frei lassen, mit
Kondensmilch	bestreichen den Teig von der längeren Seite her aufrollen die Rolle der Länge nach mit einem spitzen Messer einmal durchschneiden, darauf achten, daß die Rolle genau in der Mitte geteilt wird, damit der Zopf gleichmäßig aufgeht die beiden Teigstränge – mit der Teigseite nach unten – umeinanderschlingen, als Zopf auf ein gefettetes Backblech legen, die Enden fest zusammendrücken
Ober-/Unterhitze	etwa 170 °C (vorgeheizt)
Heißluft	140–150 °C (nicht vorgeheizt)
Gas	etwa Stufe 3 (vorgeheizt)
Backzeit	etwa 45 Minuten (nach etwa 25 Minuten Backzeit Zopf evtl. abdecken).
	Zum Aprikotieren
3 EL Aprikosenkonfitüre	durch ein Sieb streichen, mit
2 EL Wasser	unter Rühren etwas einkochen lassen, den Zopf sofort nach dem Backen damit bestreichen.

Käse-Schinken-Hörnchen

für Gäste

Für den Teig

250 g Weizenmehl	mit
1 Pck. Backpulver	mischen, in eine Rührschüssel sieben
125 g Magerquark	
50 ml Milch	
50 ml Speiseöl	
1 Ei	
½ gestr. TL Salz	hinzufügen die Zutaten mit Handrührgerät mit Knethaken auf höchster Stufe in etwa 1 Minute verarbeiten (nicht zu lange, Teig klebt sonst), anschließend auf der bemehlten Arbeitsfläche zu einer Rolle formen den Teig zu einem Rechteck (50 x 24 cm) ausrollen, den Teigstreifen mit Hilfe eines Lineals und einem Messer in 10 Dreiecke schneiden, die beiden äußeren Dreiecke zu einem Dreieck zusammenlegen.

Für die Füllung

5 Scheiben (100 g) gekochter Schinken	
5 Scheiben (150 g) Gouda	beide Zutaten in Größe der Dreiecke schneiden, jedes Teigdreieck mit je 1 Käse- und Schinkenscheibe belegen, die Teigdreiecke von der breiten Seite her zu Hörnchen aufrollen (Foto 1), auf ein mit Backpapier belegtes Backblech legen
1 Eigelb	mit
1 EL Milch	verschlagen, die Hörnchen damit bestreichen

Ober-/Unterhitze	170–200 °C (vorgeheizt)
Heißluft	160–170 °C (nicht vorgeheizt)
Gas	Stufe 3–4 (vorgeheizt)
Backzeit	etwa 20 Minuten.

(Fortsetzung S. 228)

Tip	Die Teighörnchen mit Sesamsamen und gestoßenem Pfeffer bestreuen.
Abwandlung	**Hackfleischröllchen**
	Für die Füllung
1/2 Stange Porree (Lauch, etwa 50 g)	putzen, waschen, in Streifen schneiden
100 g gedünstete Champignons	abtropfen lassen, in Scheiben schneiden, mit
300 g Hackfleisch (halb Rind-, halb Schweinefleisch)	
1 EL Speiseöl	vermengen, mit
Salz, Pfeffer	würzen
	den ausgerollten Teig in 10 Rechtecke (etwa 10 x 12 cm) schneiden, Füllung auf die Rechtecke verteilen (Foto 2), den Teig aufrollen, mit der glatten Seite nach oben auf ein mit Backpapier belegtes Backblech legen, mit
Kondensmilch	bestreichen
	Herdeinstellung und Backzeit siehe Käse-Schinken-Hörnchen.
Abwandlung	**Gemüseröllchen**
	Für die Füllung
	von
1 Zucchini (150 g)	die Enden abschneiden, Zucchini waschen, abtrocknen, kleinwürfeln
1 Zwiebel	abziehen, würfeln, in
1 EL erhitztem Speiseöl	glasig dünsten, Zucchiniwürfel hinzufügen, mitdünsten lassen, mit
Salz	
gestoßenem Pfeffer	würzen
je 100 g Appenzeller Käse	und
gekochten Schinken	fein würfeln, mit der Zucchinimasse vermengen, abkühlen lassen
	Teig zu einem Rechteck (40 x 30 cm) ausrollen, in Rechtecke (10 x 15 cm) schneiden, Füllung auf die Rechtecke verteilen, den Teig aufrollen (Foto 3), mit der glatten Seite nach oben auf ein mit Backpapier belegtes Backblech legen, mit
Eigelbmilch (1 Eigelb, 1 EL Milch)	bestreichen, mit
10 g Sesamsamen	bestreuen
	Herdeinstellung und Backzeit siehe Käse-Schinken-Hörnchen.

Käseplätzchen

für Gäste

	Für die Füllung
1 Zwiebel	abziehen, würfeln
1 EL Speiseöl	erhitzen, die Zwiebelwürfel darin andünsten
100 g rohen Schinken	fein würfeln, hinzufügen, kurz mitdünsten, etwas abkühlen lassen
100 g Appenzeller Käse	fein würfeln
2 EL gehackte glatte Petersilie	
	beide Zutaten unterrühren.
	Für den Teig
250 g Weizenmehl	mit
1 Pck. Backpulver	mischen, in eine Rührschüssel sieben
125 g Magerquark	
50 ml Milch	
50 ml Speiseöl	
1 Ei	
½ gestr. TL Salz	hinzufügen die Zutaten mit Handrührgerät mit Knethaken auf höchster Stufe in etwa 1 Minute verarbeiten (nicht zu lange, Teig klebt sonst), die Schinken-Käsemasse unterrühren den Teig anschließend auf der bemehlten Arbeitsfläche zu einer Rolle formen den Teig gut 1 cm dick ausrollen, mit einer runden Form (Ø 5 cm) ausstechen, auf ein mit Backpapier belegtes Backblech legen
1 Eigelb	mit
1 EL Milch	verschlagen, die Teigplätzchen damit bestreichen
Ober-/Unterhitze	170–200 °C (vorgeheizt)
Heißluft	150–170 °C (nicht vorgeheizt)
Gas	Stufe 3–4 (vorgeheizt)
Backzeit	15–20 Minuten.
Tip	Die Käseplätzchen schmecken frisch am besten.

Notwendige Vorarbeiten

Brandteig auf einem leicht gefetteten, mit Mehl bestäubten Backblech backen.
Etwas Mehl auf eine Seite des Bleches sieben. Damit das Mehl gleichmäßig und in nicht zu dicker Schicht auf dem Backblech liegt, das Backblech mit der nicht bemehlten Seitenkante auf die Arbeitsfläche schlagen und das überflüssige Mehl entfernen.

Mehl und Speisestärke sieben.
Das Mischen und Sieben von Mehl (Vollkornmehl nicht sieben) und Speisestärke lockert die beiden Zutaten auf und verteilt sich gleichmäßig miteinander. Für den nächsten Arbeitsgang ist es sinnvoll, die beiden Zutaten auf ein Stück Pergamentpapier zu sieben.
Bei Verwendung von Vollkornmehl das Mehl abgewogen bereit stellen.

Die einzelnen Arbeitsgänge

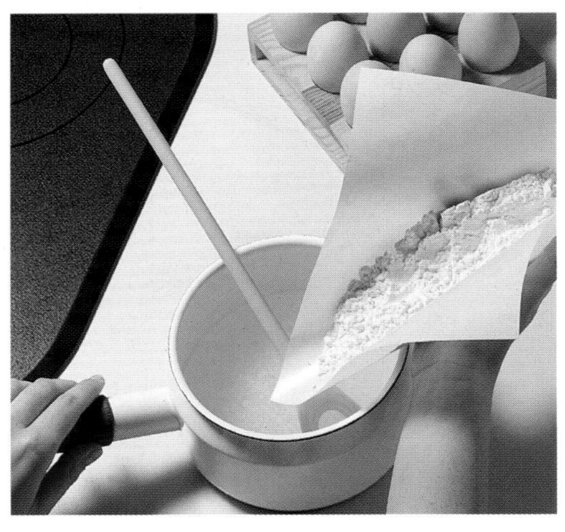

Wasser und Fett, am besten in einem Stieltopf, zum Kochen bringen. Dann den Topf von der Kochstelle nehmen, das mit Speisestärke gemischte und gesiebte Mehl auf einmal hineinschütten.
Wichtig dabei ist, daß das Mehl-Speisestärke-Gemisch beim Kochen nicht klumpt. Deswegen das kochende Wasser von der Kochstelle nehmen und das mit Speisestärke gesiebte Mehl auf einmal hineingeben, es niemals langsam einstreuen.

Zu einem glatten Kloß rühren...
Sobald Mehl und Speisestärke in das heiße Wasser gegeben werden, kräftig rühren, und zwar so lange, bis ein glatter Kloß entstanden ist.

...und diesen unter Rühren noch etwa 1 Minute erhitzen.
Durch dieses Erhitzen (Abbrennen) wird der Teig fester. Ein Zeichen für genügend langes Abbrennen des Teiges ist eine dünne Haut am Boden des Topfes. Das Abbrennen geschieht bei starker Hitze.

Den heißen Kloß sofort in eine Schüssel geben.
Zur weiteren Verarbeitung des Teiges mit Handrührgerät mit Knethaken empfiehlt es sich, den Teigkloß in eine Schüssel zu geben, da er sich so besser weiterverarbeiten läßt.

Nach und nach die Eier auf höchster Stufe unterarbeiten.
Die Eier werden in den heißen Teig gegeben. Jedes Ei wird in eine Tasse aufgeschlagen und geprüft, ob es gut ist. Die Eier nach und nach in den Teig rühren, weil sie sich dann besser unterarbeiten lassen.

Weitere Eizugabe erübrigt sich, wenn der Teig stark glänzt und so von einem Löffel abreißt, daß lange Spitzen hängenbleiben.
Da die Größe der Eier verschieden ist, nach der Zugabe des vorletzten Eies die Teigbeschaffenheit prüfen. Sollte der Teig schon stark glänzen und so vom Löffel abreißen, daß lange Spitzen hängenbleiben, darf kein Ei mehr zugegeben werden; denn zu weicher Teig ergibt breitgelaufenes Gebäck. Andernfalls das letzte Ei verschlagen und davon nur so viel wie notwendig in den Teig geben.

Danach das Backpulver in den erkalteten Teig geben.
Backpulver darf niemals vor dem Backen mit warmen Zutaten zusammengebracht werden, da seine Triebkraft dann vorzeitig ausgelöst und das Gebäck nicht lockern würde. Deswegen wird das Backpulver bei Brandteig nicht mit dem Mehl gemischt, sondern zuletzt unter den Teig gearbeitet.

Sollen von dem Teig z.B. Windbeutel gebacken werden, den Teig mit zwei Teelöffeln in Häufchen auf ein vorbereitetes Backblech setzen oder ihn mit einem Spritzbeutel aufspritzen. Soll der Teig in Fett ausgebacken werden, dann wird er mit zwei Teelöffeln abgestochen oder in Form von Kränzchen auf gefettete Papierstückchen gespritzt und in das heiße Fett gegeben.

Das Backen von Brandteigen

Alle Brandteige werden nach den Angaben unter den Rezepten gebacken. Erst gegen Ende der Backzeit darf der Backofen vorsichtig geöffnet und nach dem Gebäck gesehen werden, da es sonst leicht zusammenfällt.
Das fertige Gebäck ist luftig und locker. Der innere Hohlraum darf dabei nicht mehr feucht sein. Wird der Teig in Fett ausgebacken, sollte dieses vorher genügend erhitzt werden, damit das Gebäck nicht zu viel Fett aufnehmen kann.

Grundrezept

125 ml (1/8 l) Wasser	
25 g Margarine oder Butter	am besten in einem Stieltopf zum Kochen bringen
75 g Weizenmehl	mit
15 g Speisestärke	mischen, sieben, auf einmal in die von der Kochstelle genommene Flüssigkeit schütten, zu einem glatten Kloß rühren, unter Rühren etwa 1 Minute erhitzen, den heißen Kloß sofort in eine Schüssel geben, nach und nach
2–3 Eier	mit Handrührgerät mit Knethaken auf höchster Stufe unterarbeiten, die Eiermenge hängt von der Beschaffenheit des Teiges ab, er muß stark glänzen und so von einem Löffel abreißen, daß lange Spitzen hängenbleiben
1 Msp. Backpulver	in den erkalteten Teig arbeiten weitere Zubereitung und Backen je nach Rezept.

Flockentorte

für Gäste

(Foto Seite 230/231)

	Für den Knetteig
150 g Weizenmehl	in eine Rührschüssel sieben
40 g Zucker	
1 Pck. Vanillin-Zucker	
100 g Margarine oder Butter	hinzufügen die Zutaten mit Handrührgerät mit Knethaken zunächst kurz auf niedrigster, dann auf höchster Stufe gut durcharbeiten, anschließend auf der Arbeitsfläche zu einem glatten Teig verkneten, sollte er kleben, ihn eine Zeitlang kalt stellen den Teig auf dem Boden einer Springform (Ø etwa 28 cm) ausrollen, mehrmals mit einer Gabel einstechen, den Springformrand darumlegen
Ober-/Unterhitze	200–220 °C (vorgeheizt)
Heißluft	170–180 °C (nicht vorgeheizt)
Gas	Stufe 3–4 (vorgeheizt)
Backzeit	etwa 15 Minuten sofort nach dem Backen das Gebäck vom Springformboden lösen, darauf erkalten lassen, auf eine Tortenplatte legen.
	Für den Brandteig
125 ml (1/8 l) Wasser	
25 g Margarine oder Butter	am besten in einem Stieltopf zum Kochen bringen
75 g Weizenmehl	mit
15 g Speisestärke	mischen, sieben, auf einmal in die von der Kochstelle genommene Flüssigkeit schütten, zu einem glatten Kloß rühren, unter Rühren

	etwa 1 Minute erhitzen, den heißen Kloß sofort in eine Rührschüssel geben, nach und nach
2–3 Eier	mit Handrührgerät mit Knethaken auf höchster Stufe unterarbeiten, die Eiermenge hängt von der Beschaffenheit des Teiges ab, er muß stark glänzen und so von einem Löffel abreißen, daß lange Spitzen hängenbleiben
1 Msp. Backpulver	in den erkalteten Teig arbeiten
	aus dem Teig drei Böden backen, dazu jeweils ein Drittel des Teiges auf einen gefetteten, mit Weizenmehl bestäubten Springformboden (Ø 28 cm) streichen (darauf achten, daß die Teiglage am Rand nicht zu dünn ist, damit der Boden dort nicht zu dunkel wird)
	jeden Boden ohne Springformrand backen, bis er hellbraun ist
Ober-/Unterhitze	200–220 °C (vorgeheizt)
Heißluft	170–180 °C (nicht vorgeheizt)
Gas	Stufe 4–5 (vorgeheizt)
Backzeit	20–25 Minuten
	sofort nach dem Backen die Böden lösen, einzeln auf einem Kuchenrost erkalten lassen (wichtig, da der Dampf entweichen muß).
	Für die Füllung
250 g entsteinte, gedünstete Sauerkirschen	abtropfen lassen, den Saft auffangen
	250 ml (1/4 l) von dem Saft abmessen (evtl. mit Wasser ergänzen)
30 g Speisestärke	mit 4 Eßlöffeln von dem Saft anrühren, den übrigen Saft zum Kochen bringen, die Speisestärke unter Rühren in den von der Kochstelle genommenen Saft geben, kurz aufkochen lassen, die Kirschen unterrühren, kalt stellen, evtl. mit
Zucker	abschmecken
500 ml (1/2 l) Schlagsahne	1/2 Minute schlagen
25 g Puderzucker	sieben, mit
1 Pck. Vanillin-Zucker	
2 Pck. Sahnesteif	mischen, einstreuen, die Sahne steif schlagen
	den Knetteigboden dünn mit
rotem Johannisbeergelee	bestreichen, mit einem Brandteigboden bedecken, diesen zunächst mit der Hälfte der Kirschmasse, dann mit etwa einem Drittel der Sahne bestreichen, darauf den zweiten Brandteigboden legen, mit der restlichen Kirschmasse und Sahne bestreichen, den dritten Boden zerbröckeln, auf der Sahne verteilen, mit
30 g Puderzucker	bestäuben.

Profiteroles

einfach

	Für den Teig
125 ml (1/8 l) Wasser	
50 g Margarine	
oder Butter	am besten in einem Stieltopf zum Kochen bringen
125 g Weizenmehl	sieben, auf einmal in die von der Kochstelle genommene Flüssigkeit schütten, zu einem glatten Kloß rühren, unter Rühren etwa 1 Minute erhitzen, den heißen Kloß sofort in eine Rührschüssel geben, nach und nach
2–3 Eier	mit Handrührgerät mit Knethaken auf höchster Stufe unterarbeiten, die Eiermenge hängt von der Beschaffenheit des Teiges ab, er muß stark glänzen und so von einem Löffel abreißen, daß lange Spitzen hängenbleiben
1 Msp. Backpulver	in den erkalteten Teig arbeiten
	den Teig in einen Spritzbeutel mit kleiner Sterntülle füllen, kleine Tuffs auf ein gefettetes, mit Weizenmehl bestäubtes Backblech spritzen (Foto 1)
Ober-/Unterhitze	200–220 °C (vorgeheizt)
Heißluft	170–180 °C (nicht vorgeheizt)
Gas	Stufe 4–5 (vorgeheizt)
Backzeit	etwa 20 Minuten
	das Gebäck gut auskühlen lassen.
	Für die Füllung
250 ml (1/4 l) Schlagsahne	mit
1 Pck. Sahnesteif	nach Anleitung auf dem Päckchen steif schlagen
2 EL Kirschwasser	unterrühren
	Sahnemasse in einen Spritzbeutel (kleine Lochtülle) füllen, vorsichtig ein Loch in den Boden der Profiteroles stoßen, sie mit der Sahnemasse füllen (Foto 2).

(Fortsetzung S. 240)

	Für den Guß
100 g Halbbitter-Kuvertüre	
100 g weiße Kuvertüre	
	jede Kuvertüre für sich mit
etwas Kokosfett	in einen kleinen Topf im Wasserbad bei schwacher Hitze geschmeidig rühren die Profiteroles mit Hilfe einer Gabel in den Guß tauchen, nach Belieben mit Guß verzieren (Foto 3).

Eclairs oder Liebesknochen

einfach

	Für den Teig
125 ml (1/8 l) Wasser	
25 g Margarine	
oder Butter	am besten in einem Stieltopf zum Kochen bringen
75 g Weizenmehl	mit
15 g Speisestärke	mischen, sieben, auf einmal in die von der Kochstelle genommene Flüssigkeit schütten, zu einem glatten Kloß rühren, unter Rühren etwa 1 Minute erhitzen, den heißen Kloß sofort in eine Rührschüssel geben, nach und nach
2–3 Eier	mit Handrührgerät mit Knethaken auf höchster Stufe unterarbeiten, die Eiermenge hängt von der Beschaffenheit des Teiges ab, er muß stark glänzen und so von einem Löffel abreißen, daß lange Spitzen hängenbleiben
1 Msp. Backpulver	in den erkalteten Teig arbeiten, ihn in einen Spritzbeutel (große gezackte Tülle) füllen, etwa 6 cm lange Streifen auf ein gefettetes, mit Weizenmehl bestäubtes Backblech spritzen oder jeweils zwei fingerlange Streifen nebeneinander, einen dritten darauf spritzen
Ober-/Unterhitze	200–220 °C (vorgeheizt)
Heißluft	170–180 °C (nicht vorgeheizt)
Gas	Stufe 4–5 (vorgeheizt)
Backzeit	etwa 20 Minuten sofort nach dem Backen von jedem Eclair einen Deckel abschneiden, das Gebäck erkalten lassen.
	Zum Aprikotieren
etwas Aprikosenkonfitüre	durch ein Sieb streichen, unter Rühren erhitzen, die Gebäckdeckel dünn damit bestreichen.

Für die Füllung

75 g Nuß-Nougat in einem kleinen Topf im Wasserbad bei schwacher Hitze zu einer geschmeidigen Masse verrühren, etwas abkühlen lassen

250 ml (1/4 l) Schlagsahne 1/2 Minute schlagen

1 Pck. Sahnesteif einstreuen, die Sahne steif schlagen, die Nougatmasse eßlöffelweise vorsichtig unterrühren

die Nougat-Sahne in einen Spritzbeutel (gezackte Tülle) füllen, in die Eclairs spritzen, auf jeden einen Deckel legen.

Abwandlung

Eclairs mit Schokosahne und Erdbeeren

Für die Füllung

300 g Vollmilch-Schokolade grob hacken

400 ml Schlagsahne zum Kochen bringen, Topf von der Kochstelle nehmen, Schokolade einrühren, so lange weiterrühren, bis sie sich gelöst hat, Masse etwa 2 Stunden kalt stellen

400 g Erdbeeren waschen, putzen, in dünne Scheiben schneiden

Schokosahne mit Handrührgerät mit Rührbesen etwa 10 Minuten aufschlagen, bis sie schön cremig ist.

Eclairs längs halbieren, Creme in einen Spritzbeutel füllen, auf die Böden spritzen, mit den Erdbeeren belegen

40 g weiße Kuvertüre in einem kleinen Topf im Wasserbad schmelzen lassen, mit einem Teelöffel dünne Linien über die Eclairs ziehen.

Abwandlung

Frucht-Eclairs

Für die Füllung

1 TL gemahlene Gelatine, weiß mit 1 Eßlöffel kaltem Wasser anrühren, 10 Minuten zum Quellen stehen lassen

die gequollene Gelatine mit

2 TL Zucker unter Rühren erwärmen, bis sie gelöst ist

1/2 Pck. Feine Orangenfrucht hinzufügen, abkühlen lassen

250 ml (1/4 l) Schlagsahne fast steif schlagen, nach und nach die Orangen-Gelatine unterschlagen und die Sahne vollkommen steif schlagen

etwas von der Orangensahne auf die Unterseite jedes Eclair-Deckels streichen, die restliche Sahne in die Eclairs geben, die Deckel mit der unbestrichenen Seite darauf legen

etwa 200 g Mandarinenspalten (aus der Dose) abtropfen lassen, dekorativ auf den Eclair-Deckeln anrichten.

Windbeutel

schnell

Für den Teig

125 ml (1/8 l) Wasser	
25 g Margarine oder Butter	am besten in einem Stieltopf zum Kochen bringen
75 g Weizenmehl	mit
15 g Speisestärke	mischen, sieben, auf einmal in die von der Kochstelle genommene Flüssigkeit schütten, zu einem glatten Kloß rühren, unter Rühren etwa 1 Minute erhitzen, den heißen Kloß sofort in eine Schüssel geben, nach und nach
2–3 Eier	mit Handrührgerät mit Knethaken auf höchster Stufe unterarbeiten, die Eiermenge hängt von der Beschaffenheit des Teiges ab, er muß stark glänzen und so von einem Löffel abreißen, daß lange Spitzen hängenbleiben
1 Msp. Backpulver	in den erkalteten Teig arbeiten, mit zwei Löffeln oder mit einem Spritzbeutel acht Teighäufchen auf ein gefettetes, mit Weizenmehl bestäubtes Backblech setzen
Ober-/Unterhitze	200–220 °C (vorgeheizt)
Heißluft	170–180 °C (nicht vorgeheizt)
Gas	Stufe 4–5 (vorgeheizt)
Backzeit	25–30 Minuten während der ersten 15 Minuten Backzeit die Backofentür nicht öffnen, da sonst das Gebäck zusammenfällt sofort nach dem Backen von jedem Windbeutel einen Deckel abschneiden, das Gebäck auskühlen lassen.

Für die Füllung

250 g Johannisbeeren (vorbereitet gewogen)	mit
30 g Puderzucker	bestäuben
125 g Magerquark	mit
2 EL Johannisbeerlikör	
1 TL Zitronensaft	verrühren
250 ml (1/4 l) Schlagsahne	
1 Pck. Sahnesteif	mit
1 Pck. Vanillin-Zucker	steif schlagen, Quarkmasse und Johannisbeeren unterheben
50 g abgezogene, gestiftelte Mandeln	in einer Pfanne ohne Fett leicht anrösten, abkühlen lassen, unterheben die Füllung auf die Windbeutel verteilen, die Deckel wieder auflegen, mit
20 g Puderzucker	bestäuben.

Käsewindbeutelchen

für Gäste

	Für den Brandteig
125 ml (1/8 l) Wasser	
1 Prise Salz	
25 g Margarine oder Butter	am besten in einem Stieltopf zum Kochen bringen
75 g Weizenmehl	mit
15 g Speisestärke	mischen, sieben, auf einmal in die von der Kochstelle genommene Flüssigkeit schütten, zu einem glatten Kloß rühren, unter Rühren etwa 1 Minute erhitzen, den heißen Kloß sofort in eine Schüssel geben, nach und nach
2–3 Eier	mit Handrührgerät mit Knethaken auf höchster Stufe unterarbeiten (die Anzahl der Eier hängt von der Beschaffenheit des Teiges ab, er muß stark glänzen und so von einem Löffel abreißen, daß lange Spitzen hängenbleiben)
1/2 gestr. TL Backpulver	in den erkalteten Teig arbeiten, zuletzt
100 g geraspelten Emmentaler Käse	unterheben
	den Teig mit 2 Teelöffeln in walnußgroßen Häufchen auf ein gefettetes, mit
Weizenmehl	bestäubtes Backblech setzen
Ober-/Unterhitze	200–220 °C (vorgeheizt)
Heißluft	170–180 °C (nicht vorgeheizt)
Gas	Stufe 4–5 (vorgeheizt)
Backzeit	etwa 20 Minuten
	sofort nach dem Backen von jedem Windbeutel einen Deckel abschneiden
	das Gebäck auskühlen lassen.
	Für die Füllung
200 g Doppelrahm-Frischkäse	
1 Becher (150 g) Crème fraîche	verrühren, mit
Salz	
frisch gemahlenem, schwarzen Pfeffer	abschmecken
100 g rohen Schinken	fein würfeln, unterrühren
	die Windbeutel damit füllen, die Deckel wieder auflegen, mit
Paprikapulver	bestäuben.

Notwendige Vorarbeiten

Strudelteig ist etwas für Feinschmecker, die wenig knusprigen Teig, dafür aber viel Füllung mögen. Mit der richtigen Technik beim Ausziehen des Teiges über den Handrücken, die im übrigen nicht so schwer ist wie allgemein angenommen, läßt sich eine leckere Backspezialität zubereiten.
Für die Zubereitung des Teiges, die Zutaten genau abwiegen, und das Backblech oder die Fettfangschale sorgfältig einfetten.
Zum Ruhen benötigt der Teig eine recht heiße Umgebung. Deshalb in einem Kochtopf Wasser kochen, damit der Topf die Wärme aufnimmt. Anschließend das Wasser abgießen und den Topf trocknen lassen.

Die einzelnen Arbeitsgänge

Das Mehl in eine Rührschüssel sieben (bei Verwendung von Vollkornmehl dieses nicht sieben) und in die Mitte eine Vertiefung eindrücken.
Salz, das Ei oder nur Salz, Wasser und Fett hineingeben.

Die Zutaten mit Handrührgerät mit Knethaken zunächst auf niedrigster kurz, dann auf höchster Stufe gut durcharbeiten.
Der Teig muß elastisch, aber nicht zu weich oder klebrig sein. Deshalb evtl. noch etwas Mehl einarbeiten.

Wenn der Teig gut durchgeknetet ist, wird er zu einer Kugel geformt.
Anschließend den Teig auf Backpapier in den heißen, trockenen Kochtopf legen, mit einem Deckel verschließen, etwa 30 Minuten ruhen lassen.

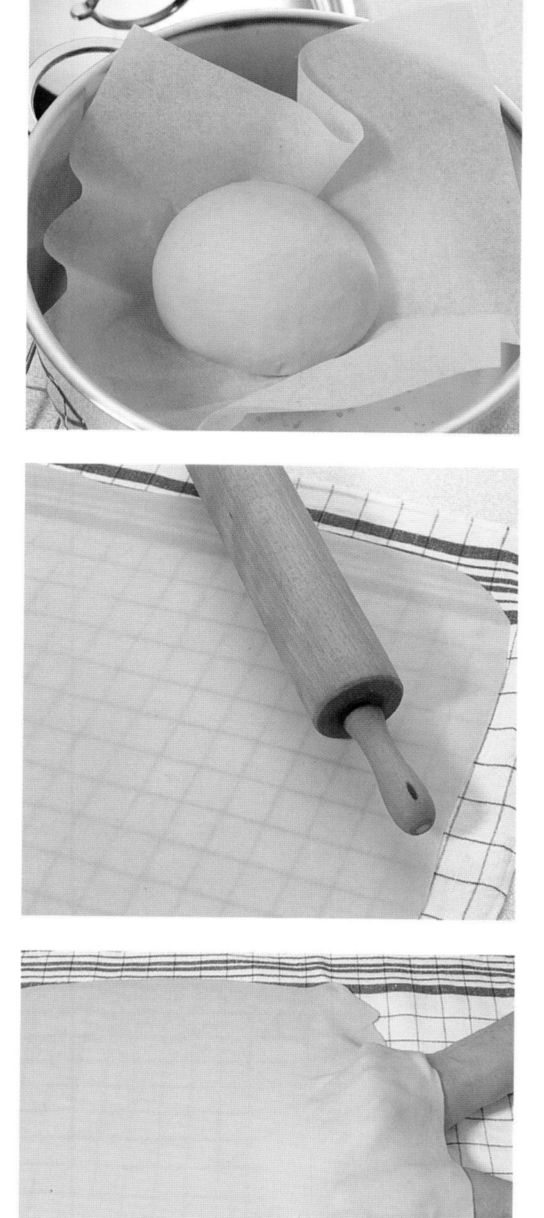

Den Teig auf einem bemehlten, großen Küchentuch ausrollen, dünn mit etwas Fett bestreichen.

Über den Handrücken den Teig zu einem Rechteck ausziehen (ca. 50 x 70 cm), bis er durchsichtig ist (das Muster des Küchentuchs muß durch den Teig sichtbar sein). Vor und während des Backens den Strudel immer wieder mit Fett bestreichen. Der Strudel wird dadurch saftiger.
Die dickeren Ränder abschneiden.
Weitere Verarbeitung wie im Rezept beschrieben.

Grundrezept

	Für Strudelteig mit Ei
250 g Weizenmehl	in eine Rührschüssel sieben
1 Prise Salz	
100 ml lauwarmes Wasser	
1 kleines Ei	
1 EL Speiseöl	hinzufügen
	o d e r
	für Strudelteig ohne Ei
200 g Weizenmehl	in eine Rührschüssel sieben
1 Prise Salz	
75 ml (5 EL) lauwarmes Wasser	
50 ml (gut 3 EL) Speiseöl	hinzufügen die Zutaten mit Handrührgerät mit Knethaken zunächst kurz auf niedrigster, dann auf höchster Stufe gut durcharbeiten, anschließend auf der Arbeitsfläche zu einem glatten Teig verkneten den Teig auf Backpapier in einen heißen, trockenen Kochtopf legen (vorher Wasser darin kochen), mit einem Deckel verschließen, etwa 30 Minuten ruhen lassen den Teig auf einem bemehlten großen Tuch (Küchentuch) ausrollen, dünn mit etwas von
50 g zerlassener Margarine oder Butter oder etwas Speiseöl	bestreichen, den Teig anheben, über den Handrücken zu einem Rechteck (50 x 70 cm) ausziehen, er muß durchsichtig sein, die Ränder, wenn sie dicker sind, abschneiden den Teig mit etwas von dem Fett bestreichen weitere Zubereitung und Backen je nach Rezept.

Wiener Apfelstrudel

(Foto Seite 246/247)

beliebt

Für den Teig

200 g Weizenmehl	in eine Rührschüssel sieben
1 Prise Salz	
75 ml (5 EL) lauwarmes Wasser	
50 g zerlassene Margarine oder Butter oder 3 EL Speiseöl	hinzufügen die Zutaten mit Handrührgerät mit Knethaken zunächst kurz auf niedrigster, dann auf höchster Stufe gut durcharbeiten, anschließend auf der Arbeitsfläche zu einem glatten Teig verkneten den Teig auf Backpapier in einen heißen, trockenen Kochtopf legen (vorher Wasser darin kochen), mit einem Deckel verschließen, etwa 30 Minuten ruhen lassen.

Für die Füllung

1–1½ kg Äpfel	schälen, vierteln, entkernen, in feine Stifte schneiden
½ Fläschchen Rum-Aroma	
3 Tropfen Zitronen-Aroma	untermischen
75 g Margarine oder Butter	zerlassen.
	Den Teig auf einem bemehlten großen Tuch (Küchentuch) ausrollen, dünn mit etwas von dem Fett bestreichen, ihn dann mit den Händen zu einem Rechteck (50 x 70 cm) ausziehen (er muß durchsichtig sein), die Ränder, wenn sie dicker sind, abschneiden zwei Drittel des Fettes auf den Teig streichen, auf zwei Drittel des Teiges
50 g Semmelbrösel	streuen (an den kürzeren Seiten etwa 3 cm frei lassen) nacheinander Äpfel,
50 g Rosinen	
100 g Zucker	
1 Pck. Vanillin-Zucker	
50 g abgezogene, gehackte Mandeln	darauf verteilen, die freigelassenen Teigränder auf die Füllung klappen, den Teig mit Hilfe des Tuches von der längeren Seite her, mit der Füllung beginnend, aufrollen, an den Enden gut zusammendrücken, auf ein gefettetes Backblech legen, mit etwas Fett bestreichen

Ober-/Unterhitze	170–200 °C (vorgeheizt)
Heißluft	160–170 °C (nicht vorgeheizt)
Gas	Stufe 3–4 (vorgeheizt)
Backzeit	45–55 Minuten nach 30 Minuten Backzeit den Strudel mit dem restlichen Fett bestreichen.
Tip	Anstelle eines großen zwei kleine Strudel backen.

Ostdeutscher Mohnstrudel

traditionell

Für den Teig

250 g Weizenmehl	in eine Rührschüssel sieben
1 Prise Salz	
75 ml lauwarmes Wasser	
50 ml Speiseöl	hinzufügen
	die Zutaten mit Handrührgerät mit Knethaken zunächst kurz auf niedrigster, dann auf höchster Stufe gut durcharbeiten, anschließend auf der Arbeitsfläche zu einem glatten Teig verkneten, den Teig auf Backpapier in einen heißen, trockenen Kochtopf legen (vorher Wasser darin kochen), mit einem Deckel verschließen, etwa 30 Minuten ruhen lassen.

Für die Füllung

300 g frisch gemahlenen Mohn	mit
300 ml kochender Milch	übergießen (Foto 1), verrühren, quellen lassen, bis eine geschmeidige Masse entstanden ist
75 g Zucker	mit
2 EL Honig	
1 Ei	
1 Pck. Feine Zitronenschale	
100 g Rosinen	unterrühren
250 g säuerliche Äpfel	schälen, entkernen, grob raspeln, unter die Mohnmasse rühren.

Den Strudelteig auf einem bemehlten großen Tuch (Küchentuch) zu einem Rechteck (50 x 40 cm) ausrollen
auf 2/3 des Teiges die Füllung streichen, an den kürzeren Seiten etwa 3 cm Teig frei lassen (Foto 2)
den Teig mit Hilfe des Tuches, mit der Füllung beginnend, aufrollen, an den Enden gut zusammendrücken (Foto 3), den Strudel auf ein gefettetes Backblech legen, mit etwas von

50 g zerlassener Butter bestreichen

den Strudel während des Backens mit der restlichen Butter bestreichen

(Fortsetzung S. 252)

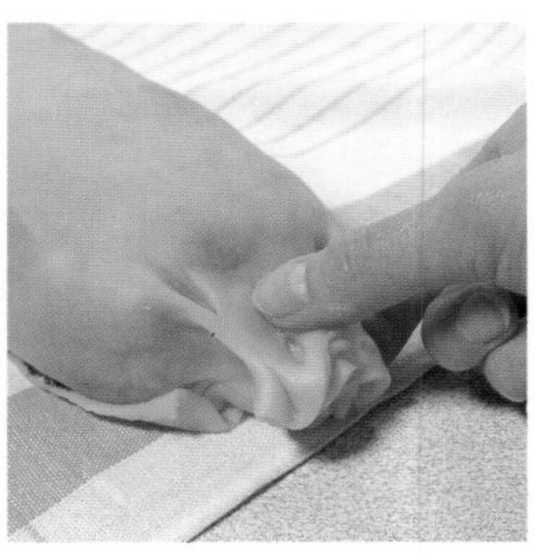

Ober-/Unterhitze	180–200 °C (vorgeheizt)
Heißluft	160–180 °C (nicht vorgeheizt)
Gas	Stufe 3–4 (vorgeheizt)
Backzeit	etwa 50 Minuten
	den Strudel mit
Puderzucker	bestäuben.
Tip	Strudel vor dem Backen mit Mandelblättern bestreuen.
Beigabe	Vanille-Sahnesauce.

Topfenstrudel (Quarkstrudel)

traditionell

	Für den Teig
125 g Weizenmehl	in eine Rührschüssel sieben
1 Prise Salz	
1 Ei	
2 EL lauwarmes Wasser	
knapp 2 EL Speiseöl	hinzufügen
	die Zutaten mit Handrührgerät mit Knethaken zunächst kurz auf niedrigster, dann auf höchster Stufe gut durcharbeiten, anschließend auf der Arbeitsfläche zu einem glatten Teig verkneten
	den Teig auf Backpapier in einen heißen, trockenen Kochtopf legen (vorher Wasser darin kochen), mit einem Deckel verschließen, etwa 30 Minuten ruhen lassen.
	Für die Füllung
40 g Margarine oder Butter	geschmeidig rühren, nach und nach
40 g Zucker	
1 Ei	
1 EL Zitronensaft	
180 g Magerquark	
1 Pck. Dessert-Soße Vanille-Geschmack	
2 EL Schlagsahne	unterrühren.
	Den Teig auf einem bemehlten großen Küchentuch dünn ausrollen, mit den Händen zu einem Rechteck (60 x 40 cm) ausziehen (er muß durchsichtig sein), die dickeren Ränder abschneiden
	den Teig mit etwas von
40 g weicher Butter	bestreichen, auf zwei Drittel des Teiges die Füllung streichen

	(an den Seiten etwa 3 cm Teig frei lassen), mit
50 g Rosinen	bestreuen
420 g Aprikosenhälften (aus der Dose)	gut abtropfen lassen, in kleine Stücke schneiden, auf die Quarkmasse streuen
	die freigelassenen Teigstreifen auf die Füllung klappen
	den Teig mit Hilfe des Tuches, mit der Füllung beginnend, aufrollen, an den Enden gut zusammendrücken, den Strudel auf ein gefettetes Backblech legen, mit etwas Butter bestreichen
Ober-/Unterhitze	170–200 °C (vorgeheizt)
Heißluft	160–170 °C (nicht vorgeheizt)
Gas	Stufe 3–4 (vorgeheizt)
Backzeit	40–50 Minuten
	nach 30 Minuten Backzeit den Strudel mit der restlichen Butter bestreichen
	den Strudel abkühlen lassen, nach Belieben mit
Puderzucker	bestäuben.
Tip	Den Strudel nach Belieben mit Vanillesauce servieren.
Abwandlung	**Topfenstrudel mit Backobst**
	Für die Füllung
125 g gemischtes Backobst	in Würfel schneiden
1 Eigelb	mit
35 g Zucker	
1 Pck. Vanillin-Zucker	
1–2 EL Zitronensaft	sehr cremig schlagen
200 g Doppelrahm-Frischkäse	und
125 g Magerquark	unterrühren
2 Eiweiß	sehr steif schlagen, unterheben
	Füllung auf dem Teig verteilen, Teig mit Früchten und
25 g gehackten Pinienkernen	bestreuen
	Strudel wie oben aufrollen und backen, vor dem Backen mit
verquirltem Eigelb	bestreichen.

Kirschbeutelchen

raffiniert/für Kinder

	Für den Teig
250 g Weizenmehl	in eine Rührschüssel sieben
1 Prise Salz	
100 ml lauwarmes Wasser	
1 kleines Ei	
1 EL Speiseöl	hinzufügen
	die Zutaten mit Handrührgerät mit Knethaken zunächst kurz auf niedrigster, dann auf höchster Stufe gut durcharbeiten, anschließend auf der Arbeitsfläche zu einem glatten Teig verkneten
	den Teig auf Backpapier in einen heißen, trockenen Kochtopf legen (vorher Wasser darin kochen), mit einem Deckel verschließen, etwa 30 Minuten ruhen lassen.
	Für die Füllung
60 g Margarine oder Butter	zerlassen, abkühlen lassen, mit
2 Eigelb	verrühren
100 g Marzipan-Rohmasse	in kleine Würfel schneiden
350 g Sauerkirschen (aus dem Glas)	zum Abtropfen auf ein Sieb geben
30 g Löffelbiskuits	fein zerbröseln
50 g abgezogene, gemahlene Mandeln	bereitstellen.
	Den Teig auf einem bemehlten großen Tuch (Küchentuch) dünn ausrollen, ihn dann mit den Händen zu einem Rechteck (etwa 65 x 45 cm) ausziehen (er muß durchsichtig sein), die Ränder, wenn sie dicker sind, abschneiden
	den Teig in Quadrate (12 x 12 cm) schneiden, mit der Butter-Eigelb-Masse bestreichen, mit Biskuitbröseln und Mandeln bestreuen, mit Kirschen und Marzipanwürfeln belegen (pro Quadrat 4–5 Kirschen), den Teig so über der Füllung zusammendrücken, daß kleine Beutel entstehen, auf ein gefettetes Backblech legen, mit etwas von
50 g zerlassener Butter	bestreichen
Ober-/Unterhitze	170–200 °C (vorgeheizt)
Heißluft	160–170 °C (nicht vorgeheizt)
Gas	Stufe 3–4 (vorgeheizt)
Backzeit	etwa 10 Minuten
	die Beutelchen während des Backens mit der restlichen Butter bestreichen
	die Beutelchen – warm oder kalt – servieren, vorher mit
Puderzucker	bestäuben.
Beigabe	Abgeschlagene Vanillesauce.

Strudeltaschen

für Gäste

(18 Stück)

Für den Teig

250 g Weizenmehl in eine Rührschüssel sieben

1 Prise Salz
100 ml lauwarmes Wasser
1 kleines Ei
1 EL Speiseöl hinzufügen

die Zutaten mit Handrührgerät mit Knethaken zunächst kurz auf niedrigster, dann auf höchster Stufe gut durcharbeiten, anschließend auf der Arbeitsfläche zu einem glatten Teig verkneten

den Teig auf Backpapier in einen heißen, trockenen Kochtopf legen (vorher Wasser darin kochen), mit einem Deckel verschließen, etwa 30 Minuten ruhen lassen.

Für die Füllung

500 g Auberginen putzen, waschen, abtrocknen, in kleine Würfel schneiden

3 EL Speiseöl erhitzen, die Auberginenwürfel kurz darin anbraten

60 g Salami fein würfeln

2 Knoblauchzehen abziehen, zerdrücken

beide Zutaten zu den Auberginen geben, mit

Salz
frisch gemahlenem, schwarzen Pfeffer würzen, abkühlen lassen.

Den Teig auf einem bemehlten großen Tuch (Küchentuch) zu einem Rechteck (60 x 30 cm) ausrollen, in 18 Quadrate (10 x 10 cm) schneiden (Foto 1), etwas von der Füllung auf jede Hälfte eines Teigstückes geben (Foto 2), dann jeweils die andere Teighälfte über die Füllung klappen, die Ränder gut andrücken

die Taschen auf ein gefettetes Backblech legen, mit etwas von

50 g zerlassener Butter bestreichen (Foto 3)

die Taschen während des Backens mit der restlichen Butter bestreichen

(Fortsetzung S. 258)

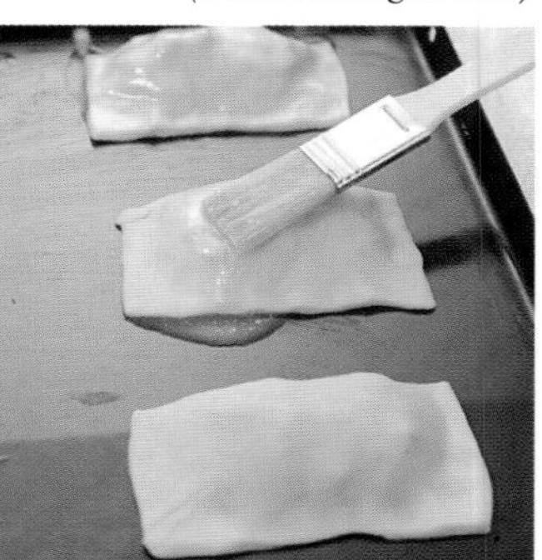

Ober-/Unterhitze	170–200 °C (vorgeheizt)
Heißluft	160–170 °C (nicht vorgeheizt)
Gas	Stufe 3–4 (vorgeheizt)
Backzeit	etwa 20 Minuten.

Sauerkrautstrudel

raffiniert

(6-8 Portionen)

	Für die Füllung
1 Zwiebel	abziehen, würfeln
2 EL Sesamöl	erhitzen, die Zwiebelwürfel darin andünsten
870 g Sauerkraut (aus der Dose)	locker zupfen, zu den Zwiebeln geben, 15 Minuten bei schwacher Hitze dünsten lassen
5 milde Peperoni (Peperoncini)	in kleine Stücke schneiden
1 EL Paprika edelsüß **1/2 Becher (75 g) Crème fraîche**	die 3 Zutaten unter das Sauerkraut rühren, mit
Salz **Zucker** **geschrotetem Pfeffer**	abschmecken
2 Cabanossi (240 g)	in dünne Scheiben schneiden.
	Für den Teig
250 g Weizenmehl	in eine Rührschüssel sieben
1 Prise Salz **100 ml lauwarmes Wasser** **1 kleines Ei** **1 EL Speiseöl**	hinzufügen die Zutaten mit Handrührgerät mit Knethaken zunächst kurz auf niedrigster, dann auf höchster Stufe gut durcharbeiten, anschließend auf der Arbeitsfläche zu einem glatten Teig verkneten den Teig auf Backpapier in einen heißen, trockenen Kochtopf legen (vorher Wasser darin kochen), mit einem Deckel verschließen, etwa 30 Minuten ruhen lassen den Teig halbieren, jede Hälfte auf einem bemehlten großen Tuch (Küchentuch) zu einem Rechteck (50 x 30 cm) ausrollen, auf jede Teigplatte jeweils die Hälfte der Sauerkrautmasse und der Wurstscheiben verteilen (1 cm Teig am Rand frei lassen), die freigelassenen Teigränder auf die Füllung schlagen, den Teig mit Hilfe des Tuches von der längeren Seite her aufrollen, an den Enden gut

	zusammendrücken, beide Rollen auf ein gefettetes Backblech legen, mit etwas von
70 g zerlassener Butter	bestreichen
	die Rollen während des Backens mit der restlichen Butter bestreichen
Ober-/Unterhitze	170–200 °C (vorgeheizt)
Heißluft	160–170 °C (nicht vorgeheizt)
Gas	Stufe 3–4 (vorgeheizt)
Backzeit	45–55 Minuten.

Strudel mit Hackfleischfüllung

	Für den Teig
150 g Weizenmehl	
1 Prise Salz	
60 ml lauwarmes Wasser	
15 ml Speiseöl	
	alle Zutaten wie im Grundrezept beschrieben zu einem Strudelteig verarbeiten, die Teigkugel mit
1 TL Speiseöl	bestreichen und zugedeckt etwa 2 Stunden ruhen lassen.
	Für die Füllung
1 Bund Petersilie	
1 Bund Majoran	
	Kräuter abspülen, trockentupfen, fein hacken
2 Zwiebeln	abziehen, fein hacken
250 g Champignons	putzen, mit Küchenpapier abreiben, evtl. abspülen, in dünne Streifen schneiden
500 g Rinderhackfleisch	in
20 g Butter	anbraten, Zwiebeln und Pilze hinzufügen, mit
Pfeffer	
Salz	
geriebener Muskatnuß	würzen, unter die fertige Masse die Kräuter mischen, Masse auskühlen lassen.
	Teig dünn ausrollen und ausziehen (siehe Grundrezept), mit der Hackfleischmasse bestreichen und einrollen, Strudel mit
1 Eigelb	bestreichen, auf ein Backblech setzen und in den Backofen schieben
Ober-/Unterhitze	etwa 180 °C (vorgeheizt)
Heißluft	etwa 160 °C (nicht vorgeheizt)
Gas	etwa Stufe 3 (vorgeheizt)
Backzeit	20–30 Minuten.

Für den Hefeteig

Das Mehl in eine Rührschüssel sieben (bei Verwendung von Vollkornmehl nicht sieben) und die Trockenhefe gleichmäßig mit einer Gabel unterrühren.
Alle trockenen Zutaten (Zucker, Vanillin-Zucker, Salz) hinzufügen.

Alle übrigen im Rezept angegebenen Zutaten (Crème fraîche, Milch, Ei) zu dem Mehl geben.
Nur in Gegenwart von Wärme entfaltet Hefe ihre volle Triebkraft – vor allem die Flüssigkeit (Milch) sollte etwa 37 °C haben (handwarm).
Die Zutaten zunächst mit Handrührgerät mit Knethaken kurz auf niedrigster, dann auf höchster Stufe in etwa 5 Minuten verarbeiten.
Der Teig muß glatt sein.

Den Teig zugedeckt (mit Geschirrtuch oder Klarsichtfolie) an einem warmen Ort so lange stehen lassen, bis er sich sichtbar vergrößert hat.
Hefeteig nicht sofort nach der Zubereitung backen, sondern vorher genügend aufgehen lassen. Ihn an einen warmen Ort stellen, z. B. Gas- oder Elektroherd.
Gas: Auf Stufe 8 drei Minuten vorheizen.
Flamme ausdrehen.
Strom: 50 °C einschalten, Schüssel mit Teig so lange in den Backofen stellen, bis der Teig sich sichtbar vergrößert hat. Backofentür mit einem Rührlöffel geöffnet halten.
Mikrowelle: 80 oder 90 Watt etwa 8 Minuten.
In einem Gerät ohne Drehteller Schüssel nach etwa 4 Minuten drehen.
Wasserbad: Schüssel mit Teig (mit feuchtem Tuch zugedeckt) so lange in heißes Wasser stellen, bis er sich sichtbar vergrößert hat.
Für die Verarbeitung vom Hefeteig siehe auch Seite 118–120.

Für den Knetteig

Das Mehl in eine Rührschüssel sieben und das Fett hinzufügen.
Sieben lockert das Mehl auf. Bei Verwendung von Vollkornmehl dieses nicht sieben.

Die Zutaten mit Handrührgerät mit Knethaken zunächst kurz auf niedrigster Stufe, dann auf höchster Stufe gut durcharbeiten. Auf der Arbeitsfläche mit den Händen zu glattem Teig verkneten.
Die Zutaten lassen sich am besten verarbeiten, wenn das Fett weich (streichfähig) ist. Deshalb das zu verarbeitende Fett rechtzeitig aus dem Kühlschrank nehmen.

Für den Zwillingsteig

Anschließend beide Teige mit den Händen auf der mit Weizenmehl bestäubten Arbeitsfläche zu einem glatten Teig verkneten.
Dabei nicht zu viel Mehl auf die Arbeitsfläche sieben, damit der Teig nicht brüchig wird. Teig mit geschlossenen, flachen Händen schnell verkneten.
Teig dann weiterverarbeiten und backen wie im Rezept angegeben.

Grundrezept

Für den Hefeteig

250 g Weizenmehl
1 Pck. Trockenhefe sorgfältig vermischen
25 g Zucker
1 Pck. Vanillin-Zucker
1 Prise Salz
1 Ei
125 ml (1/8 l)
lauwarme Milch
oder
1 Becher (150 g)
Crème fraîche hinzufügen

die Zutaten mit Handrührgerät mit Knethaken zunächst auf niedrigster, dann auf höchster Stufe in etwa 5 Minuten zu einem Teig verarbeiten
den Teig zugedeckt so lange an einem warmen Ort stehen lassen, bis er sich sichtbar vergrößert hat.

Für den Knetteig

100 g Weizenmehl in eine Rührschüssel sieben
25 g Zucker
1 Pck. Vanillin-Zucker
1 Prise Salz
50 g Margarine
oder Butter hinzufügen

die Zutaten mit Handrührgerät mit Knethaken zunächst kurz auf niedrigster, dann auf höchster Stufe gut durcharbeiten, anschließend auf der Arbeitsfläche zu einem glatten Teig verkneten.

Den gegangenen Hefeteig leicht mit Mehl bestäuben, aus der Schüssel nehmen, auf der Arbeitsfläche mit dem Knetteig gut verkneten
den Teig je nach Rezept in der Backform oder auf dem Backblech nochmals gehen lassen
nach Anleitung backen.

Grundrezept pikant

Für den Hefeteig

200 g Weizenmehl in eine Rührschüssel sieben, mit
1 Pck. Trockenhefe sorgfältig vermischen
1 TL Salz
100 ml lauwarme Milch
50 g zerlassene, abgekühlte Margarine oder Butter hinzufügen
die Zutaten mit Handrührgerät mit Knethaken zunächst auf niedrigster, dann auf höchster Stufe in etwa 5 Minuten zu einem Teig verarbeiten
den Teig zugedeckt so lange an einem warmen Ort stehen lassen, bis er sich sichtbar vergrößert hat.

Für den Knetteig

100 g Weizenmehl mit
1 Msp. Backpulver mischen, in eine Rührschüssel sieben
1 Prise Salz
75 g Margarine oder Butter hinzufügen
die Zutaten mit Handrührgerät mit Knethaken zunächst kurz auf niedrigster, dann auf höchster Stufe gut durcharbeiten, anschließend auf der Arbeitsfläche zu einem glatten Teig verkneten.

Den gegangenen Hefeteig leicht mit Mehl bestäuben, aus der Schüssel nehmen, auf der Arbeitsfläche mit dem Knetteig gut verkneten
den Teig je nach Rezept in der Backform oder auf dem Backblech weiterverarbeiten
nach Anleitung backen.

Vanille-Kirsch-Kuchen

für Gäste

(Foto Seite 260/261)

	Für den Hefeteig
250 g Weizenmehl	in eine Rührschüssel sieben, mit
1 Pck. Trockenhefe	sorgfältig vermischen
25 g Zucker	
1 Pck. Vanillin-Zucker	
1 Prise Salz	
1 Ei	
1 Becher (150 g) Crème fraîche	hinzufügen die Zutaten mit Handrührgerät mit Knethaken zunächst auf niedrigster, dann auf höchster Stufe in etwa 5 Minuten zu einem Teig verarbeiten den Teig zugedeckt so lange an einem warmen Ort stehen lassen, bis er sich sichtbar vergrößert hat.
	Für den Knetteig
100 g Weizenmehl	in eine Rührschüssel sieben
25 g Zucker	
1 Pck. Vanillin-Zucker	
1 Prise Salz	
1 Ei	
50 g Margarine oder Butter	hinzufügen die Zutaten mit Handrührgerät mit Knethaken zunächst kurz auf niedrigster, dann auf höchster Stufe gut durcharbeiten, anschließend auf der Arbeitsfläche zu einem glatten Teig verkneten.
	Für die Füllung aus
2 Pck. Pudding-Pulver Vanille-Geschmack	
50 g Zucker	
2 Eigelb	
750 ml (3/4 l) Milch	nach Anleitung auf dem Päckchen (jedoch nur mit 750 ml Milch) einen Pudding zubereiten
3 Eiweiß	steif schlagen, sofort unter den kochendheißen Pudding rühren, etwas abkühlen lassen
2 Becher (250 g) Crème double	unterrühren, den Pudding erkalten lassen.
	Den gegangenen Hefeteig leicht mit Mehl bestäuben, aus der Schüssel nehmen, auf der Arbeitsfläche mit dem Knetteig gut verkneten

	die Hälfte des Teiges auf einem gefetteten Backblech (38 x 28 cm) ausrollen, mit dem abgekühlten Pudding bestreichen
700 g Sauerkirschen (aus dem Glas)	gut abtropfen lassen, auf dem Pudding verteilen
	den restlichen Teig in Größe des Backblechs ausrollen, auf die Kirschen legen, an den Rändern mit Hilfe einer Teigkarte andrücken
1 Eigelb	mit
1 EL Kondensmilch	verschlagen, den Teig damit bestreichen, mit
Zimt-Zucker	
50 g abgezogenen, gehobelten Mandeln	bestreuen, den Teig nochmals so lange an einem warmen Ort gehen lassen, bis er sich sichtbar vergrößert hat
Ober-/Unterhitze	170–200 °C (vorgeheizt)
Heißluft	160–170 °C (nicht vorgheizt)
Gas	Stufe 3–4 (vorgeheizt)
Backzeit	etwa 30 Minuten.

Haselnußbrot

	Für den Zwillingsteig
	nach dem Grundrezept Seite 264 mit
125 ml (1/8 l) Milch	einen Zwillingsteig zubereiten.
	Für die Füllung
100 g gemahlene Haselnußkerne	
100 g grobgehackte Haselnußkerne	mit
50 g Zucker	
1/2 Fläschchen Butter-Vanille-Aroma	
1 Ei	
3–4 EL Wasser	zu einer geschmeidigen Masse verrühren.
	Den gegangenen Hefeteig auf der Arbeitsfläche mit dem Knetteig gut verkneten, den Teig zu einem Rechteck (30 x 45 cm) ausrollen, die Füllung darauf streichen, den Teig von der kürzeren Seite her zur Mitte hin aufrollen, die andere Seite ebenfalls zur Mitte hin aufrollen, das Teigstück in eine gefettete, gemehlte Kastenform (30 x 11 cm) geben, nochmals an einem warmen Ort gehen lassen, bis er sich sichtbar vergrößert hat, mit
Kondensmilch	bestreichen
Ober-/Unterhitze	170–200 °C (vorgeheizt)
Heißluft	160–180 °C (nicht vorgeheizt)
Gas	Stufe 3–4 (nicht vorgeheizt)
Backzeit	35–40 Minuten.

Aprikosen-Rosetten-Kuchen

raffiniert

	Für die Füllung
125 g getrocknete Aprikosen	in feine Würfel schneiden, mit
5 EL (75 ml) Rum	vermengen, am besten über Nacht stehen lassen Pudding aus
1 Pck. Pudding-Pulver Vanille-Geschmack	
375 ml (3/8 l) Milch	nach Anleitung auf dem Päckchen (jedoch nur mit 375 ml Milch) zubereiten, etwas abkühlen lassen
1 Pck. Bourbon Vanille-Zucker	
1 Becher (125 g) Crème double	und die eingeweichten Aprikosen unterrühren, den Pudding erkalten lassen, ab und zu durchrühren.
	Für den Hefeteig
275 g Weizenmehl	in eine Rührschüssel sieben, mit
1 Pck. Trockenhefe	sorgfältig vermischen
75 g Zucker	
1 Pck. Vanillin-Zucker	
1/2 Fläschchen Zitronen-Aroma	
1 Prise Salz	
1 Ei	
1 Becher (150 g) Crème fraîche	
4 EL (60 ml) lauwarme Milch	hinzufügen die Zutaten mit Handrührgerät mit Knethaken zunächst auf niedrigster, dann auf höchster Stufe in etwa 5 Minuten zu einem Teig verarbeiten den Teig zugedeckt so lange an einem warmen Ort stehen lassen, bis er sich sichtbar vergrößert hat.
	Für den Knetteig
100 g Weizenmehl	in eine Rührschüssel sieben
30 g Zucker	
1 Pck. Vanillin-Zucker	
1 Prise Salz	
60 g Margarine oder Butter	hinzufügen die Zutaten mit Handrührgerät mit Knethaken zunächst kurz auf niedrigster, dann auf höchster Stufe gut durcharbeiten, anschließend auf der Arbeitsfläche zu einem glatten Teig verkneten.

Den gegangenen Hefeteig leicht mit Mehl bestäuben, aus der Schüssel nehmen, auf der Arbeitsfläche mit dem Knetteig gut verkneten, den Teig zu einem Rechteck (50 x 30 cm) ausrollen, mit der Füllung bestreichen (1 cm Teig am Rand frei lassen), den Teig von der längeren Seite her aufrollen

(Fortsetzung S. 270)

die Rolle in 3 cm breite Stücke schneiden, nebeneinander in eine Springform (Ø 28 cm, Boden gefettet) geben
den Teig nochmals so lange an einem warmen Ort gehen lassen, bis er sich sichtbar vergrößert hat

Ober-/Unterhitze 170–200 °C (vorgeheizt)
Heißluft 160–170 °C (nicht vorgeheizt)
Gas Stufe 3–4 (vorgeheizt)
Backzeit 45–50 Minuten
den Kuchen aus der Form lösen.

Zum Aprikotieren

2 EL Aprikosenkonfitüre durch ein Sieb streichen, mit
2 EL Wasser unter Rühren etwas einkochen lassen, den Kuchen sofort nach dem Backen damit bestreichen, nach Belieben mit
gemahlenen Pistazienkernen bestreuen.

Apfel-Jalousien

Für den Hefeteig

250 g feingemahlenen Dinkel
1 Pck. Trockenhefe in eine Rührschüssel geben, mit
40 g Honig sorgfältig vermischen
1 Pck. Bourbon Vanille-Zucker
1 Beutel Jamaica Rum-Aroma
1 Prise Salz
1 Ei
etwas gemahlenen Zimt
100 ml lauwarme Milch hinzufügen
die Zutaten mit Handrührgerät mit Knethaken zunächst auf niedrigster, dann auf höchster Stufe in etwa 5 Minuten zu einem Teig verarbeiten, den Teig zugedeckt so lange an einem warmen Ort stehen lassen, bis er sich sichtbar vergrößert hat.

Für den Knetteig

100 g feingemahlenen Dinkel in eine Rührschüssel geben
40 g braunen Zucker
1 Pck. Bourbon Vanille-Zucker
1 Ei
50 g Butter hinzufügen

	die Zutaten mit Handrührgerät mit Knethaken zunächst kurz auf niedrigster, dann auf höchster Stufe gut durcharbeiten, anschließend auf der Arbeitsfläche zu einem glatten Teig verkneten.
	Für die Füllung
5 EL Weißwein	mit
50 g braunem Zucker	
1 Pck. Bourbon Vanille-Zucker	
1/2 Fläschchen Zitronen-Aroma	
etwas gemahlenem Zimt	
etwas Nelkenpulver	
50 g Rosinen	aufkochen lassen
350 g vorbereitete Apfelstückchen	etwa 5 Minuten darin dünsten lassen, zum Abtropfen auf ein Sieb geben, erkalten lassen.
	Den gegangenen Hefeteig leicht mit Mehl bestäuben, aus der Schüssel nehmen, auf der Arbeitsfläche mit dem Knetteig gut verkneten, den Teig etwa 1/2 cm dick ausrollen 16 Quadrate (10 x 10 cm) ausschneiden, in acht der Quadrate so 1 cm breite Streifen schneiden, daß die Ränder zusammenhängen bleiben die Füllung auf die nicht eingeschnittenen Teigplatten verteilen, am Rand 1 cm Teig frei lassen, diesen mit etwas
Eigelbmilch (1 Eigeib, 2 EL Kondensmilch)	bestreichen, mit den eingeschnittenen Platten belegen, die Ränder gut andrücken die Teigstücke auf ein mit Backpapier belegtes Backblech legen, nochmals an einem warmen Ort so lange gehen lassen, bis sie sich sichtbar vergrößert haben, mit der restlichen Eigelbmilch bestreichen
Ober-/Unterhitze	170–200 °C (vorgeheizt)
Heißluft	160–170 °C (nicht vorgeheizt)
Gas	Stufe 3–4 (vorgeheizt)
Backzeit	etwa 15 Minuten das Gebäck sofort nach dem Backen mit
10 g gemahlenen Cashewkernen	bestreuen, noch warm verzehren.
Beigabe	Vanillesauce.

Herrentorte, pikant

raffiniert / für Gäste

Für den Hefeteig

125 g Weizenmehl (Type 550 oder 1050)
125 g Dinkelmehl in eine Rührschüssel geben, mit
1 Pck. Trockenhefe sorgfältig vermischen
1 TL Zucker
1 TL Salz
1 Ei
75 ml lauwarme Milch
1 Becher (150 g) Crème fraîche hinzufügen

die Zutaten mit Handrührgerät mit Knethaken zunächst auf niedrigster, dann auf höchster Stufe in etwa 5 Minuten zu einem Teig verarbeiten

den Teig zugedeckt so lange an einem warmen Ort stehen lassen, bis er sich sichtbar vergrößert hat.

Für den Knetteig

100 g Weizenmehl (Type 550 oder 1050) mit
1 Msp. Backpulver mischen, in eine Rührschüssel geben
1 TL Salz
frisch gemahlenen Pfeffer
Paprikapulver
60 g Margarine hinzufügen

die Zutaten mit Handrührgerät mit Knethaken zunächst kurz auf niedrigster, dann auf höchster Stufe gut durcharbeiten, anschließend auf der Arbeitsfläche zu einem glatten Teig verkneten.

Den gegangenen Hefeteig leicht mit Mehl bestäuben, aus der Schüssel nehmen, auf der Arbeitsfläche mit dem Knetteig gut verkneten (Foto 1)

(Fortsetzung S. 274)

	den Teig auf dem Boden einer Springform (Ø 26 cm, Boden gefettet) ausrollen, die Oberfläche mit Wasser bestreichen, mit
20 g Sesamsamen	bestreuen, den Teig nochmals an einem warmen Ort stehen lassen, bis er sich sichtbar vergrößert hat
Ober-/Unterhitze	170–200 °C (vorgeheizt)
Heißluft	etwa 160 °C (nicht vorgeheizt)
Gas	Stufe 3–4 (nicht vorgeheizt)
Backzeit	etwa 30 Minuten den Boden aus der Form lösen, erkalten lassen, einmal waagerecht durchschneiden.
	Für die Füllung
250 g Magerquark	mit
400 g Doppelrahm-Frischkäse	
4 EL Milch	verrühren
2 Frühlingszwiebeln	putzen, waschen
150 g Lachsschinken	
	beide Zutaten fein schneiden, unter die Quarkmasse rühren, mit
Salz	
Pfeffer	
Paprikapulver	abschmecken 3 Eßlöffel der Füllung auf den unteren Boden streichen, mit
grünen Salatblättern	
2 Tomaten, in Scheiben	
1 kleinen Salatgurke, in Scheiben	
1 roten Paprikaschote, in Ringen	belegen (etwas zum Garnieren zurücklassen – Foto 2), mit der restlichen Quarkmasse (3 Eßlöffel zum Garnieren zurücklassen) bestreichen, mit dem oberen Boden belegen die Torte mit den zurückgelassenen Zutaten,
3 Scheiben Lachsschinken	garnieren (Foto 3).
Abwandlung	3 hartgekochte, gepellte, in Scheiben geschnittene Eier mit einschichten. Anstelle von Lachsschinken kann auch roher Schinken verwendet werden.

Zwiebelkuchen

einfach

Für den Zwillingsteig
Hefe- und Knetteig nach dem Grundrezept pikant (S. 265) zubereiten.

Für den Belag

1 kg Zwiebeln	abziehen, in Ringe schneiden
3 EL Speiseöl	erhitzen, die Zwiebelringe darin andünsten
150 g durchwachsenen Speck	in Würfel schneiden, unter die Zwiebelmasse rühren, kurz mitdünsten lassen, mit
Salz **frisch gemahlenem Pfeffer** **geriebener Muskatnuß** **etwas Kümmel (nach Belieben)**	würzen
1 Becher (150 g) Crème fraîche **3 Eier**	unterrühren.

Den gegangenen Hefeteig aus der Schüssel nehmen, auf der Arbeitsfläche mit dem Knetteig gut verkneten, gut die Hälfte des Teiges auf dem gefetteten Boden einer Springform (Ø 26 oder 28 cm) ausrollen, den Rest des Teiges zu einer Rolle formen, sie als Rand auf den Teigboden legen, so an die Form drücken, daß ein 3 cm hoher Rand entsteht
die Zwiebelmasse in die Form füllen, sofort backen

Ober-/Unterhitze	etwa 200 °C (vorgeheizt)
Heißluft	etwa 180 °C (nicht vorgeheizt)
Gas	Stufe 3–4 (nicht vorgeheizt)
Backzeit	etwa 1 Stunde.
Tip	Für die vegetarische Variante den Speck weglassen.

Abwandlung **Lauchkuchen**

Für den Belag

100 g durchwachsenen Speck	in Würfel schneiden, auslassen
1 kg Lauch (Porree)	putzen, das dunkle Grün bis auf etwa 10 cm entfernen, den Lauch in dünne Scheiben schneiden, gründlich waschen, abtropfen lassen, in dem Speckfett etwa 15 Minuten dünsten lassen, mit
Salz **Pfeffer**	würzen, abkühlen lassen
1 Pck. (200 g) Frühlingsquark	mit
3 Eiern	unter den Lauch rühren, Masse auf den Boden geben, wie oben backen.

Blätterteig ist ein fettreicher Teig, der ohne Zucker hergestellt wird, wodurch er vielseitig einsetzbar ist.

Die Zubereitung von Blätterteig erfordert viel Zeit, da der Teig immer wieder ausgerollt werden muß. Durch das mehrmalige Ausrollen, das sogenannte „Tourengeben“ entstehen Schichten, die durch dünne Butterschichten verbunden sind. Im Backofen (unter Hitzeeinwirkung) dehnt sich die enthaltene Luft aus, das enthaltene Wasser geht in Dampf über und die Butter schmilzt. Dadurch heben sich die Schichten und es entstehen die charakteristischen Blätter.

Die einzelnen Arbeitsschritte

Zutaten bereit stellen und abwiegen, bzw. abmessen.
Mehl in eine Rührschüssel sieben, etwas Fett, Salz, Essig und Wasser hinzufügen. Die Zutaten **mit Handrührgerät mit Knethaken** zunächst auf niedrigster, dann auf höchster Stufe zu einem glatten Teig verarbeiten.
Aus dem Teig eine Kugel formen, in Klarsichtfolie wickeln und 30 Minuten kalt stellen.

Kalte Butter mit etwas Mehl mit Handrührgerät mit Knethaken zunächst auf niedrigster, dann auf höchster Stufe zu einer einheitlichen Masse verkneten.
Arbeitsfläche mit Mehl bestäuben, **die Buttermasse zu einem Quadrat (12 x 12 cm) ausrollen.**

Teig zu einem Rechteck (25 x 12 cm) ausrollen, die ausgerollte Buttermasse auf eine Teighälfte legen.

Die andere Teighälfte darüberklappen, die Ränder andrücken.

Teigstück zu einem 1 cm dicken Rechteck ausrollen, **der Länge nach 3-fach übereinanderlegen, Teigstück um 90° drehen (Vierteldrehung).**

Teigstück nochmals zu einem 1 cm dicken Rechteck ausrollen, **der Länge nach 4-fach übereinanderlegen, zugedeckt 30 Minuten kalt stellen.**

Teigstück zu einem 1 cm dicken Rechteck ausrollen, der Länge nach 3-fach übereinanderlegen, Teigstück um 90° drehen (Vierteldrehung).

Teigstück nochmals zu einem 1 cm dicken Rechteck ausrollen, der Länge nach 4-fach übereinanderlegen, zugedeckt 30 Minuten kalt stellen.

Das Backen von Blätterteig

Vor dem Backen das Backblech einfetten und immer mit kaltem Wasser besprenkeln. Nach dem Backen das Gebäck sofort vom Backblech lösen und auf einem Kuchenrost erkalten lassen.

Grundrezept

225 g Weizenmehl	in eine Rührschüssel sieben
25 g Butter	
1/4 TL Salz	
1/2 EL Essig	
125 ml (1/8 l)	
lauwarmes Wasser	hinzufügen die Zutaten mit Handrührgerät mit Knethaken zunächst kurz auf niedrigster, dann auf höchster Stufe zu einem glatten Teig verarbeiten, ihn mit Klarsichtfolie zugedeckt 30 Minuten ruhen lassen.
225 g kalte Butter	in eine Rührschüssel geben
25 g Weizenmehl	hinzufügen beide Zutaten mit Handrührgerät mit Knethaken auf höchster Stufe zu einer einheitlichen Masse verkneten, auf der mit Mehl bestäubten Arbeitsfläche zu einem Quadrat (12 x 12 cm) ausrollen.

a. Teig zu einem Rechteck (25 x 12 cm) ausrollen, die ausgerollte Buttermasse auf eine Teighälfte legen, die andere Teighälfte darüberklappen, die Ränder andrücken.

b. Teigstück zu einem 1 cm dicken Rechteck ausrollen, der Länge nach 3-fach übereinanderlegen
Teigstück um 90° drehen (Vierteldrehung).

c. Teigstück nochmals zu einem 1 cm dicken Rechteck ausrollen, der Länge nach 4-fach übereinanderlegen, zugedeckt 30 Minuten kalt stellen.

Arbeitsschritte b + c nochmals wiederholen.

Teig je nach Rezept weiterverarbeiten und backen.

Abwandlung Anstelle von Weizenmehl Type 405 Weizenmehl Type 1050 verwenden.

Schuhsohlen, gefüllt

traditionell

(Foto)

	Für den Teig
300 g (5 Platten) TK-Blätterteig	zugedeckt bei Zimmertemperatur auftauen lassen, die Platten aufeinanderlegen
oder	
½ Grundrezept Blätterteig	
	Teig dünn ausrollen, mit einer runden Form (Ø etwa 6 cm) ausstechen, jede Teigplatte von beiden Seiten so auf
Zucker	ausrollen, daß ovale Teigstücke entstehen, auf ein gefettetes, mit Wasser besprenkeltes Backblech legen
Ober-/Unterhitze	200–220 °C (vorgeheizt)
Heißluft	170–180 °C (nicht vorgeheizt)
Gas	Stufe 4–5 (vorgeheizt)
Backzeit	etwa 10 Minuten
	die Schuhsohlen vom Backblech lösen, erkalten lassen.
	Für die Füllung
250 ml (¼ l) Schlagsahne	½ Minute schlagen
1 Pck. Vanillin-Zucker	mit
1 Pck. Sahnesteif	mischen, einstreuen, die Sahne steif schlagen, mit
Kirschwasser	abschmecken, die Hälfte der Schuhsohlen auf der Unterseite mit Sahne bespritzen, die übrigen darauf legen.

Himbeerschnitten

einfach

	Für den Teig
300 g (5 Platten) TK-Blätterteig	zugedeckt bei Zimmertemperatur auftauen lassen, jede Platte quer halbieren, auf ein gefettetes, mit Wasser besprenkeltes Backblech legen
Ober-/Unterhitze	200–220 °C (vorgeheizt)
Heißluft	170–180 °C (nicht vorgeheizt)
Gas	Stufe 4–5 (vorgeheizt)
Backzeit	etwa 15 Minuten
	die Blätterteigplatten vom Backblech lösen, erkalten lassen jede Platte waagerecht mit Hilfe eines Sägemessers durchschneiden.
	Für die Füllung
300 g Himbeerkonfitüre	auf die unteren Gebäckteile verteilen
250 ml (¼ l) Schlagsahne	½ Minute schlagen
1 Pck. Sahnesteif	mit
1 Pck. Vanillin-Zucker	mischen, einstreuen, die Sahne steif schlagen
1 EL Himbeergeist	unterschlagen, die Sahne auf die Himbeerkonfitüre streichen.

(Fortsetzung S. 284)

	Für die Glasur
100 g Puderzucker	sieben, mit
2 EL Zitronensaft	
2 EL Wasser	verrühren, die oberen Gebäckteile damit bestreichen
50 g Kuvertüre	in einem kleinen Topf im Wasserbad bei schwacher Hitze zu einer geschmeidigen Masse verrühren, die Kuvertüre in Streifen auf den gerade fest werdenden weißen Guß spritzen, die Glasur sofort mit einem Hölzchen verziehen.

Schweineöhrchen

traditionell

300 g (5 Platten) TK-Blätterteig	zugedeckt bei Zimmertemperatur auftauen lassen, die Platten aufeinanderlegen
o d e r	
1/2 Grundrezept Blätterteig	
	Teig zu einem Rechteck (55 x 22 cm) ausrollen, mit
25 g zerlassener, abgekühlter Butter	bestreichen
50 g Zucker	mit
1 Pck. Vanillin-Zucker	mischen, den Teig damit bestreuen von der Teigplatte den linken Teil der langen Seite zu zwei Dritteln und den rechten zu einem Drittel zusammenlegen, so daß die Kanten aneinanderstoßen, dann den Teig an der längeren Seite zur Hälfte überschlagen, so vor sich liegen lassen, dieses Teigstück zu einer Platte (30 x 30 cm) ausrollen, die linke und die rechte Seite so zur Mitte überschlagen, daß in der Mitte 2 cm Teig frei bleiben, die linke breite Kante auf die rechte legen, den Teig so lange kalt stellen, bis er schnittfest geworden ist, knapp 1 cm dicke Scheiben davon abschneiden, auf ein gefettetes, mit Wasser besprenkeltes Backblech legen
Ober-/Unterhitze	200–220 °C (vorgeheizt)
Heißluft	170–180 °C (nicht vorgeheizt)
Gas	Stufe 3–4 (vorgeheizt)
Backzeit	etwa 10 Minuten die Schweineöhrchen vom Backblech lösen, noch heiß mit
Zucker	bestreuen.
Tip	Schweineöhrchen können, in gut schließende Dosen geschichtet, 2–3 Wochen aufbewahrt werden.

Erdbeerschnitten

(Foto Seite 276/277)

beliebt

	Für den Teig
300 g (5 Platten) TK-Blätterteig o d e r 1/2 Grundrezept Blätterteig	zugedeckt bei Zimmertemperatur auftauen lassen
	Für die Füllung
1 Pck. Pudding-Pulver Vanille-Geschmack	
40 g Zucker	
125 ml (1/8 l) Milch	
250 ml (1/4 l) Schlagsahne	nach Anleitung auf dem Päckchen (mit den hier angegebenen Zutaten) einen Pudding zubereiten, kalt stellen, ab und zu durchrühren.
	Für den Belag
750 g Erdbeeren	waschen, gut abtropfen lassen, entstielen, halbieren, mit
50 g Zucker	bestreuen, zum Saftziehen stehen lassen die Teigplatten aufeinanderlegen, zunächst zu einem Rechteck (34 x 30 cm) ausrollen, dann 2 Rechtecke (30 x 14 cm) daraus schneiden, auf ein gefettetes, mit Wasser besprenkeltes Backblech legen aus dem restlichen Teig schmale Streifen schneiden, umeinanderschlingen, auf die mit
Kondensmilch	bestrichenen Teigkanten legen, mit Kondensmilch bestreichen die Teigplatten mehrmals mit einer Gabel einstechen, während des Backens evtl. nochmals einstechen
Ober-/Unterhitze	200–220 °C (vorgeheizt)
Heißluft	170–180 °C (nicht vorgeheizt)
Gas	Stufe 4–5 (vorgeheizt)
Backzeit	15–20 Minuten sofort nach dem Backen das Gebäck vom Backblech lösen, auf einem Kuchenrost erkalten lassen, mit dem Pudding bestreichen die Erdbeeren gut abtropfen lassen, schuppenförmig auf den Pudding legen.
	Für den Guß
1 Pck. Tortenguß	
30 g Zucker	
250 ml (1/4 l) Erdbeersaft (mit Wasser aufgefüllt)	nach Anleitung auf dem Päckchen zubereiten, über die Erdbeeren verteilen, die Längsseiten mit
15 g abgezogenen, gehackten Mandeln	bestreuen.

Mandelschleifen

raffiniert

	Für den Teig
300 g (5 Platten)	
TK-Blätterteig	zugedeckt bei Zimmertemperatur auftauen lassen, die Platten aufeinanderlegen
o d e r	
1/2 Grundrezept Blätterteig	
	Teig zu einem Rechteck (50 x 35 cm) ausrollen.
	Für die Füllung
200 g Marzipan-Rohmasse	mit
1 EL Aprikosenkonfitüre	
50 g weicher Margarine	
oder Butter	mit Handrührgerät mit Rührbesen zu einer geschmeidigen Masse verrühren, auf eine Teighälfte streichen (Foto 1), die andere Teighälfte darüberklappen, so daß ein Rechteck (25 x 35 cm) entsteht, das gefüllte Teigstück in etwa 1 1/2 cm breite und 25 cm lange Streifen schneiden (Foto 2) die Teigstreifen zu einem losen Knoten schlingen, auf ein gefettetes, mit Wasser besprenkeltes Backblech legen (Foto 3), mit
Kondensmilch	bestreichen, mit
etwa 20 g abgezogenen, gehobelten Mandeln	bestreuen
Ober-/Unterhitze	200–220 °C (vorgeheizt)
Heißluft	170–180 °C (nicht vorgeheizt)
Gas	Stufe 4–5 (vorgeheizt)
Backzeit	etwa 15 Minuten
	die erkalteten Mandelschleifen vor dem Servieren mit
30 g Puderzucker	bestäuben.

Schillerlocken

traditionell

(16 Stück)

	1 Grundrezept Blätterteig (S. 281) zubereiten die Hälfte des Blätterteiges auf einer bemehlten Arbeitsfläche 30 cm lang und 20 cm breit ausrollen, mit dem Teigrädchen in 8 Streifen von 2 cm Breite radeln 8 Schillerlockenformen mit kaltem Wasser abspülen jeden Teigstreifen von der Spitze her so um eine Metallform wickeln (Foto 1), daß der Teigstreifen mit zwei Dritteln eine Rundung bedeckt und das letzte Drittel den vorhergehenden Streifen überlappt, aus dem restlichen Teig werden nach dem gleichen Verfahren 8 weitere Schillerlocken zubereitet
1 Eigelb	mit
3 EL Milch	verschlagen, die Schillerlocken damit bestreichen
60 g abgezogene, gehobelte Mandeln	mit
60 g Hagelzucker	mischen, die Schillerlocken darin wälzen (Foto 2) die Formen auf ein gefettetes, mit Wasser besprenkeltes Backblech legen
Ober-/Unterhitze	200–220 °C (vorgeheizt)
Heißluft	170–180 °C (nicht vorgeheizt)
Gas	Stufe 4–5 (vorgeheizt)
Backzeit	etwa 15 Minuten die Schillerlocken etwas abkühlen lassen, von den Formen lösen, auf einem Kuchenrost auskühlen lassen.

(Fortsetzung S. 290)

	Für die Füllung
500 ml (1/2 l)	
Schlagsahne	1 Minute schlagen
2 TL Zucker	
2 Pck. Sahnesteif	mischen, einstreuen, die Sahne steif schlagen
	je 1/3 der Sahne mit
je 1 EL	
Orangenmarmelade	
Himbeerkonfitüre	
geraspelter Schokolade	verrühren, die Füllungen in die Schillerlocken spritzen (Foto 3).

Käsestangen

für Gäste

	Für den Teig
300 g (5 Platten)	
TK-Blätterteig	zugedeckt bei Zimmertemperatur auftauen lassen.
	Für die Füllung
150 g Höhlenkäse	fein raspeln, mit
1 TL Paprika, edelsüß	
etwas gestoßenem Pfeffer	vermengen.
	Die Blätterteigplatten mit der Käsemasse wieder zusammensetzen, das Teigpaket zu einem Rechteck (15 x 25 cm) ausrollen, in etwa 20 Stangen schneiden, auf ein gefettetes, mit Wasser besprenkeltes Backblech legen
Ober-/Unterhitze	200–220 °C (vorgeheizt)
Heißluft	170–180 °C (nicht vorgeheizt)
Gas	Stufe 4–5 (vorgeheizt)
Backzeit	etwa 15 Minuten.
Tip	Die erkalteten Blätterteigstangen lassen sich gut einfrieren. Auf dem Backblech 3 Minuten bei 180 °C auftauen.

Mangoldtaschen

raffiniert

Für den Teig

300 g (5 Platten) TK-Blätterteig zugedeckt bei Zimmertemperatur auftauen lassen.

Für die Füllung

1 kleine Staude (600 g) Mangold putzen (evtl. dabei die großen Blattstiele entfernen), mehrmals waschen, abtropfen lassen, die Blätter in schmale Streifen schneiden

25 g Margarine oder Butter zerlassen, Mangold,
3 EL Wasser hinzufügen, den Mangold zugedeckt etwa 10 Minuten dünsten, dann abkühlen lassen
100 g rohen Schinken in feine Streifen schneiden, mit
100 g Mascarpone unter den Mangold rühren, abkühlen lassen.

Jede Blätterteigplatte zu einem Quadrat ausrollen, halbieren die Füllung jeweils auf die Hälfte der Teigstücke verteilen, die Ränder der kürzeren Seiten mit
1 verschlagenen Eiweiß bestreichen, die andere Teighälfte über die Füllung klappen, die Ränder andrücken (Seiten sollen offen bleiben), auf ein gefettetes, mit kaltem Wasser besprenkeltes Backblech legen
1 Eigelb mit
1 EL Milch verschlagen, die Teigstücke damit bestreichen, mit
10 g gehackten Haselnußkernen bestreuen

Ober-/Unterhitze 200–220 °C (vorgeheizt)
Heißluft 170–180 °C (nicht vorgeheizt)
Gas Stufe 4–5 (vorgeheizt)
Backzeit etwa 25 Minuten.
Beigabe Crème fraîche.
Tip Anstelle von Mangold Blattspinat verwenden oder den rohen Schinken durch gekochten Schinken ersetzen.

Die einzelnen Arbeitsschritte

Eiweiß mit Handrührgerät mit Rührbesen auf höchster Stufe steif schlagen. Der Eischnee muß so fest sein, daß ein Messerschnitt sichtbar bleibt.

Zucker langsam einrieseln lassen und je nach Rezept geschmacksgebende Zutaten (z. B. Kokosraspel) vorsichtig unterrühren.

Baisermasse in einen Spritzbeutel füllen und in beliebigen Formen auf ein mit Backpapier belegtes Backblech spritzen

oder

Baisermasse mit 2 Teelöffeln als Häufchen auf das Backblech setzen.

Grundrezept Baiser

4 Eiweiß	mit Handrührgerät mit Rührbesen auf höchster Stufe steif schlagen, der Schnee muß so fest sein, daß ein Messerschnitt sichtbar bleibt
200 g feinkörnigen Zucker	eßlöffelweise unterschlagen die Baisermasse in einen Spritzbeutel füllen, in beliebigen Formen auf ein mit Backpapier belegtes Backblech spritzen oder mit 2 Teelöffeln aufsetzen
Ober-/Unterhitze	110–130 °C (vorgeheizt)
Heißluft	etwa 100 °C (nicht vorgeheizt)
Gas	25 Minuten Stufe 1, 25 Minuten aus, 25 Minuten Stufe 1 (nicht vorgeheizt)
Backzeit	70–100 Minuten das Gebäck darf nur leicht aufgehen und sich schwach gelblich färben.

Mandelmakronen

einfach

2 Eiweiß	mit Handrührgerät mit Rührbesen auf höchster Stufe steif schlagen, der Schnee muß so fest sein, daß ein Messerschnitt sichtbar bleibt, nach und nach
100 g feinkörnigen Zucker **1 Msp. gemahlenen Zimt** **2 Tropfen Bittermandel-Aroma**	unterschlagen
100 g abgezogene, gemahlene Mandeln, **75 g abgezogene, gehackte Mandeln**	beide Zutaten vorsichtig auf niedrigster Stufe unterheben von dem Teig mit 2 Teelöffeln Häufchen auf ein mit Backpapier belegtes Backblech setzen
Ober-/Unterhitze	130–150 °C (vorgeheizt)
Heißluft	110–120 °C (nicht vorgeheizt)
Gas	Stufe 1–2 (nicht vorgeheizt)
Backzeit	30–35 Minuten.

Baiser-Obst-Törtchen

traditionell

(Foto Seite 292/293)

	Für die Füllung
500 g Stachelbeeren (aus dem Glas)	abtropfen lassen, den Saft auffangen
500 g Erdbeeren	waschen, abtropfen lassen, entstielen, halbieren, mit
3 TL Zucker	bestreuen.
	Für die Baisermasse
2 Eiweiß	mit Handrührgerät mit Rührbesen auf höchster Stufe steif schlagen, es muß so fest sein, daß ein Messerschnitt sichtbar bleibt, nach und nach
100 g feinkörnigen Zucker	unterrühren die Baisermasse in einen Spritzbeutel mit gezackter Tülle füllen, Törtchen (Ø etwa 7 cm, Randhöhe etwa 2 cm) spiralförmig auf ein mit Backpapier belegtes Backblech spritzen, zu jedem Törtchen einen Tupfen als Hütchen spritzen
Ober-/Unterhitze	110–130 °C (vorgeheizt)
Heißluft	etwa 100 °C (vorgeheizt)
Gas	25 Minuten Stufe 1, 25 Minuten aus, 25 Minuten Stufe 1
Backzeit	etwa 70 Minuten die Törtchen erkalten lassen.
	Für den Guß
	aus
1 Pck. Tortenguß, klar (ohne Zuckerzugabe)	mit
250 ml (1/4 l) Stachelbeersaft (evtl. mit Wasser ergänzt)	nach Anleitung auf dem Päckchen zubereiten, über die Früchte verteilen
Schlagsahne	dazureichen.
Tip	Das Obst kann nach Belieben variiert werden: frische Stachelbeeren, Sauerkirschen, gedünsteten Rhabarber oder gemischte Beerenfrüchte verwenden. Bei roten Früchten roten Tortenguß nehmen. Als Beilage eignet sich auch Vanilleeis.

Busserl

für Gäste

2 Eiweiß	mit Handrührgerät mit Rührbesen auf höchster Stufe steif schlagen, der Schnee muß so fest sein, daß ein Messerschnitt sichtbar bleibt, nach und nach
100 g feinkörnigen Zucker	unterschlagen
1 gestr. EL Kakaopulver	auf den Eischnee sieben
50 g feingeschnittene Zartbitter-Schokolade	darüber geben, alles vorsichtig auf niedrigster Stufe unterheben, mit 2 Teelöffeln walnußgroße Häufchen auf ein mit Backpapier belegtes Backblech setzen
Ober-/Unterhitze	130–150 °C (vorgeheizt)
Heißluft	110–130 °C (nicht vorgeheizt)
Gas	Stufe 1–2 (nicht vorgeheizt)
Backzeit	25–35 Minuten.

Raspeli

einfach

3 Eiweiß	mit Handrührgerät mit Rührbesen auf höchster Stufe steif schlagen, der Schnee muß so fest sein, daß ein Messerschnitt sichtbar bleibt, nach und nach
200 g feinkörnigen Zucker	unterschlagen
30 g Kakaopulver	auf den Eischnee sieben
150 g Kokosraspel	darüber geben, alles vorsichtig auf niedrigster Stufe unterheben von dem Teig mit 2 Teelöffeln Häufchen auf ein mit Backpapier belegtes Backblech setzen
Ober-/Unterhitze	130–150 °C (vorgeheizt)
Heißluft	110–130 °C (nicht vorgeheizt)
Gas	Stufe 1–2 (nicht vorgeheizt)
Backzeit	etwa 25 Minuten.
Tip	In gut schließenden Blechdosen kann Eiweißgebäck 3–4 Wochen aufbewahrt werden.

Mokka-Eierlikör-Eistorte

für Gäste

	Für den Knetteig
150 g Weizenmehl	mit
1 Msp. Backpulver	mischen, in eine Rührschüssel sieben
50 g Zucker	
1 Pck. Vanillin-Zucker	
100 g Butter	hinzufügen die Zutaten mit Handrührgerät mit Rührbesen zunächst kurz auf niedrigster, dann auf höchster Stufe gut durcharbeiten, anschließend auf der Arbeitsfläche zu einem glatten Teig verkneten den Teig auf dem Boden einer Springform (Ø 28 cm) ausrollen, mehrmals mit einer Gabel einstechen, den Springformrand darumlegen
Ober-/Unterhitze	200–220 °C (vorgeheizt)
Heißluft	etwa 170 °C (nicht vorgeheizt)
Gas	Stufe 3–4 (vorgeheizt)
Backzeit	etwa 15 Minuten den Tortenboden sofort nach dem Backen vom Springformboden lösen, darauf erkalten lassen.
	Für die Baisermasse
4 Eiweiß	mit Handrührgerät mit Rührbesen auf höchster Stufe steif schlagen, nach und nach
200 g feinkörnigen Zucker	unterschlagen, 3 Eßlöffel der Masse in einen Spritzbeutel mit Lochtülle füllen, aus der übrigen Masse 3 Böden (Ø 28 cm) backen Backpapier auf Backbleche legen, 3 Kreise (Ø 28 cm) vorzeichnen, den inneren Kreis mit einem Ring der Baisermasse ausspritzen, dann die ganze Fläche mit Baisermasse ausstreichen (Foto 1), aus der restlichen Baisermasse kleine Motive (z. B. Kreise, Dreiecke oder Herzen) mit auf die Backbleche spritzen

(Fortsetzung S. 300)

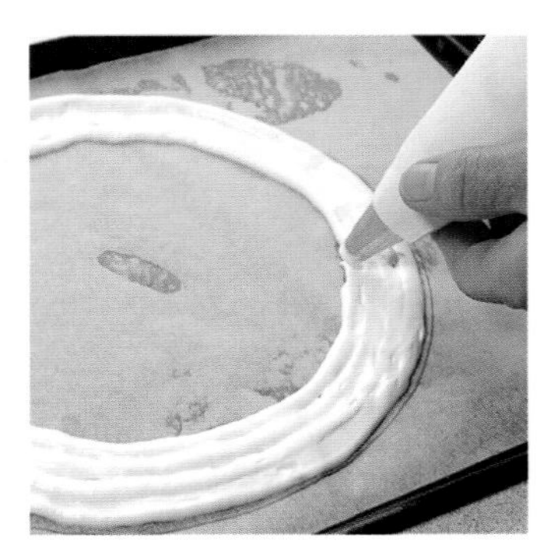

Ober-/Unterhitze	100–110 °C (vorgeheizt)
Heißluft	100–110 °C (vorgeheizt)
Gas	Stufe 1, nach 30 Minuten Ofen ausschalten, Böden noch etwa 20 Minuten im Ofen stehen lassen
Backzeit	etwa 75 Minuten Gebäck bis zur Weiterverarbeitung in gut schließenden Blechdosen (oder in Alufolie gewickelt) aufbewahren, damit es nicht weich wird.
	Für das Eis
1 l Schlagsahne	mit
3 Pck. Sahnesteif	
2 Pck. Vanillin-Zucker	steif schlagen, unter 1/4 der Sahne
4 EL Eierlikör	rühren
2 TL Instant-Kaffee	in
1 EL kaltem Wasser	auflösen, unter 1/3 der übrigen Sahne rühren.
	Den Knetteigboden mit
3 EL Johannisbeergelee	bestreichen, mit einem der Baiserböden bedecken, mit Eierlikörsahne bestreichen, mit dem zweiten Baiserboden bedecken, mit Mokkasahne bestreichen (Foto 2), mit dem dritten Boden bedecken (Foto 3), diesen mit der Hälfte der restlichen Sahne bestreichen, die restliche Sahne in einen Spritzbeutel mit Lochtülle füllen, den Rand der Torte damit verzieren Torte in das Gefrierfach stellen (am besten über Nacht), gefrieren lassen, etwa 1 1/2 Stunden vor dem Verzehr aus dem Gefrierfach nehmen Torte kurz vor dem Verzehr mit den Baiserkreisen garnieren, mit
Kakaopulver	bestäuben.
Tip	Torte kann auch einige Tage vor dem Verzehr zubereitet und eingefroren werden.

Haselnußmakronen

einfach

4 Eiweiß	mit Handrührgerät mit Rührbesen auf höchster Stufe steif schlagen, der Schnee muß so fest sein, daß ein Messerschnitt sichtbar bleibt, nach und nach
200 g feinkörnigen Zucker	
1 Msp. gemahlenen Zimt	
4 Tropfen Bittermandel-Aroma	unterschlagen
200 g gehobelte Haselnußkerne	
150 g gemahlene Haselnußkerne	

beide Zutaten vorsichtig auf niedrigster Stufe unterheben
von dem Teig mit 2 Teelöffeln Häufchen auf ein mit Backpapier belegtes Backblech setzen

Ober-/Unterhitze	130–150 °C (vorgeheizt)
Heißluft	110–130 °C (nicht vorgeheizt)
Gas	Stufe 1–2 (nicht vorgeheizt)
Backzeit	20–25 Minuten.

Baseler Herzen

traditionell

	Für den Teig
2 Eiweiß	mit
250 g Zucker	
1 Pck. Vanillin-Zucker	mit Handrührgerät mit Rührbesen auf höchster Stufe schaumig schlagen
2 geh. TL Kakaopulver	
2 gestr. TL gemahlenen Zimt	
½ TL gemahlene Nelken	
½ Fläschchen Rum-Aroma	
15 g zerlassene, abgekühlte Butter oder Margarine	vorsichtig unterrühren
250 g nicht abgezogene, gemahlene Mandeln	
½ gestr. TL Backpulver	mischen, unter die Eiweißmasse rühren, so daß ein fester Teig entsteht, den Teig etwa ½ cm dick auf der leicht mit Weizenmehl bestäubten Arbeitsfläche ausrollen, Herzen ausstechen, auf ein gefettetes Backblech legen
Ober- /Unterhitze	170–200 °C (vorgeheizt)
Heißluft	150–180 °C (nicht vorgeheizt)
Gas	Stufe 3–4 (vorgeheizt)
Backzeit	etwa 10 Minuten.
	Für den Guß
200 g gesiebten Puderzucker	mit
2–3 EL heißem Wasser	zu einer dickflüssigen Masse verrühren die Herzen nach dem Backen vorsichtig vom Backblech lösen, noch heiß mit dem Guß bestreichen.

Wespennester

traditionell

(Foto)

3 Eiweiß	mit Handrührgerät mit Rührbesen auf höchster Stufe steif schlagen, der Schnee muß so fest sein, daß ein Messerschnitt sichtbar bleibt (Foto 1), nach und nach
250 g feinkörnigen Zucker **1 Pck. Vanillin-Zucker**	unterschlagen
125 g geriebene Schokolade **250 g abgezogene, gehackte Mandeln**	beide Zutaten vorsichtig auf niedrigster Stufe unterheben (Foto 2), den Teig mit 2 Teelöffeln in Häufchen auf ein mit Backpapier belegtes Backblech setzen (Foto 3)
Ober-/Unterhitze	130–150 °C (vorgeheizt)
Heißluft	110–130 °C (nicht vorgeheizt)
Gas	Stufe 1–2 (nicht vorgeheizt)
Backzeit	etwa 25 Minuten.

Kokosmakronen

200 g Kokosraspel	auf einem Backblech leicht rösten, erkalten lassen
4 Eiweiß	steif schlagen, der Schnee muß so fest sein, daß ein Messerschnitt sichtbar bleibt, nach und nach
200 g feinkörnigen Zucker **1 Msp. gemahlenen Zimt** **2 Tropfen Bittermandel-Aroma**	unterschlagen, die Kokosraspel vorsichtig unter den Eischnee heben (nicht rühren) von dem Teig mit zwei Teelöffeln Häufchen auf ein gefettetes Backblech setzen
Ober-/Unterhitze	130–150 °C (vorgeheizt)
Heißluft	etwa 120 °C (nicht vorgeheizt)
Gas	Stufe 1–2 (nicht vorgeheizt)
Backzeit	20–25 Minuten.

AUTHENTICS

Teige zum Ausbacken:

Folgende Teigarten können für Fettgebäck verwendet werden:
- Brandteig (Seite 230 f.)
- Knetteig (Seite 64 f.)
- Quark-Öl-Teig (Seite 210 f.)
- Hefeteig (Seite 116 f.)

Zum Ausbacken des Fettgebäcks eignet sich sowohl ein großer Kochtopf als auch eine Friteuse.

Fett:
Ausschlaggebend ist das richtige Fett. Am besten eignet sich ein geschmacksneutrales hundertprozentiges Pflanzenfett (z. B. Kokosfett). Öl allein verwenden, niemals mit festem Fett mischen.
Die Friteuse (Fritiertopf) so weit mit Fett füllen, daß die Teigstücke darin schwimmen können. Unterschiedliches Fritiergut (z. B. Fisch, Gebäck) kann nacheinander in demselben Fettbad ausgebacken werden. Die hohe Temperatur verhindert eine Geschmacksübertragung.
Fett nach dem Fritieren reinigen. Dazu das Fett durch ein mit Küchenpapier ausgelegtes Metallsieb gießen.
Ausbackfett kann 6–10mal verwendet werden.

Temperatur:
Beim Einlegen des Teiges darf das Fett weder zu heiß noch zu kalt sein. Bei zu starker Hitze bräunt das Gebäck zu schnell, geht nicht richtig auf und bleibt innen teigig. Ist das Fett zu kalt, saugt das Gebäck zuviel Fett auf. Außerdem kann das Fett anfangen zu schäumen, sobald der Teig eingelegt wird. Das Schäumen kann so stark werden, daß empfindliche Gebäckstücke förmlich auseinandergerissen werden. Sobald das Fett anfängt zu schäumen, muß es stärker erhitzt werden. Nicht zuviel Teigstücke auf einmal in das Fett geben. Vorsichtig mit der Zugabe von neuem Teig sein, da dadurch eine weitere Abkühlung des Fettes eintritt.

Im übrigen soll vor jeder Teigzugabe das Fett geprüft werden, ob es die richtige Temperatur hat, und zwar müssen sich um einen in das Fett gehaltenen Holzlöffelstiel Bläschen bilden. Die richtige Temperatur liegt bei 170–190 °C.

Nach dem Ausbacken das Gebäck auf Küchenpapier abtropfen lassen.

Nußkrapfen

einfach

(Foto Seite 304/305)

	Für den Brandteig
375 ml (3/8 l) Wasser 100 g Margarine oder Butter 1 TL Zucker 1 Prise Salz	am besten in einem Stieltopf zum Kochen bringen
250 g Weizenmehl	mit
30 g Speisestärke	mischen, sieben, auf einmal in die von der Kochstelle genommene Flüssigkeit schütten, zu einem glatten Kloß rühren, unter Rühren etwa 1 Minute erhitzen, den heißen Kloß sofort in eine Rührschüssel geben nach und nach
7 Eier	mit Handrührgerät mit Knethaken auf höchster Stufe unterarbeiten
1 gestr. TL Backpulver	in den erkalteten Teig arbeiten zum Schluß
100 g gehackte Haselnußkerne 100 g gehackte Walnußkerne 150 g Rosinen	unterarbeiten von dem Teig mit einem Eßlöffel Stücke abstechen, schwimmend in siedendem
Ausbackfett	ausbacken (6–8 Minuten) die abgetropften Nußkrapfen in einem
Zucker-Zimt-Gemisch	wälzen oder mit
Puderzucker	bestäuben.

Hobelspäne

	Für den Knetteig
500 g Weizenmehl	mit
1 gestr. TL Backpulver	mischen, in eine Rührschüssel sieben
100 g Zucker einige Tropfen Zitronen-Aroma 1 Fläschchen Rum-Aroma 3 Eier 4 EL Milch oder Wasser 125 g Margarine oder Butter	hinzufügen

die Zutaten mit Handrührgerät mit Knethaken zunächst kurz auf niedrigster, dann auf höchster Stufe gut durcharbeiten, anschließend auf der Arbeitsfläche zu einem glatten Teig verkneten
den Teig dünn ausrollen, Streifen (etwa 2 x 6 cm) ausrädeln, in der Mitte einschneiden, das eine Ende einmal durchziehen
die Hobelspäne schwimmend in siedendem

Ausbackfett goldbraun backen, mit einem Schaumlöffel herausnehmen, auf Küchenpapier abtropfen lassen, mit

50 g Puderzucker bestäuben.

Muzenmandeln

traditionell

Für den Knetteig

500 g Weizenmehl mit

2 gestr. TL Backpulver mischen, in eine Rührschüssel sieben

150 g Zucker
½ Fläschchen Rum-Aroma
3 Eier
1 Prise Salz
150 g Margarine oder Butter hinzufügen

die Zutaten mit Handrührgerät mit Knethaken zunächst kurz auf niedrigster, dann auf höchster Stufe gut durcharbeiten, anschließend auf der Arbeitsfläche zu einem glatten Teig verkneten, sollte er kleben, ihn eine Zeitlang kalt stellen
den Teig etwa 1 cm dick ausrollen, Muzenmandeln mit einer Muzenmandelform ausstechen oder mit zwei Teelöffeln formen, schwimmend in siedendem

Ausbackfett goldgelb backen, mit einem Schaumlöffel herausnehmen, auf Küchenpapier gut abtropfen lassen, noch heiß in

Zucker wenden.

Berliner

traditionell/beliebt

	Für den Hefeteig
500 g Weizenmehl	in eine Rührschüssel sieben, mit
1 Pck. Trockenhefe	sorgfältig vermischen
30 g Zucker	
1 Pck. Vanillin-Zucker	
3 Tropfen Bittermandel-Aroma	
1 gestr. TL Salz	
2 Eier	
1 Eigelb	
125 ml (1/8 l) lauwarme Milch	
100 g zerlassene, abgekühlte Margarine oder Butter	hinzufügen die Zutaten mit Handrührgerät mit Knethaken zunächst auf niedrigster, dann auf höchster Stufe in etwa 5 Minuten zu einem Teig verarbeiten den Teig so lange an einem warmen Ort stehen lassen, bis er sich sichtbar vergrößert hat, ihn leicht mit Mehl bestäuben, aus der Schüssel nehmen, auf der Arbeitsfläche nochmals kurz durchkneten den Teig etwa 1/2 cm dick ausrollen, mit einer runden Form (Ø etwa 7 cm) ausstechen, die Hälfte der Teigplatten am Rand dünn mit etwas von
1 verschlagenen Eiweiß	bestreichen, in die Mitte jeweils etwas von
300 g Konfitüre	geben, die übrigen Teigplatten darauf legen, die Teigränder gut andrücken, die Teigstücke nochmals so lange an einem warmen Ort gehen lassen, bis sie sich sichtbar vergrößert haben die Bällchen schwimmend in siedendem
Ausbackfett	auf beiden Seiten backen, mit einem Schaumlöffel herausnehmen, auf Küchenpapier abtropfen lassen, in
Zucker	wenden.
Tip	Nach Belieben die Berliner mit Zuckerguß bestreichen. Dafür gesiebten Puderzucker mit soviel lauwarmem Wasser verrühren, daß ein streichfähiger Guß entsteht.

Eberswalder Spritzkuchen

traditionell

Für den Brandteig

250 ml (1/4 l) Wasser	
50 g Margarine	
oder Butter	am besten in einem Stieltopf zum Kochen bringen
150 g Weizenmehl	mit
30 g Speisestärke	mischen, sieben, auf einmal in die von der Kochstelle genommene Flüssigkeit schütten, zu einem glatten Kloß rühren (Foto 1), unter Rühren etwa 1 Minute erhitzen, den heißen Kloß sofort in eine Rührschüssel geben, nach und nach
25 g Zucker	
1 Pck. Vanillin-Zucker	
4–6 Eier	mit Handrührgerät mit Knethaken auf höchster Stufe unterarbeiten, die Eiermenge hängt von der Beschaffenheit des Teiges ab, er muß stark glänzen und so von einem Löffel abreißen, daß lange Spitzen hängenbleiben
1 gestr. TL Backpulver	in den erkalteten Teig arbeiten, ihn in einen Spritzbeutel (weite Tülle) füllen, auf gefettete Pergamentpapiere (etwa 10 x 10 cm groß) in Form von Kränzen spritzen (Foto 2) durch Eintauchen der Papiere in siedendes
Ausbackfett	die Kränzchen lösen, schwimmend auf beiden Seiten hellbraun backen (Foto 3), mit einem Schaumlöffel herausnehmen, auf Küchenpapier abtropfen lassen.

Für den Guß

200 g Puderzucker	sieben, mit
2 EL Zitronensaft	
so viel heißem Wasser	glattrühren, daß eine dickflüssige Masse entsteht das Gebäck damit überziehen.

Rheinische Muzen

beliebt

Für den Teig

50 g Butterschmalz zerlassen, in eine Rührschüssel geben und lauwarm abkühlen lassen, mit Handrührgerät mit Rührbesen auf höchster Stufe geschmeidig rühren, nach und nach

40 g Zucker
1 TL Vanillin-Zucker
1 Prise Salz unterrühren, so lange rühren, bis eine gebundene Masse entstanden ist

1 Ei
2 EL Rum unterrühren

250 g Weizenmehl sieben, die Hälfte davon unterrühren, das restliche Mehl unterkneten

den Teig auf der bemehlten Arbeitsfläche dünn ausrollen, in 7 cm große Rauten schneiden

Butterschmalz erhitzen

die Muzen portionsweise von beiden Seiten schwimmend in dem siedenden Fett in 1–2 Minuten goldbraun ausbacken, mit einem Schaumlöffel herausnehmen, auf Küchenpapier abtropfen lassen, noch warm mit

2 EL Puderzucker bestäuben.

Fettkrapfen

preiswert

Für den Brandteig

125 ml (1/8 l) Wasser
30 g Margarine
oder Butter am besten in einem Stieltopf zum Kochen bringen

100 g Weizenmehl mit

15 g Speisestärke mischen, sieben, auf einmal in die von der Kochstelle genommene Flüssigkeit schütten, zu einem glatten Kloß rühren, unter Rühren etwa 1 Minute erhitzen, den heißen Kloß sofort in eine Rührschüssel geben, nach und nach

2–3 Eier mit Handrührgerät mit Knethaken auf höchster Stufe unterarbeiten, die Eiermenge hängt von der Beschaffenheit des Teiges ab, er muß stark glänzen und so von einem Löffel abreißen, daß lange Spitzen hängenbleiben

1 Msp. Backpulver in den erkalteten Teig arbeiten

40 g Rosinen kurz unterarbeiten

Ausbackfett erhitzen, mit einem in das heiße Fett getauchten Teelöffel Teigbällchen abstechen, schwimmend in dem siedenden Fett hellbraun backen, mit einem Schaumlöffel herausnehmen, auf Küchenpapier abtropfen lassen, noch warm mit
Puderzucker bestäuben.
Abwandlung Für Schinken-Käsebällchen
den Teig mit 1 Prise Salz zubereiten. Statt Rosinen je 50 g kleingewürfelten rohen Schinken und Käse unterarbeiten.

Doughnuts
(12 Stück)

dauert länger

Für den Hefeteig

375 g Weizenmehl in eine Rührschüssel sieben, mit
1 Pck. Trockenhefe sorgfältig vermischen
40 g Zucker
1 Prise Salz
2 Eigelb
150 ml lauwarme Milch
60 g zerlassene, abgekühlte Butter oder Margarine hinzufügen

die Zutaten mit Handrührgerät mit Knethaken zunächst auf niedrigster, dann auf höchster Stufe in etwa 5 Minuten zu einem glatten Teig verarbeiten, den Teig zugedeckt so lange an einem warmen Ort stehen lassen, bis er sich sichtbar vergrößert hat, ihn leicht mit Mehl bestäuben, aus der Schüssel nehmen, dann auf der Arbeitsfläche nochmals kurz durchkneten

den Teig etwa 1 cm dick ausrollen, zunächst Kreise (Ø 9 cm), dann aus der Mitte nochmals so ausstechen, daß 2 cm breite Ringe entstehen, diese nochmals so lange an einem warmen Ort gehen lassen, bis sie sich sichtbar vergrößert haben, die Ringe schwimmend in siedendem
Ausbackfett auf beiden Seiten backen, mit einem Schaumlöffel herausnehmen, auf Küchenpapier abtropfen lassen, noch warm mit
Puderzucker bestäuben.

Pflaumenkrapfen

beliebt

Für den Quark-Öl-Teig

150 g Weizenmehl	mit
4 gestr. TL Backpulver	mischen, in eine Rührschüssel sieben
75 g Magerquark	
50 ml Milch	
50 ml Speiseöl	
40 g Zucker	
1 Pck. Vanillin-Zucker	
1 Fläschchen Butter-Vanille-Aroma	
1 Prise Salz	hinzufügen die Zutaten mit Handrührgerät mit Knethaken auf höchster Stufe in etwa 1 Minute verarbeiten (nicht zu lange, Teig klebt sonst), anschließend auf der bemehlten Arbeitsfläche zu einer Rolle formen.

Für die Füllung

10–15 Pflaumen (je nach Größe)	waschen, entstielen, trockentupfen, entsteinen
10–15 Stück Würfelzucker	in
gemahlenem Zimt	wälzen, die Pflaumen damit füllen.
	Den Teig in 10–15 gleichmäßige Stücke schneiden, je eine Pflaume in ein Teigstück einhüllen, den Teig gut andrücken, die Teigkugeln schwimmend in siedendem
Ausbackfett	hellbraun backen, mit einem Schaumlöffel herausnehmen, auf Küchenpapier gut abtropfen lassen, evtl. noch heiß in
Zucker	wenden.

Für die Sauce

300 g entsteinte Pflaumen	pürieren, mit
etwa 2 EL Zucker	
etwa 1 EL Pflaumengeist	abschmecken.

Marzipanstollen

raffiniert

(Foto Seite 318/319)

	Für den Hefeteig
375 g Rosinen	mit
4 EL Rum	beträufeln, mehrere Stunden (am besten über Nacht) stehen lassen
1 Pck. Trockenhefe	mit
1 TL Zucker	in einem Schälchen mit
150 ml lauwarmer Milch	sehr sorgfältig anrühren, etwa 15 Minuten bei Zimmertemperatur stehen lassen
375 g Weizenmehl	in eine Rührschüssel sieben, in die Mitte eine Vertiefung eindrücken
75 g Zucker **1 Pck. Vanillin-Zucker** **1 Prise Salz** **2 Msp. gemahlenen Kardamom** **2 Msp. gemahlene Muskatblüte** **1 Ei** **150 g sehr weiche Margarine oder Butter**	an den Rand des Mehls geben die angesetzte Hefe in die Vertiefung geben die Zutaten mit Handrührgerät mit Knethaken zunächst auf niedrigster, dann auf höchster Stufe in etwa 5 Minuten zu einem Teig verarbeiten den Teig zugedeckt so lange an einem warmen Ort stehen lassen, bis er sich sichtbar vergrößert hat, ihn auf der Arbeitsfläche nochmals kurz durchkneten, dabei Rum-Rosinen,
100 g gewürfeltes Zitronat (Sukkade) **100 g abgezogene, gehackte Mandeln**	unterkneten den Teig zu einem Rechteck (30 x 20 cm) ausrollen
200 g Marzipan-Rohmasse	gut durchkneten, zu einem Rechteck (30 x 15 cm) ausrollen, dieses so auf die Teigplatte legen, daß an den Längsseiten etwas Teig frei bleibt den Teig von der längeren Seite her nicht zu locker aufrollen, zu einem Stollen formen den Stollen auf ein mit doppeltem Backpapier belegtes Backblech legen, nochmals so lange an einem warmen Ort gehen lassen, bis er sich sichtbar vergrößert hat

Ober-/Unterhitze	Vorheizen etwa 250 °C, backen 150–170 °C
Heißluft	Vorheizen etwa 220 °C, backen etwa 150 °C
Gas	Stufe 2–3 (vorgeheizt)
Backzeit	45–55 Minuten
	den Stollen sofort nach dem Backen mit der Hälfte von
100 g zerlassener Butter	bestreichen, mit
Puderzucker	bestäuben, etwas abkühlen lassen, den Vorgang wiederholen.

Früchtekuchen

beliebt

125 g Haselnußkerne	halbieren
125 g getrocknete Feigen	in Würfel schneiden
3 Eier	mit Handrührgerät mit Rührbesen auf höchster Stufe in 1 Minute schaumig schlagen
125 g Zucker	mit
1 Pck. Vanillin-Zucker	mischen, in 1 Minute einstreuen, dann noch etwa 2 Minuten schlagen
½ Fläschchen Rum-Aroma	
1 Msp. gemahlenen Zimt	kurz unterrühren
125 g Weizenmehl	mit
50 g Speisestärke	
1 gestr. TL Backpulver	mischen, sieben, alle Zutaten mit
60 g abgezogenen, gehackten Mandeln	
250 g Rosinen	
125 g gewürfeltem Zitronat (Sukkade)	auf niedrigster Stufe unter die Eiercreme rühren
	den Teig in eine gefettete, mit Backpapier ausgelegte Kastenform (30 x 11 cm) füllen
Ober-/Unterhitze	170–200 °C (vorgeheizt)
Heißluft	etwa 150 °C (nicht vorgeheizt)
Gas	Stufe 2–3 (nicht vorgeheizt)
Backzeit	70–90 Minuten.

Zimtsterne

traditionell

3 Eiweiß	mit Handrührgerät mit Rührbesen auf höchster Stufe steif schlagen
250 g Puderzucker	sieben, nach und nach unterrühren zum Bestreichen der Sterne 2 gut gehäufte Eßlöffel Eischnee abnehmen
1 Pck. Vanillin-Zucker **3 Tropfen Bittermandel-Aroma** **1 gestr. TL gemahlenen Zimt**	und die Hälfte von
275–325 g nicht abgezogenen, gemahlenen Mandeln oder Haselnußkernen	vorsichtig auf niedrigster Stufe unter den übrigen Eischnee rühren von dem Rest der Mandeln (Haselnußkerne) so viel unterkneten, daß der Teig kaum noch klebt, ihn auf einer mit
Puderzucker	bestäubten Arbeitsfläche etwa 1/2 cm dick ausrollen, Sterne ausstechen, auf ein mit Backpapier belegtes Backblech legen, mit dem zurückgelassenen Eischnee bestreichen, der Guß muß so sein, daß er sich glatt auf die Sterne streichen läßt, evtl.
einige Tropfen Wasser	unterrühren
Ober-/Unterhitze	130–150 °C (vorgeheizt)
Heißluft	etwa 120 °C (nicht vorgeheizt)
Gas	Stufe 1–2 (nicht vorgeheizt)
Backzeit	20–30 Minuten das Gebäck muß sich beim Herausnehmen auf der Unterseite noch etwas weich anfühlen.
Tip	Die Zimtsterne am besten in gut schließenden Dosen aufbewahren. Eiweiß und Eigelb sehr sorgfältig voneinander trennen , weil kleinste Spuren von Eigelb das Steifwerden des Eiweißes verhindern können. Eiweiß muß so steif geschlagen werden, daß ein Messerschnitt sichtbar bleibt.

Nürnberger Elisenlebkuchen

traditionell

(Teig für etwa 40 Oblaten, Durchmesser etwa 6 cm)	
	Für den Rührteig
75 g Orangeat oder Zitronat (Sukkade)	sehr fein würfeln
125 g nicht abgezogene Mandeln	mahlen
2 Eier	mit Handrührgerät mit Rührbesen auf höchster Stufe in 1 Minute schaumig schlagen
200 g Farinzucker	mit
1 Pck. Vanillin-Zucker	mischen, in 1 Minute einstreuen, dann noch etwa 2 Minuten schlagen
1 Msp. gemahlene Nelken	
½ Fläschchen Rum-Aroma	
1–2 Tropfen Zitronen-Aroma	unterrühren, die Mandeln mit
1 Msp. Backpulver	mischen, mit dem Orangeat (Zitronat) und so viel von
75–125 g gemahlenen Haselnußkernen*	kurz auf niedrigster Stufe unter die Eiercreme rühren, daß der Teig noch streichfähig ist
	auf jede Oblate einen gehäuften Teelöffel des Teiges geben, mit einem in Wasser getauchten Messer bergförmig auf die ganze Oblate streichen, auf ein Backblech legen
Ober-/Unterhitze	130–150 °C (vorgeheizt)
Heißluft	etwa 120 °C (nicht vorgeheizt)
Gas	Stufe 1–2 (vorgeheizt)
Backzeit	25–30 Minuten.
	Für den hellen Guß
150 g Puderzucker	sieben, mit
1–2 EL heißem Wasser	glattrühren, so daß eine dickflüssige Masse entsteht.
	Für den dunklen Guß
75 g Schokolade	mit
10 g Kokosfett	in einem kleinen Topf im Wasserbad bei schwacher Hitze zu einer geschmeidigen Masse verrühren
	die Hälfte der Lebkuchen gleich nach dem Backen mit hellem und den Rest mit dunklem Guß bestreichen.

* Die erforderliche Menge Haselnußkerne hängt von der Größe der Eier ab.

Haferflockenplätzchen

75 g Margarine oder Butter	zerlassen
125 g grobe Haferflocken	unter Rühren leicht darin bräunen
	1 Eßlöffel von
75 g Zucker	kurz mitbräunen lassen, die Haferflocken kalt stellen
1 Ei	mit Handrührgerät mit Rührbesen in 1 Minute schaumig schlagen, nach und nach den Rest des Zuckers,
3–5 Tropfen Bittermandel-Aroma	hinzugeben, noch etwa 2 Minuten schlagen
50 g Weizenmehl	mit
1 gestr. TL Backpulver	mischen, auf die Eiercreme sieben, die erkalteten Haferflocken hinzufügen, kurz auf niedrigster Stufe unterrühren von dem Teig mit 2 Teelöffeln walnußgroße Häufchen auf ein gefettetes Backblech setzen
Ober-/Unterhitze	180–200 °C (vorgeheizt)
Heißluft	160–180 °C (nicht vorgeheizt)
Gas	Stufe 3–4 (vorgeheizt)
Backzeit	12–15 Minuten.

Christbaumbrezeln

100 g Margarine oder Butter	mit Handrührgerät mit Rührbesen auf höchster Stufe geschmeidig rühren, nach und nach
200 g Zucker	
1 Pck. Vanillin-Zucker	
1 Prise Salz	
1 Ei	
1 Eiweiß	unterrühren
500 g Weizenmehl	mit
1 Pck. Backpulver	mischen, sieben, 2/3 davon auf mittlerer Stufe unterrühren, den Rest des Mehls auf der Arbeitsfläche unterkneten, sollte der Teig kleben, ihn eine Zeitlang kalt stellen den Teig in kleinen Portionen zu bleistiftdicken Rollen formen, diese in etwa 20 cm lange Stücke schneiden, zu Brezeln schlingen, auf ein gefettetes Backblech legen
1 Eigelb	mit
1 EL Milch	verschlagen, die Brezeln damit bestreichen
Ober-/Unterhitze	180–200 °C (vorgeheizt)
Heißluft	160–180 °C (nicht vorgeheizt)
Gas	Stufe 3–4 (vorgeheizt)
Backzeit	etwa 15 Minuten.

Quarkstollen

traditionell

Für den Knetteig

375 g Rosinen	mit
100 ml Rum	beträufeln, mehrere Stunden (am besten über Nacht) stehen lassen
500 g Weizenmehl	mit
1 Pck. Backpulver	mischen, in eine Rührschüssel sieben
150 g Zucker **1 Pck. Vanillin-Zucker** **1 Prise Salz** **4 Tropfen Bittermandel-Aroma** **je 1 Msp. Nelken, Kardamom, Ingwer, Muskatnuß, Zimt (alles gemahlen)** **1 Pck. Feine Orangenfrucht** **2 Eier** **150 g Margarine oder Butter** **50 g Rinderfett (kleingeschnitten)** **250 g Magerquark**	hinzufügen die Zutaten mit Handrührgerät mit Knethaken zunächst kurz auf niedrigster, dann auf höchster Stufe gut durcharbeiten, anschließend
250 g abgezogene, gemahlene Mandeln, 150 g gewürfeltes Zitronat (Sukkade) 100 g gewürfeltes Orangeat	und die Rum-Rosinen auf der Arbeitsfläche unterkneten, alles zu einem glatten Teig verkneten

(Fortsetzung S. 328)

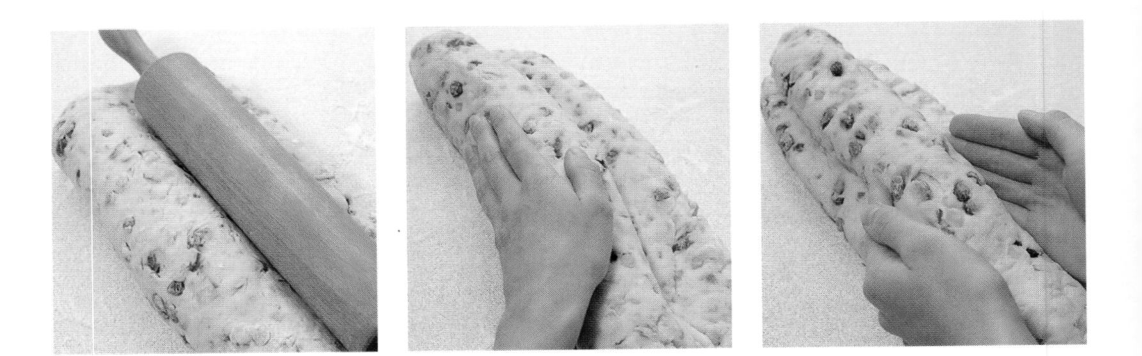

	den Teig zu einem Stollen formen, dazu den Teig aufrollen und mit der Teigrolle der Länge nach eine Vertiefung eindrücken (Foto 1), linke Seite auf die rechte Seite schlagen (Foto 2), den mittleren Teil mit den Händen formen (Foto 3), Stollen auf ein mit Backpapier (doppelt) belegtes Backblech legen
Ober-/Unterhitze	Vorheizen 250 °C, backen 160–180 °C
Heißluft	Vorheizen etwa 200 °C, backen etwa 150 °C
Gas	Stufe 2–3 (vorgeheizt)
Backzeit	50–60 Minuten
	den Stollen sofort nach dem Backen mit der Hälfte von
100 g zerlassener Butter	bestreichen, mit der Hälfte von
50 g Puderzucker	bestäuben, etwas abkühlen lassen, den Vorgang wiederholen.

Spritzgebäck (mit Eigelb)

beliebt

250 g Margarine oder Butter	mit Handrührgerät mit Rührbesen auf höchster Stufe geschmeidig rühren, nach und nach
250 g Zucker	
2 Pck. Vanillin-Zucker	
3 Eigelb	
1 Prise Salz	
1 Pck. Feine Zitronenschale oder Orangenfrucht	unterrühren, so lange rühren, bis eine gebundene Masse entstanden ist
500 g Weizenmehl	mit
2 gestr. TL Backpulver	mischen, sieben, 2/3 abwechselnd portionsweise auf mittlerer Stufe mit
gut 1 EL Milch	unterrühren
	den Rest des Mehls auf der Arbeitsfläche unterkneten, den Teig durch einen Fleischwolf mit Spezialvorsatz spritzen, in Stücke von beliebiger Länge schneiden, als Stangen und Kränze auf ein Backblech legen
Ober-/Unterhitze	170–200 °C (vorgeheizt)
Heißluft	160–180 °C (nicht vorgeheizt)
Gas	Stufe 3–4 (vorgeheizt)
Backzeit	etwa 15 Minuten.
Tip	Die Enden der erkalteten Plätzchen in aufgelöste Schokolade tauchen und mit gehackten Pistazienkernen bestreuen.

Spritzgebäck

traditionell

375 g weiche Butter	mit Handrührgerät mit Rührbesen auf höchster Stufe geschmeidig rühren, nach und nach
250 g Zucker **2 Pck. Vanillin-Zucker**	unterrühren, so lange rühren, bis eine gebundene Masse entstanden ist
500 g Weizenmehl	sieben, 2/3 davon eßlöffelweise auf mittlerer Stufe unterrühren, den Teigbrei mit dem Rest des Mehls,
125 g abgezogenen, gemahlenen Mandeln	auf der Arbeitsfläche zu einem glatten Teig verkneten, zu Rollen formen, diese in eine Gebäckpresse geben, auf ein gefettetes Backblech spritzen, nach Belieben
10 g Kakaopulver	sieben, mit
10 g Zucker	mischen, unter knapp 1/3 des Teiges kneten, etwas von dem dunklen Teig mit hellem Teig in die Gebäckpresse geben, auf ein gefettetes Backblech spritzen
Ober-/ Unterhitze	170–200 °C (vorgeheizt)
Heißluft	160–170 °C (nicht vorgeheizt)
Gas	Stufe 3–4 (vorgeheizt)
Backzeit	10–15 Minuten.

Mailänderli

	Für den Teig
125 g Butter	mit Handrührgerät mit Rührbesen auf höchster Stufe geschmeidig rühren, nach und nach
125 g gesiebten Puderzucker **1 Pck. Vanillin-Zucker** **abgeriebene Schale von 1/2 Zitrone (unbehandelt)**	unterrühren, so lange rühren, bis eine gebundene Masse entstanden ist
1 Ei, 1 Eigelb	nach und nach unterrühren
250 g Weizenmehl	sieben, 1/3 davon portionsweise auf mittlerer Stufe unterrühren, den Rest auf der Arbeitsfläche unterkneten den Teig 2–3 Stunden kalt stellen, in kleinen Portionen dünn ausrollen, Monde ausstechen, auf ein Backblech legen
1 Eigelb	mit
1 EL Wasser	verschlagen, die Teigplätzchen damit bestreichen, mit jeweils 1 von
etwa 50 g abgezogenen, halbierten Mandeln	belegen
Ober-/Unterhitze	170–200 °C (vorgeheizt)
Heißluft	150–180 °C (nicht vorgeheizt)
Gas	Stufe 3–4 (vorgeheizt)
Backzeit	etwa 10 Minuten.

Vanillekipferl

traditionell

	Für den Knetteig
250 g Weizenmehl	mit
1 Msp. Backpulver	mischen, in eine Rührschüssel sieben
125 g Zucker	
1 Pck. Vanillin-Zucker	
3 Eigelb	
200 g Margarine oder Butter	
125 g abgezogene, gemahlene Mandeln	hinzufügen (Foto 1) die Zutaten mit Handrührgerät mit Knethaken zunächst kurz auf niedrigster, dann auf höchster Stufe gut durcharbeiten, anschließend auf der Arbeitsfläche zu einem glatten Teig verkneten, sollte er kleben, ihn eine Zeitlang kalt stellen aus dem Teig bleistiftdicke Rollen formen, in 5–6 cm lange Stücke schneiden, die Enden etwas dünner rollen, als Hörnchen auf ein Backblech legen (Foto 2)
Ober-/Unterhitze	170–200 °C (vorgeheizt)
Heißluft	160–170 °C (nicht vorgeheizt)
Gas	Stufe 3–4 (vorgeheizt)
Backzeit	etwa 10 Minuten
etwa 50 g Puderzucker	sieben, mit
1 Pck. Vanillin-Zucker	mischen, die heißen Kipferl damit bestreuen (Foto 3).

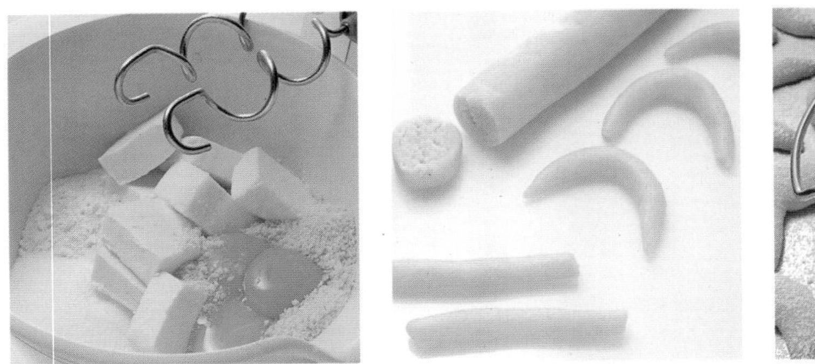

Liegnitzer
(24 Stück)

preiswert

Falls keine Backringe vorhanden sind, lassen sich Backförmchen für Liegnitzer auf einfache Weise herstellen: Alufolie so legen, daß 12 mal ein 15 cm langes Stück Folie aufeinanderliegt, auf das oberste Stück Folie 2 Kreise von jeweils 15 cm Durchmesser nebeneinander aufzeichnen, so ausschneiden, daß 24 runde Folienblätter entstehen, diese Folienblätter einzeln mit der blanken Seite auf den Boden eines umgedrehten Bechers (z.B. Joghurtbecher) legen, die überstehende Folie
fest andrücken, so daß Förmchen mit einem gleichmäßig hohen Rand entstehen, Förmchen auf ein Backblech stellen.

Für den Teig

200 g Honig oder Sirup
125 g Zucker
1 Prise Salz
65 g Margarine oder Butter
2 EL Milch

langsam erwärmen, zerlassen, in eine Rührschüssel geben, kalt stellen, unter die fast erkaltete Masse mit Handrührgerät mit Rührbesen auf höchster Stufe

2 Eier
1/4 Fläschchen Zitronen-Aroma
etwas gemahlenen Kardamom
1/2 gestr. TL gemahlene Nelken
1 schwach geh. TL gemahlenen Zimt

rühren

(Fortsetzung S. 334)

250 g Weizenmehl	mit
25 g Kakaopulver	
3 gestr. TL Backpulver	mischen, sieben, portionsweise auf mittlerer Stufe unterrühren
65 g Korinthen	
65 g abgezogene, gehackte Mandeln	
65 g gewürfeltes Zitronat (Sukkade)	
	die Zutaten auf mittlerer Stufe unter den Teig rühren, ihn auf die Folienförmchen verteilen (Foto 1)
Ober-/Unterhitze	180–200 °C (vorgeheizt)
Heißluft	160–180 °C (nicht vorgeheizt)
Gas	Stufe 3–4 (vorgeheizt)
Backzeit	10–15 Minuten
	sofort nach dem Backen das Gebäck aus den Förmchen lösen (Foto 2), erkalten lassen
175 g Aprikosenkonfitüre	durch ein Sieb streichen, mit
2 EL Wasser	unter Rühren aufkochen, das erkaltete Gebäck dünn damit bestreichen.
	Für den Guß
etwa 200 g Kuvertüre	in kleine Stücke schneiden, in einem kleinen Topf im Wasserbad bei schwacher Hitze zu einer geschmeidigen Masse verrühren, die Liegnitzer damit überziehen (Foto 3).
Tip	Statt Aprikosenkonfitüre kann auch Johannisbeergelee oder eine Sauerkirschkonfitüre verwendet werden.

Nußprinten

traditionell

Für den Belag

etwa 200 g enthäutete Haselnußkerne	halbieren.

Für den Teig

125 g Sirup (Rübenkraut)	
50 g Zucker	mit
1 Prise Salz	
50 g Margarine oder Butter	
2 EL Milch oder Wasser	langsam erwärmen, zerlassen, in eine Rührschüssel geben, kalt stellen, unter die fast erkaltete Masse mit Handrührgerät mit Rührbesen auf höchster Stufe
50 g Grümmel (gestoßener brauner Kandis)	
3 Tropfen Zitronen-Aroma	
½ gestr. TL gemahlenen Anis	
½ gestr. TL gemahlene Nelken	
½ gestr. TL gemahlenen Zimt	rühren
250 g Weizenmehl	mit
3 gestr. TL Backpulver	mischen, sieben, ⅔ davon portionsweise auf mittlerer Stufe unterrühren, den Teigbrei mit dem Rest des Mehls auf der Arbeitsfläche zu einem glatten Teig verkneten, sollte er kleben, ihn eine Zeitlang kalt stellen den Teig etwa ½ cm dick ausrollen, Rechtecke (etwa 2½ x 7 cm) daraus schneiden, auf ein gefettetes Backblech legen, die Haselnußhälften dicht auf die Teigstücke legen

Ober-/Unterhitze	170–200 °C (vorgeheizt)
Heißluft	150–180 °C (nicht vorgeheizt)
Gas	Stufe 3–4 (vorgeheizt)
Backzeit	etwa 10 Minuten.

Für den Guß

200–250 g Kuvertüre	in kleine Stücke schneiden, mit
25 g Kokosfett	in einem kleinen Topf im Wasserbad bei schwacher Hitze zu einer geschmeidigen Masse verrühren, die erkalteten Printen damit überziehen.

Spekulatius

traditionell

250 g Weizenmehl	mit
2 gestr. TL Backpulver	mischen, in eine Rührschüssel sieben
250 g Zucker 1 Pck. Vanillin-Zucker 1 Tropfen Bittermandel-Aroma 1 Msp. gemahlenen Kardamom 1 Msp. gemahlene Nelken ½ gestr. TL gemahlenen Zimt 1 Prise Salz 1 Ei 100 g Margarine oder Butter 50 g abgezogene, gemahlene Mandeln	hinzufügen die Zutaten mit Handrührgerät mit Knethaken zunächst kurz auf niedrigster, dann auf höchster Stufe gut durcharbeiten, anschließend auf der Arbeitsfläche zu einem glatten Teig verkneten, sollte er kleben, ihn eine Zeitlang kalt stellen den Teig dünn ausrollen, mit beliebigen Formen (vor allem Tierformen) ausstechen, auf ein Backblech legen werden Holzmodel benutzt, den Teig in die gut bemehlten Model drücken (Foto 1), den überstehenden Teig abschneiden oder mit einem Draht vom Model abziehen (Foto 2), die Spekulatiusstücke aus dem Model schlagen (Foto 3)
Ober-/Unterhitze	180–200 °C (vorgeheizt)
Heißluft	160–180 °C (nicht vorgeheizt)
Gas	Stufe 3–4 (vorgeheizt)
Backzeit	etwa 10 Minuten.
Tip	Als Abwandlung die Spekulatius vor dem Backen auf der Unterseite mit Wasser bestreichen, in abgezogene, gehobelte Mandeln drücken.

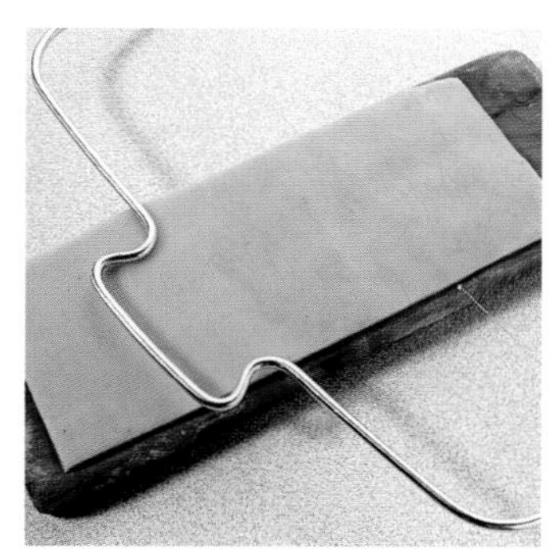

Pfefferkuchenplätzchen

traditionell

250 g Weizenmehl	mit
2 gestr. TL Backpulver	mischen, in eine Rührschüssel sieben
175 g Zucker 1 Pck. Vanillin-Zucker 1 Msp. gemahlenen Zimt 1 Msp. gemahlene Nelken 1 Msp. geriebene Muskatnuß 6 Tropfen Zitronen-Aroma 100 g Honig 1 Eigelb 2 EL Milch 125 g Margarine oder Butter 1 Pck. Pudding-Pulver Schokoladenspeise mit gehackten Mandeln 125 g gemahlene Haselnußkerne	hinzufügen, die Zutaten mit Handrührgerät mit Knethaken zunächst kurz auf niedrigster, dann auf höchster Stufe gut durcharbeiten, anschließend auf der Arbeitsfläche zu einem glatten Teig verkneten, sollte er kleben, ihn eine Zeitlang kalt stellen, den Teig dünn ausrollen, mit beliebigen Formen Plätzchen ausstechen, auf ein gefettetes Backblech legen, mit
1 verschlagenen Eiweiß	bestreichen, nach Belieben mit
Schokoladenstreuseln Hagelzucker gehackten Haselnuß- oder Walnußkernen abgezogenen, gehackten Mandeln feingewürfeltem Orangeat oder Zitronat	bestreuen
Ober-/Unterhitze	180–200 °C (vorgeheizt)
Heißluft	160–180 °C (nicht vorgeheizt)
Gas	Stufe 3–4 (vorgeheizt)
Backzeit	8–10 Minuten.
Abwandlung	Einen Teil der Plätzchen nicht bestreichen und bestreuen, sondern nach dem Backen mit gefärbtem Puderzucker verzieren.

Johannistaler

	Für den Teig
250 g Weizenmehl	mit
2 gestr. TL Backpulver	mischen, in eine Rührschüssel sieben
100 g Zucker	
1 Pck. Vanillin-Zucker	
1 Ei	
125 g Margarine oder Butter	hinzufügen die Zutaten mit Handrührgerät mit Knethaken zunächst kurz auf niedrigster, dann auf höchster Stufe gut durcharbeiten, anschließend auf der Arbeitsfläche zu einem glatten Teig verkneten, sollte er kleben, ihn eine Zeitlang kalt stellen den Teig dünn ausrollen, mit einer runden Form (Ø etwa 5 cm) Plätzchen ausstechen, die Hälfte davon nochmals ausstechen (Ø 2 cm), so daß Ringe entstehen Plätzchen und Ringe auf ein Backblech legen
Ober-/Unterhitze	180–200 °C (vorgeheizt)
Heißluft	150–180 °C (nicht vorgeheizt)
Gas	Stufe 3–4 (vorgeheizt)
Backzeit	6–8 Minuten das Gebäck erkalten lassen.
	Für den hellen Guß
200 g gesiebten Puderzucker	mit
1 EL Rum	
2–3 EL Wasser	zu einer dickflüssigen Masse verrühren.
	Für den dunklen Guß
100 g Puderzucker	mit
etwa 1 EL Kakaopulver	sieben, mit
etwa 1 EL Wasser	zu einer dickflüssigen Masse verrühren, in ein Pergamentpapiertütchen füllen vor dem Zusammensetzen jeweils 1 Ringplätzchen mit hellem Guß bestreichen, sofort mit dem braunen Guß einen Ring darauf spritzen, mit einem nassen Messer mehrere Male vom Rand aus zur Mitte (nach Belieben auch entgegengesetzt) leicht durch den Guß ziehen jeweils 1 Plätzchen auf der Unterseite mit
rotem Johannisbeergelee	bestreichen, den Ring darauf legen.

Honigkuchen

einfach

	Für den Teig
250 g Honig	
125 g Margarine	
oder Butter	in einem Topf unter Rühren langsam erwärmen, zerlassen, in eine Rührschüssel geben, kalt stellen, unter die fast erkaltete Masse mit Handrührgerät mit Rührbesen auf höchster Stufe
2 Eier	
1 Pck. Lebkuchengewürz	
1 Pck. Feine Zitronenschale	rühren
375 g Weizenmehl	mit
1 Pck. Backpulver	
2 TL Kakaopulver	mischen, sieben, eßlöffelweise auf mittlerer Stufe unterrühren
100 g Korinthen	
100 g gemahlene	
Haselnußkerne	unterrühren
	den Teig auf ein gut gefettetes Backblech streichen, mit
etwas Milch	bestreichen, mit
100 g abgezogenen,	
gehobelten Mandeln	bestreuen
Ober-/Unterhitze	etwa 170 °C (vorgeheizt)
Heißluft	etwa 150 °C (nicht vorgeheizt)
Gas	etwa Stufe 3 (vorgeheizt)
Backzeit	etwa 20 Minuten.
	Zum Aprikotieren
5 EL Aprikosen-	
Maracuja-Konfitüre	durch ein Sieb streichen, den Kuchen sofort nach dem Backen damit bestreichen, erkalten lassen.
	Für den Guß
200 g Halbbitter-	
Schokolade	in kleine Stücke brechen, mit
25 g Kokosfett	in einem kleinen Topf im Wasserbad bei schwacher Hitze zu einer geschmeidigen Masse verrühren, auf den erkalteten Kuchen streichen, nach Belieben garnieren, wenn der Guß fest geworden ist, den Kuchen in beliebig große Stücke schneiden, in einer gut schließenden Dose aufbewahren.

Für die Brot- und Brötchenbäckerei gibt es eine Vielzahl an Möglichkeiten bezüglich der Zutaten als auch bei den Herstellungstechniken.

Die Grundzutat ist Getreide, ob Weizen oder Roggen, ob als Vollkornmehl oder Auszugsmehl. Für die Teiglockerung werden unter anderem Triebmittel wie Sauerteig und Hefe eingesetzt.

Die Brotform hängt von der Konsistenz des Teiges ab und ob in einer Form (z. B. Kastenform) oder auf einem Backblech gebacken wird. Wird das Brot ohne Form „frei" gebacken, muß der Teig etwas fester sein. Aus dem Teig können dann längliche oder runde Brotlaibe geformt werden.

Verschiedene Körner, Gewürze oder Getreideflocken müssen vor dem Backen auf das Brot gestreut werden.

Während des Backvorganges sollte man eine Schale mit Wasser mit in den Backofen stellen, dies verhindert ein Austrocknen des Teiges.

Um eine krosse Kruste zu erhalten, muß das Brot kurz vor Beendigung der Backzeit mit Wasser bestrichen werden.

Sonnenblumenkern-Brötchen

(Foto Seite 342/343 – 12-14 Stück)

für Gäste

300 g Weizen, fein gemahlen	
200 g Roggen, fein gemahlen	beide Zutaten in eine Rührschüssel geben, mit
1 Pck. Trockenhefe	sorgfältig vermischen
1 TL Zucker	
1 geh. TL Salz	
375 ml (3/8 l) lauwarmes Wasser	
125 g Sauerteig (vom Bäcker)	hinzufügen die Zutaten mit Handrührgerät mit Knethaken zunächst auf niedrigster, dann auf höchster Stufe in etwa 5 Minuten zu einem glatten Teig verarbeiten, kurz vor Beendigung der Knetzeit
100 g ohne Fett geröstete Sonnenblumenkerne	unterarbeiten (einen Eßlöffel zum Garnieren zurückbehalten) den Teig zugedeckt an einem warmen Ort so lange stehen lassen, bis er sich sichtbar vergrößert hat, ihn leicht mit Mehl bestäuben, aus der Schüssel nehmen, auf der Arbeitsfläche kurz durchkneten, dabei zu einer Rolle formen, in 12–14 Stücke schneiden, jedes Teigstück rund formen die Brötchen auf ein gefettetes Backblech legen, mit Wasser bestreichen, die zurückgelassenen Sonnenblumenkerne auf die Brötchen verteilen, etwas andrücken, nochmals so lange an einem warmen Ort gehen lassen, bis sie sich sichtbar vergrößert haben
Ober-/Unterhitze	200–220 °C (vorgeheizt)
Heißluft	170–180 °C (nicht vorgeheizt)
Gas	etwa Stufe 4 (vorgeheizt)
Backzeit	etwa 30 Minuten.
Abwandlung	Sonnenblumenkerne durch geschälte Kürbiskerne austauschen.

Zwiebel-Curry-Brot

für Gäste

	Für den Hefeteig
500 g Weizenmehl (Type 1050)	in eine Rührschüssel geben, mit
1 Pck. Trockenhefe	sorgfältig vermischen
2 TL Zucker	
1 TL Salz	
1 ½ TL Currypulver	
etwas Paprikapulver edelsüß	
250 ml (¼ l) lauwarme Milch	
50 g zerlassene, abgekühlte Butter	hinzufügen die Zutaten mit Handrührgerät mit Knethaken zunächst auf niedrigster, dann auf höchster Stufe in etwa 5 Minuten zu einem glatten Teig verarbeiten den Teig zugedeckt so lange an einem warmen Ort stehen lassen, bis er sich sichtbar vergrößert hat
200–250 g Zwiebeln	abziehen, in feine Würfel schneiden den Teig leicht mit Mehl bestäuben, aus der Schüssel nehmen, auf der Arbeitsfläche nochmals kurz durchkneten, dabei die Zwiebelwürfel unterkneten, den Teig zu einer länglichen Rolle formen, auf ein mit Backpapier belegtes Backblech legen, den Teig mehrere Male schräg etwa 1 cm tief einschneiden
1 Eigelb	mit
1 EL Milch	verschlagen, den Teig damit bestreichen, nochmals an einem warmen Ort so lange gehen lassen, bis er sich sichtbar vergrößert hat
Ober-/Unterhitze	etwa 180 °C (vorgeheizt)
Heißluft	etwa 160 °C (nicht vorgeheizt)
Gas	Stufe 3–4 (vorgeheizt)
Backzeit	etwa 45 Minuten.

Fladenbrot

traditionell

	Für den Hefeteig
250 g Weizenmehl (Type 405)	mit
250 g Weizenmehl (Type 1050)	in eine Rührschüssel geben, mit
1 Pck. Trockenhefe	sorgfältig vermischen
knapp 1 gestr. TL Salz	
1 gestr. TL Zucker	hinzufügen
150 g Joghurt	mit
300 ml Milch	erwärmen, mit
50 g Butterflöckchen	
2 Eiern	zu dem Mehlgemisch geben
	die Zutaten mit Handrührgerät mit Knethaken zuerst auf niedrigster, dann auf höchster Stufe in etwa 5 Minuten zu einem glatten Teig verarbeiten (Foto 1), den Teig zugedeckt an einem warmen Ort so lange stehen lassen, bis er sich sichtbar vergrößert hat, ihn leicht mit Mehl bestäuben, aus der Schüssel nehmen, auf der Arbeitsfläche nochmals kurz durchkneten, in 2 Teile schneiden
	jedes Teigstück etwas ausrollen (Foto 2), den Rest mit dem Handrücken je zu einem runden Fladen (etwa 2 cm dick) formen, Fladen auf ein mit Backpapier belegtes Backblech legen, mit
1 EL zerlassener Butter	bestreichen
	ein Teigstück mit
Sesamsamen	und
Korianderkörnern	bestreuen, ein Teigstück mit
Mohn	und
Kümmel	bestreuen (Foto 3)
	Teigstücke zugedeckt an einem warmen Ort nochmals so lange gehen lassen, bis sie sich sichtbar vergrößert haben
	die Fladen goldbraun backen

(Fortsetzung S. 350)

Ober-/ Unterhitze	etwa 220 °C (vorgeheizt)
Heißluft	etwa 200 °C (nicht vorgeheizt)
Gas	etwa Stufe 4 (vorgeheizt)
Backzeit	15–18 Minuten.
Tip	Einen großen Fladen backen.

Käsebrot

	Für den Hefeteig
500 g Weizenmehl (Type 550)	in eine Rührschüssel geben, mit
1 Pck. Trockenhefe	sorgfältig vermischen
1 TL Zucker	
1 TL Salz	
etwas Pfeffer	
3 EL Speiseöl	
250 ml (1/4 l) lauwarmes Wasser	hinzufügen die Zutaten mit Handrührgerät mit Knethaken zunächst auf niedrigster, dann auf höchster Stufe in etwa 5 Minuten zu einem glatten Teig verarbeiten, zugedeckt an einem warmen Ort so lange stehen lassen, bis er sich sichtbar vergrößert hat
175 g Emmentaler	in nicht zu kleine Würfel schneiden den gegangenen Teig leicht mit Mehl bestäuben, aus der Schüssel nehmen, auf der Arbeitsfläche kurz durchkneten, dabei die Käsewürfel unterkneten den Teig in eine gefettete Auflaufform (Ø etwa 20 cm) geben
75 g Emmentaler	in kleine Keile schneiden, in den Teig stecken, nochmals an einem warmen Ort gehen lassen, bis er sich sichtbar vergrößert hat
1 Eigelb	mit
1 EL Wasser	verschlagen, den Teig damit bestreichen

Ober-/Unterhitze	etwa 200 °C (vorgeheizt)
Heißluft	170–180 °C (nicht vorgeheizt)
Gas	Stufe 3–4 (nicht vorgeheizt)
Backzeit	etwa 50 Minuten das Käsebrot aus der Form nehmen, nach Belieben warm oder kalt servieren.

Muffins

traditionell

Für den Hefeteig

500 g Weizenmehl (Type 405)	in eine Rührschüssel sieben, mit
1 Pck. Trockenhefe	sorgfältig vermischen
50 g Zucker	
1 Pck. Vanillin-Zucker	
1 Prise Salz	
2 Eier	
1 Eiweiß	
250 ml (1/4 l) lauwarme Schlagsahne	hinzufügen die Zutaten mit Handrührgerät mit Knethaken zunächst auf niedrigster, dann auf höchster Stufe in etwa 5 Minuten zu einem Teig verarbeiten den Teig zugedeckt so lange an einem warmen Ort stehen lassen, bis er sich sichtbar vergrößert hat, ihn leicht mit Mehl bestäuben, aus der Schüssel nehmen, auf der Arbeitsfläche nochmals kurz durchkneten, dabei zu einer Rolle formen, diese in 12 gleich große Stücke teilen, zu Kugeln formen, in gefettete, kleine Auflaufförmchen (Ø 7,5 cm) legen
1 Eigelb	mit
1 EL Milch	verschlagen, den Teig damit bestreichen, nochmals so lange an einem warmen Ort stehen lassen, bis er sich sichtbar vergrößert hat, die Förmchen auf dem Rost in den Backofen schieben
Ober-/Unterhitze	etwa 170 °C (vorgeheizt)
Heißluft	etwa 150 °C (nicht vorgeheizt)
Gas	Stufe 3–4 (nicht vorgeheizt)
Backzeit	25–30 Minuten nach Belieben Muffins mit
Puderzucker	bestäuben, noch warm servieren.
Beigabe	Butter und Konfitüre.
Tip	Statt der Auflaufförmchen kann auch eine Muffins-Form verwendet werden.

Weißbrot

beliebt

	Für den Hefeteig
500 g Weizenmehl (Type 405)	in eine Rührschüssel sieben, mit
1 Pck. Trockenhefe	sorgfältig vermischen
1 gestr. TL Zucker 1 schwach geh. TL Salz 2 Eier 1 Eigelb etwa 100 ml lauwarme Milch 1 Becher (150 g) Crème fraîche	hinzufügen (Foto 1) die Zutaten mit Handrührgerät mit Knethaken zunächst auf niedrigster, dann auf höchster Stufe in etwa 5 Minuten zu einem glatten Teig verarbeiten (Foto 2), zugedeckt an einem warmen Ort so lange stehen lassen, bis er sich sichtbar vergrößert hat den Teig kurz durchkneten, in eine gefettete, mit
Semmelbröseln	ausgestreute Kastenform (30 x 11 cm) geben, nochmals an einem warmen Ort gehen lassen, bis er sich sichtbar vergrößert hat den Teig der Länge nach etwa 1 cm tief einschneiden (nicht drücken, Foto 3), mit Wasser bestreichen
Ober-/Unterhitze	170–200 °C (vorgeheizt)
Heißluft	etwa 160 °C (nicht vorgeheizt)
Gas	Stufe 3–4 (nicht vorgeheizt)
Backzeit	40–50 Minuten.
Abwandlung	Unter den Teig 150 g Rosinen kneten.

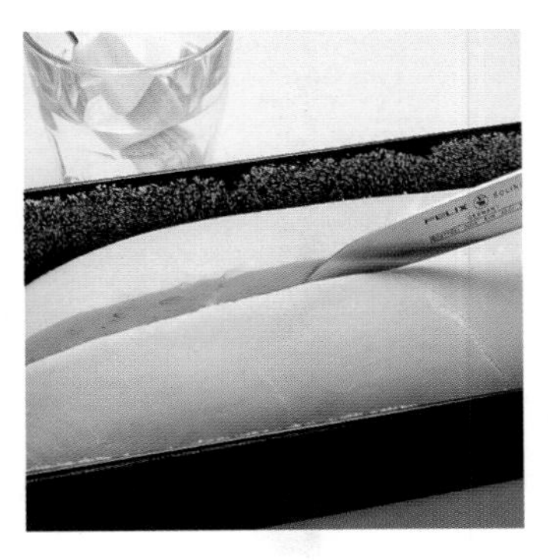

Bagels

raffiniert

Für den Hefeteig

450 g Weizenmehl (Type 405)
50 g Speisestärke mischen, in eine Rührschüssel sieben, mit
1 Pck. Trockenhefe sorgfältig vermischen
1 TL Salz
3 TL braunen Zucker
300 ml lauwarmes Wasser hinzufügen
die Zutaten mit Handrührgerät mit Knethaken zunächst auf niedrigster, dann auf höchster Stufe in etwa 5 Minuten zu einem Teig verarbeiten
den Teig zugedeckt so lange an einem warmen Ort stehen lassen, bis er sich sichtbar vergrößert hat, ihn leicht mit Mehl bestäuben, aus der Schüssel nehmen, auf der Arbeitsfläche nochmals kurz durchkneten, dabei zu einer Rolle formen, diese in 12 gleich große Portionen teilen (Foto 1), zu Kugeln formen, während der Weiterverarbeitung mit feuchtem Tuch abdecken

Wasser in einem genügend großen breiten Topf (2/3 voll) zum Kochen bringen
jede Teigkugel mit bemehltem Zeigefinger in der Mitte bis auf die Arbeitsfläche eindrücken (Foto 2), den Finger kreisförmig bewegen, um das Loch zu vergrößern, den Teigring so lange um den Finger kreisen lassen, bis der Durchmesser des Loches etwa ein Drittel des Gesamtdurchmessers beträgt

mehrere Teigstücke in das schwach kochende Wasser geben, etwa 1 Minute nicht zugedeckt darin lassen (Foto 3), bis sie sich aufzublähen beginnen

(Fortsetzung S. 356)

	die Teigstücke mit einem Schaumlöffel herausnehmen, abtropfen lassen, auf ein gefettetes Backblech legen
1 Eigelb	verschlagen, die Teigringe damit bestreichen, nach Belieben mit
Hagelsalz, Sesamsamen, Mohn	bestreuen, sofort backen
Ober-/Unterhitze	200–220 °C (vorgeheizt)
Heißluft	180–200 °C (nicht vorgeheizt)
Gas	Stufe 3–4 (vorgeheizt)
Backzeit	etwa 15 Minuten (Bagels sollen goldgelb, nicht braun sein).
Beigabe	Geräucherter Lachs, Hüttenkäse.

Zwiebel-, Speck- oder Kräuterbrötchen

für Gäste

	Für den Hefeteig
200 g Weizenmehl (Type 550)	
200 g Roggenmehl (Type 1150)	in eine Rührschüssel geben, mit
1 Pck. Trockenhefe	sorgfältig vermischen
1 TL Zucker	
2 TL Salz	
1 TL gemahlenen Pfeffer	
3 EL Speiseöl	
300 ml lauwarmes Wasser	hinzufügen die Zutaten mit Handrührgerät mit Knethaken zunächst auf niedrigster, dann auf höchster Stufe in etwa 5 Minuten zu einem Teig verarbeiten.
	Für Zwiebelbrötchen
250 g Zwiebeln	abziehen, fein würfeln
30 g Butter	zerlassen, die Zwiebelwürfel darin andünsten, etwas abkühlen lassen

o d e r

für Speckbrötchen

100 g durchwachsenen Speck fein würfeln

1 EL Speiseöl erhitzen, die Speckwürfel darin auslassen, etwas abkühlen lassen

o d e r

für Kräuterbrötchen

1 kleines Bund Petersilie
1 kleines Bund Schnittlauch
1 kleines Bund Dill

die Kräuter abspülen, trockentupfen, kleinhacken bzw. kleinschneiden.

Je nach Rezept die Zutaten gegen Ende der Knetzeit unter den Teig kneten
den Teig zugedeckt so lange an einem warmen Ort stehen lassen, bis er sich sichtbar vergrößert hat, ihn leicht mit Mehl bestäuben, aus der Schüssel nehmen, auf der Arbeitsfläche nochmals kurz durchkneten, den Teig in 12 gleich große Stücke teilen, zu Brötchen formen, auf ein mit Backpapier belegtes Backblech legen, die obere Seite der Brötchen kreuzweise mit einer Schere etwa 1 cm tief einschneiden, sie nochmals an einem warmen Ort stehen lassen, bis sie sich sichtbar vergrößert haben

Ober-/Unterhitze etwa 200 °C (vorgeheizt)
Heißluft etwa 180 °C (nicht vorgeheizt)
Gas Stufe 3–4 (vorgeheizt)
Backzeit etwa 25 Minuten.

Tip Während des Backens eine Schale mit heißem Wasser auf den Boden des Backofens stellen.
Die Zwiebelbrötchen können auch mit getrockneten, gerösteten Zwiebelwürfeln zubereitet werden.

Abwandlung Nach Belieben Gewürze, z. B. gemahlenen Koriander, gemahlene Anis- oder Fenchelsamen unter den Teig geben; die Brötchen dann ohne weitere Füllung backen.

Mohnzöpfchen

(12 Stück)

für Gäste

	Für den Hefeteig
500 g Weizenmehl (Type 550)	in eine Rührschüssel geben, mit
1 Pck. Trockenhefe	sorgfältig vermischen
1 TL Zucker	
1 geh. TL Salz	
1 EL Speiseöl	
125 ml (1/8 l) lauwarme Milch	
250 ml (1/4 l) lauwarmes Wasser	hinzufügen die Zutaten mit Handrührgerät mit Knethaken zunächst auf niedrigster, dann auf höchster Stufe in etwa 5 Minuten zu einem glatten Teig verarbeiten den Teig zugedeckt an einem warmen Ort so lange stehen lassen, bis er sich sichtbar vergrößert hat, ihn leicht mit Mehl bestäuben, aus der Schüssel nehmen, auf der Arbeitsfläche nochmals kurz durchkneten, zu einer Rolle formen, in 12 Stücke schneiden von jedem Teigstück ein Drittel abnehmen, jeweils zu einer etwa 15 cm langen Rolle formen, die größeren Teigstücke jeweils zu etwa 30 cm langen Rollen formen die langen Rollen hufeisenförmig auf die Arbeitsfläche legen, jeweils eine kurze Rolle dazwischen legen, aus den drei Strängen einen Zopf flechten, die Enden fest zusammendrücken, evtl. nach hinten unter den Zopf schlagen die Teigzöpfe auf ein mit Backpapier belegtes Backblech legen, an einem warmen Ort nochmals so lange gehen lassen, bis sie sich sichtbar vergrößert haben, die Zöpfe mit Wasser bestreichen, mit
Mohn	bestreuen

Ober-/Unterhitze	200–220 °C (vorgeheizt)
Heißluft	170–180 °C (nicht vorgeheizt)
Gas	etwa Stufe 4 (vorgeheizt)
Backzeit	25–30 Minuten.
Tip	Die Zöpfchen mit Sesamsamen bestreuen.

Roggenbrot mit Salami

	Für den Hefeteig
250 g Roggen-vollkornschrot	
250 g Weizenmehl (Type 550)	in eine Rührschüssel geben, mit
1 Pck. Trockenhefe	sorgfältig vermischen
1 TL Zucker	
1 TL Salz	
250 ml (1/4 l) lauwarmes Wasser	hinzufügen die Zutaten mit Handrührgerät mit Knethaken zunächst auf niedrigster, dann auf höchster Stufe in etwa 5 Minuten zu einem glatten Teig verarbeiten, gegen Ende der Knetzeit
150 g kleingeschnittene Salami	unterkneten den Teig zugedeckt an einem warmen Ort so lange stehen lassen, bis er sich sichtbar vergrößert hat, ihn leicht mit Mehl bestäuben, aus der Schüssel nehmen, auf der Arbeitsfläche kurz durchkneten aus dem Teig 2 längliche Brote formen, auf ein gefettetes Backblech legen, nochmals so lange an einem warmen Ort gehen lassen, bis sie sich sichtbar vergrößert haben die obere Seite des Teiges mit Wasser bestreichen, mit Mehl bestäuben
Ober-/Unterhitze	etwa 200 °C (vorgeheizt)
Heißluft	etwa 180 °C (nicht vorgeheizt)
Gas	Stufe 3–4 (vorgeheizt)
Backzeit	etwa 40 Minuten.
Tip	Ein großes Brot backen.

Vollkorn-Weizenbrot

	Für den Hefeteig
425 g Weizenvollkornmehl	in eine Rührschüssel geben, mit
1 Pck. Trockenhefe	sorgfältig vermischen
1 TL Farinzucker	
knapp 2 gestr. TL Salz	
3 EL Speiseöl	
250 ml (1/4 l) lauwarmes Wasser	hinzufügen die Zutaten mit Handrührgerät mit Knethaken zunächst auf niedrigster, dann auf höchster Stufe in etwa 5 Minuten zu einem glatten Teig verarbeiten, den Teig zugedeckt an einem warmen Ort so lange stehen lassen, bis er sich sichtbar vergrößert hat, ihn mit Mehl bestäuben, aus der Schüssel nehmen, auf der Arbeitsfläche

	kurz durchkneten, aus dem Teig ein rundes Brot formen, auf ein mit Backpapier belegtes Backblech legen, nochmals an einem warmen Ort so lange gehen lassen, bis er sich sichtbar vergrößert hat
	die obere Seite des Teiges mehrere Male etwa 1 cm tief einschneiden (nicht drücken), mit Wasser bestreichen
Ober-/Unterhitze	etwa 200 °C (vorgeheizt)
Heißluft	etwa 180 °C (nicht vorgeheizt)
Gas	Stufe 3–4 (vorgeheizt)
Backzeit	etwa 45 Minuten
	das Brot während des Backens ab und zu mit Wasser bestreichen, um eine schöne Kruste zu erzielen.
Tip	2 Eßlöffel gerebelte Kräuter der Provençe unterkneten.

Brandteigbrötchen

	Für den Brandteig
250 ml (1/4 l) Wasser	
50 g Butter	
1/2 TL Salz	
frisch gemahlenen Pfeffer	
geriebene Muskatnuß	am besten in einem Stieltopf zum Kochen bringen
125 g Weizenvollkornmehl	auf einmal in die von der Kochstelle genommene Flüssigkeit schütten, zu einem glatten Kloß rühren, unter Rühren etwa 1 Minute erhitzen, den heißen Kloß sofort in eine Schüssel geben, nach und nach
3 Eier	mit Handrührgerät mit Knethaken auf höchster Stufe unterarbeiten
1/2 gestr. TL Backpulver	in den erkalteten Teig arbeiten, mit 2 Eßlöffeln 10–12 Teighäufchen auf ein gefettetes, mit
Weizenmehl	bestäubtes Backblech setzen
Ober-/Unterhitze	200–220 °C (vorgeheizt)
Heißluft	170–180 °C (nicht vorgeheizt)
Gas	Stufe 4–5 (vorgeheizt)
Backzeit	30–40 Minuten.
Beigabe	Kräuterquark.
Abwandlung	**Für Käsebrötchen**
	unter den Teig
100 g feingewürfelten Gouda	arbeiten.

Backzutaten

Ahornsirup
Saft des Zuckerahorns; wird vorwiegend in Kanada und im US-Staat Vermont gewonnen. Findet Verwendung z. B. für Backwaren (besonders für Vollwertgebäck), Konfitüren und Eiszubereitungen.

Anis
Stark aromatische Samenkörner mit süßlichem Aroma. Gemahlen verflüchtigt sich das Aroma sehr schnell. Erst kurz vor dem Gebrauch und in geringen Mengen einkaufen.

Backhefe
Biologische Triebmittel zur Teiglockerung. Als Frischhefe oder Trockenhefe im Handel. Trockenhefe hält sich im Gegensatz zu Frischhefe mehrere Monate bis zu einem Jahr frisch. Die Menge eines Päckchens reicht für 500 g Mehl.

Backpulver
Teiglockerungsmittel aus Natriumbicarbonat, einem Säureträger und einem Trennmittel. Im Teig entwickelt sich beim Backvorgang Kohlensäure, die aus dem Teig entweicht und ihn lockert.

Backoblaten
Hauchdünnes Dauergebäck (rund oder viereckig); Unterlage z. B. für Makronen oder Lebkuchen. Hergestellt aus Mehl oder Speisestärke ohne Backtriebmittel.

Bittermandeln
Steinfrucht des Bittermandelbaumes. Bitterer Geschmack mit Blausäuregehalt. Nur in kleinsten Mengen als geschmacksgebende Zutat verwenden.

Bourbon Vanille-Zucker
Echter Vanillezucker mit mindestens 5% echter Vanille. An den schwarzen Punkten erkennbar.

Eier
Eier sind eine entscheidende Zutat beim Backen. Sie werden entsprechend ihrer Frische in Güteklassen und hinsichtlich ihres Gewichtes in Gewichtsklassen eingeteilt. Gewichtsklassen sind vom Gewicht des einzelnen Eies abhängig, die Skala reicht von 1 bis 7

1 = über 70 g	5 = 50–55 g
2 = 65–70 g	6 = 45–50 g
3 = 60–65 g	7 = unter 45 g
4 = 55–60 g	

Erdnußkerne
Geschälte Kerne der Erdnußpflanze. Wie Nüsse und Mandeln verwenden.

Farin-Zucker
Gelb- bis dunkelbrauner Zucker aus Zuckerablaufsirup, z. B. für Lebkuchen oder Honigteig.

Gelatine
Als Geliermittel beim Backen z.B. für Creme-, Sahne- oder Geleefüllungen.

Grümmel
Gestoßener brauner Kandis, sehr aromatisch im Geschmack, wird bevorzugt zum Backen von Honigkuchen, Lebkuchen und Printen. Wie Hagelzucker kann er auch zum Bestreuen von Kleingebäck genommen werden.

Hagelzucker
Grob kristallisierter Zucker zum Bestreuen von Gebäck.

Haselnüsse
Früchte eines baumartigen Strauches. Sie sind in der Schale und auch als Kern erhältlich. Die

Kerne werden als Backzutat ganz, gehackt, gehobelt oder gemahlen angeboten.

Hirschhornsalz
Chemisches Triebmittel aus Ammoniumcarbonat oder aus kohlensaurem Ammonium. Bei Temperaturen über 60 °C zerfällt es in Ammoniak, Wasser und vor allem in Kohlensäure, die den Teig lockert. Besonders geeignet für flache Gebäcke wie Lebkuchen. In hohen Gebäcken kann ein Rest Ammoniak zurückbleiben. Es zersetzt sich an der Luft, deshalb das Hirschhornsalz in gut verschlossenen Behältern aufbewahren.

Honig
Naturprodukt; von Bienen erzeugt als Blütennektar mit verschiedenen Geschmacksrichtungen. Flüssige bis feste auskristallisierte Konsistenz. Besonders häufig verwendet bei der Vollwert- und Weihnachtsbäckerei. Seine Süßkraft ist geringer als die von Zucker (100 g Honig = 80 g Zucker).

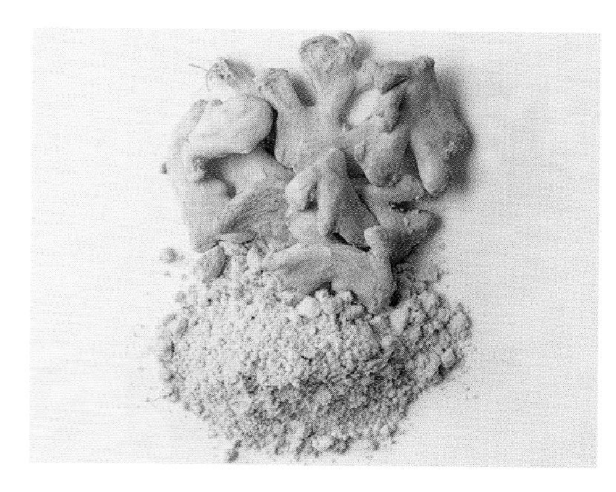

Ingwer
Gewürz aus dem Wurzelstock der Ingwerpflanze. Frisch, gemahlen, getrocknet, eingelegt in Sirup oder kandiert im Angebot. Stark würziger, leicht brennender Geschmack.

Kardamom
Getrocknete Kapselfrucht der einjährigen Kardamompflanze. Ganz oder gemahlen im Angebot. Leicht brennender, würziger Geschmack. Findet besonders bei der Weihnachtsbäckerei Verwendung.

Kartoffelmehl
Speisestärke aus Kartoffeln.

Kokosraspel
Geraspeltes Fruchtfleisch der Kokosnüsse. Begrenzt lagerfähig, da nur ungeschwefelt im Handel erhältlich.

Koriander
Gelblich-bräunliche, kugelförmige, gleichmäßig und gerippte, getrocknete Spaltfrüchte des Korianderstrauches mit süßlich, aromatischem Duft. Ganz, geschrotet oder gemahlen im Angebot; sehr beliebt für Gebäck wie z. B. Gewürzkuchen, Spekulatius, Printen, Lebkuchen.

Korinthen
Grundsätzlich ungeschwefelte, getrocknete rötlich bis violett-schwarze, kernlose Beeren einer Abart der Weinrebe. Fruchtgeschmack und Aroma sind intensiver als bei Rosinen.

Krokant
Aus geschmolzenem, karamelisiertem Zucker und mindestens 20% Nüssen und Mandeln hergestellt.

Kuvertüre
Schokoladen-Überzugsmasse in weiß oder dunkel, Halbbitter- oder Vollmilch-Geschmack. Hergestellt zum Überziehen von Gebäck, auch als Zusatz für Teige, Füllungen oder Cremes geeignet.

Mandeln
Schalenfrucht des Mandelbaumes. Geschält oder ungeschält; unzerkleinert, gehackt, gemahlen, gehobelt oder gestiftelt im Handel.

Marzipan-Rohmasse
Vorwiegend aus süßen Mandeln und Zucker hergestellt. Geeignet für Füllungen, Teige, Konfekt oder Garnituren.

Mohn
Ölhaltige Samen der Mohnpflanze; Verwendung z. B. für Füllungen oder als Teigzusatz (ganz oder gemahlen).

Muskat
Muskatblüte, Macis; roter Samenmantel, der die Nuß umhüllt. Mildes Aroma, feiner zarter Geschmack. Muskatnuß, Frucht des immergrünen Muskatbaumes. Intensiver, würziger Geschmack. Sparsam dosieren. Beide Gewürze werden ganz und gemahlen angeboten.

Nelken
Kurz vor dem Aufblühen geerntete dunkelbraune Blütenknospen des Gewürznelkenbaumes. Getrocknet, ganz oder gemahlen im Handel. Intensives Aroma mit kräftigem, leicht brennendscharfem Geschmack. Sehr sparsam dosieren.

Nougatmasse
Weiche Rohmasse aus geschälten Nußkernen, Zucker und Kakaoerzeugnissen. Wird geschmolzen oder geschmeidig gerührt als Teigzusatz, für Kuchen- und Tortenfüllungen und für Verzierungen verwendet.

Orangeat
Kandierte Fruchtschale der Pomeranze. Im Handel meist gewürfelt, aber auch in halben Schalen angeboten. Wird als Teigzusatz und zum Garnieren verwendet.

Pinienkerne
Ölhaltige Samenkerne der Pinien in den Mittelmeerländern. Im Geschmack Mandeln sehr ähnlich. Für Teige, Füllungen und Garnituren geeignet.

Pistazien
Schalenfrucht des Pistazienbaumes oder -strauches mit hellgrüner Farbe. Überwiegend entkernt angeboten, z.B. für Füllungen, Teige und Garnituren. Relativ teuer, wird nur in kleinen Mengen verwendet.

Pottasche
Chemisches Triebmittel aus Kaliumcarbonat. Weißes, geruchloses, etwas nach Lauge schmeckendes Pulver. Lockert nur in Verbindung mit Säure den Teig. Wird für Honigkuchen verwendet.

Rosenwasser
Nebenprodukt (Kondensat) bei der Gewinnung von Rosenöl. Beliebt zum Aromatisieren von Teigen und Marzipan.

Rosinen (Sultaninen)
Im Ursprungsland luftgetrocknete, helle oder dunkle, kernlose Beeren verschiedener Weinreben. Geschwefelt oder ungeschwefelt im Handel, z. B. für Teige, Füllungen und Garnituren.

Rübenkraut (Rübensirup)
Eingedickter Saft aus Zuckerrüben. Wird in der Weihnachtsbäckerei verwendet (z. B. Lebkuchen).

Safran
Getrocknete Blütenstempel einer Krokuspflanze des Mittelmeerraumes. Stark färbend. Aromatischer, leicht bitterer Geschmack; sparsam dosieren. Safran wird gemahlen in Döschen zu 0,2 g oder als Fäden angeboten.

Sahnesteif
Pulver aus besonderen Stärkeprodukten, das während des Schlagens der Sahne beigegeben wird; es hält die Sahne länger steif und verhindert vor allem das Absetzen von Flüssigkeit.

Sesamsamen
Samen der in tropischen Ländern beheimateten Sesampflanze. Zum Würzen von Backwaren, Gemüse und Salaten.

Sojamehl
Aus der hauptsächlich kultivierten Sojabohnenpflanze wird das Sojamehl gewonnen, das Gebäcken einen besonderen Geschmack gibt.

Speisestärke
Aus Mais, Weizen oder Kartoffeln hergestelltes Bindemittel für Pudding, Saucen oder Cremes. Mit Mehl vermischt zur Teigbereitung verwendbar.

Sternanis
Samenhülse des in Südchina beheimateten Würzbaumes. Im Geschmack ähnlich dem Anis. Beliebt für die Weihnachtsbäckerei, aber auch für Brot und Süßspeisen.

Sucanat
Sucanat (Vollrohrzucker) wird aus dem Zellsaft des Zuckerrohrs gewonnen und anschließend eingedickt. Der eingedickte Pflanzensaft wird getrocknet, dadurch bleiben wertvolle Mineralstoffe und Vitamine erhalten. Vollrohrzucker wird in der Vollwertbäckerei verwendet.

Sukkade
Andere Bezeichnung für Zitronat.

Tortenguß
In Päckchen abgepacktes Gelierpulver, das mit Wasser, Obstsaft oder Wein nach Anleitung zubereitet wird. Es wird in noch flüssigem Zustand über den Obstbelag von Kuchen und Torten gegeben, wo es dann zu Gelee erstarrt. Im Handel farblos (klar) und rot erhältlich.

Trockenobst
Durch den Entzug von Feuchtigkeit haben die Trockenfrüchte eine hohe Zuckerkonzentration. Trockenfrüchte werden häufig geschwefelt. Rosinen, Feigen, Datteln, Pflaumen, Aprikosen und Äpfel sind die bekanntesten Trockenfrüchte.

Vanille
Fermentierte Kapselfrucht einer im tropischen Amerika beheimateten Kletterorchidee. Verwendet wird das ausgekratzte Mark der Schote oder die ganze kleingeschnittene und vermahlene Schote. Ausgekratzte Schoten in Zucker legen und in einem (verschlossenem) Gefäß durchziehen lassen.

Vanillin-Zucker
Vanillin-Zucker ist eine Mischung aus Zucker und Vanillin. Es ist im Handel in Päckchen abgepackt erhältlich.

Walnüsse
Früchte des Walnußbaumes sind sowohl in der Schale als auch als Kerne – lose oder abgepackt – erhältlich. Aufgrund ihres hohen Ölgehaltes sind Walnüsse nur beschränkt lagerfähig. Sie sollten kühl, trocken und luftig gelagert werden und nicht zusammen mit geruchsintensiven Lebensmitteln.

Zitrone
Beim Backen wird der Saft oder die Schale dieser Zitrusfrucht verwendet. Es ist darauf zu achten, unbehandelte Früchte zu nehmen.

Zimt
Getrocknete Innenrinde des Zimtbaumes. Für die Herstellung von Gebäck ist der würzig, milde Ceylon-Zimt dem stark würzigen Kassia-Zimt (China) vorzuziehen.

Zitronat (Sukkade)
Kandierte Fruchtschale der Zitronat-Zitrone. Im Handel meist gewürfelt angeboten, aber auch als halbe Schalen. Wird als Teigzusatz und zum Garnieren verwendet.

Zucker
Aus Zuckerrüben oder Zuckerrohr gewonnener Rüben- bzw. Rohrzucker. Je nach Teig- oder Gebäckart wird Zuckerraffinade, Rohr-, Farin-, Hagel- oder Puderzucker verwendet.

Zuckerguß
Gesiebten Puderzucker mit Wasser, Zitronensaft oder etwas Eiweiß glattrühren. Nach Belieben kann der Guß mit einigen Tropfen Speisefarbe eingefärbt werden. Zuckerguß möglichst sofort nach dem Anrühren auftragen, da er schnell fest wird.

Grundsätzlich ist für jede Teigzubereitung wichtig, daß alle Backzutaten frisch und einwandfrei sind. Zu lange gelagerte und minderwertige Zutaten können das ganze Gebäck verderben.

Getreide

Getreide gehört zu den ältesten Nahrungsmitteln, die vom Menschen kultiviert wurden. Alle Getreidearten, ob Weizen, Roggen, Hafer, Gerste, Hirse usw. enthalten wertvolle Nähr- und Aufbaustoffe. Sie bilden einen wichtigen Bestandteil der menschlichen Ernährung.

Das Getreidekorn besteht aus dem **Mehlkörper,** den **Frucht- und Samenschalen** und dem **Keimling.** Der Mehlkörper besteht aus Stärkekörnern und Eiweiß. Die Zelltrennwände sind aus Zellulose. Am Rand liegt die Aleuronschicht mit besonders hohen Anteilen an Eiweiß, Mineralstoffen und Vitaminen. Frucht- und Samenschalen umhüllen den Mehlkörper und den Keimling. Sie sind aus mehreren Schichten aufgebaut und haben einen sehr hohen Anteil an Ballast- und Mineralstoffen. Der Keimling enthält neben wichtigen Vitaminen und Spurenelementen einen hohen Anteil an pflanzlichem Eiweiß und hochwertigem pflanzlichem Fett.

Von den hier abgebildeten Getreidearten hat sich in Mitteleuropa der Weizen (Bild S.371) zum wichtigsten Backgetreide entwickelt, da Mahlprodukte aus Weizen die besten Backeigenschaften aufweisen.

Weizen wird in der Feinbäckerei verwendet. Er enthält einen hohen Anteil an Klebereiweiß sowie Kalium, Phosphor, Magnesium und Vitaminen des B-Komplexes. Der Kleber nimmt etwa die dreifache Menge an Wasser auf. Beim Backen verklumpt der Kleber und bildet zusammen mit der Stärke ein elastisches Gerüst im Gebäck.

Roggen wird überwiegend zur Brotherstellung verwendet. Die Eiweißstoffe des Roggens sind weniger quellfähig. Durch Zugabe von Säure kann die Quellfähigkeit jedoch verbessert werden, deshalb werden Brotteige zusätzlich mit Sauerteig gelockert. Roggen enthält hochwertiges Eiweiß, Kalium, Phosphor, Magnesium und Kalzium.

Gerste enthält kein Klebereiweiß und ist nur in Verbindung mit anderen Getreidearten zum Backen geeignet. Sie enthält viel Eiweiß, Kalium, Phosphor, Magnesium und Vitamin B.

Hafer wird im Handel als Grütze, Mehl und Flocken angeboten. Der Vollwertigkeit wegen, sollte Nackthafer oder Sprießkornhafer zum Backen verwendet werden. Hafer ist reich an Eiweiß, Vitaminen und Mineralstoffen.

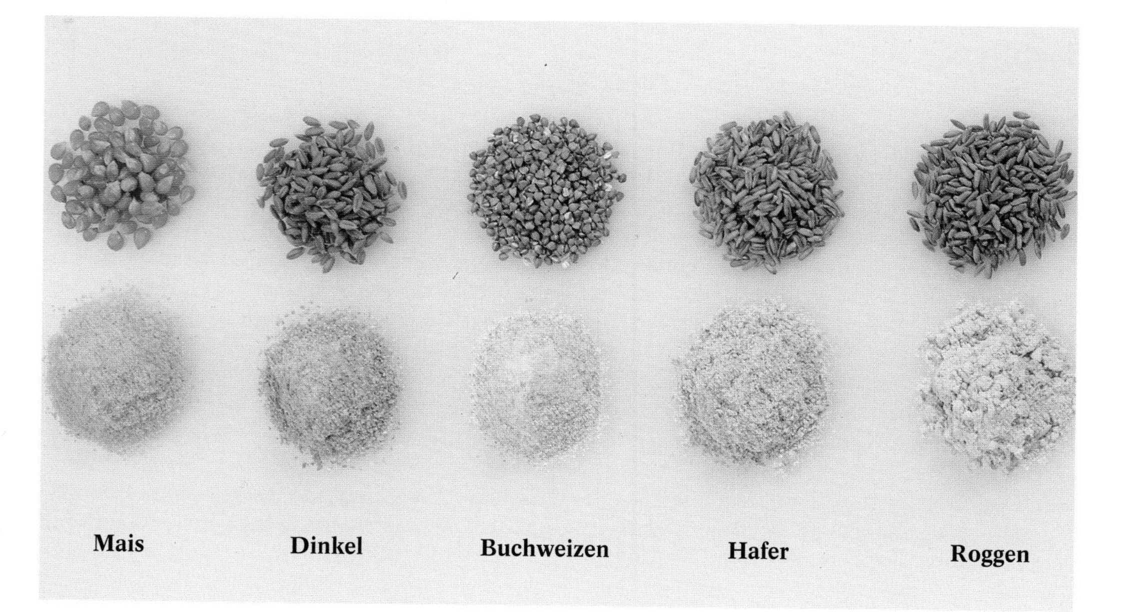

Buchweizen ist zum Backen gut geeignet, allerdings empfiehlt es sich, Buchweizen mit Weizenmehl zu vermischen. Buchweizen ist kein Getreide sondern ein Knöterichgewächs. Er ist reich an Mineralstoffen, Vitaminen und Lecithin.

Dinkel ist eine Weizenart und wird auch Spelzweizen genannt. Er enthält besonders viel Klebereiweiß, Kalzium und Phosphor. Er hat gute Backeigenschaften und ist vor allem in der Vollwertbäckerei beliebt.

Grünkern ist halbreif geernteter Dinkel. Das Getreide wird nach der Ernte vorsichtig getrocknet. Zum Backen wird es als Mehl verwendet. Grünkern enthält Kalzium und Phosphor.

Hirse wird in der Vollwertbäckerei für knuspriges Gebäck verwendet. Sie enthält Mineralstoffe, vor allem Phosphor, Magnesium, Eisen und Vitamine des B-Komplexes.

Mais ist wegen des Fehlens von Klebereiweiß nur bedingt backfähig und wird mit anderen Getreidearten vermischt.

Mehltypen

Mehl
Die Verarbeitung des Getreidekorns zum Endprodukt Mehl ist ein langer und aufwendiger Weg. Der Mahlprozeß des gereinigten und gelagerten Getreides erfordert bis zu 20 Mahlvorgänge. Es beginnt mit dem Zerkleinern des Korns auf Walzen zu Schrot. Durch Absieben entfernt man Kleie und Keimling. Durch weiteres Sieben werden die verschiedenen großen Mehlkörperteilchen nach ihrer Größe getrennt. Erneutes Zerkleinern während der folgenden Mahlstufen ergibt Grieß (je nach Weizensorte – Hartweizen- oder Weichweizengrieß). Die nächste Ausmahlungsstufe nennt man Dunst, im Handel als besonders feinkörniges, griffiges Mehl bekannt. Danach erfolgt die letzte Ausmahlung zu dem meistverbreiteten, feinen weißen Mehl der Type 405. Dieses Mehl enthält nur noch wenig Anteile der Randschichten des Getreidekorns. Weizenvollkornmehl und Mehle mit einer höheren Typenzahl (z. B. Type 1050) werden in einer der vielen Zwischenstufen gewonnen. Weizenvollkornmehl besteht aus dem ganzen Korn, also auch aus den Randschichten und dem Keimling. Die Mehle mit einer höheren Typenzahl enthalten dementsprechend auch höhere Anteile an Randschichten des Korns. Unterschiedliche Anteile an Randschichten erkennt man auch an der Farbe des Mehls besonders deutlich. Vollkornmehle sind dunkler als Auszugsmehle.

Weizenauszugsmehl der Type 405
Diese feine, hellste Mehlsorte ist das Universal-Haushaltsmehl für alle Anwendungsbereiche und wird deshalb mit großem Abstand am häufigsten verwendet. Die Weizenmehltype 405 hat eine besonders hohe Backfähigkeit, da der Anteil der im Inneren des Mehlkörpers enthaltenen Eiweißstoffe besonders groß ist. Die Eiweißstoffe quellen beim Backen in der Feuchtigkeit des Teiges: Er erhält eine gute Festigkeit und Stabilität, wird zart und feinporig.

Weizenmehl Type 550
Diese Mehlsorte hat einen etwas höheren Ausmahlungsgrad als das Weizenmehl Type 405 und eignet sich sehr gut für das Backen von Brötchen und Weißbrot (allgemein Hefeteige).

Weizenmehl Type 1050
Es enthält einen besonders hohen Anteil an Randschichten des Weizenkornes und ist deshalb reich an wertvollen Mineralstoffen, Vitaminen und Ballaststoffen. Durch die hervorragenden Backeigenschaften eignet es sich für Brot und viele andere Gebäckarten mit herzhaft kräftigem Geschmack.

Weizenvollkornmehl
Es wird aus hochwertigen, kräftigen Weizenkörnern mit der Schale gemahlen. Der hohe Schalenanteil läßt dem Mehl seinen vollen Geschmack, was es besonders wertvoll für eine gesunde Ernährung macht, und gibt ihm eine angenehm braune Farbe.

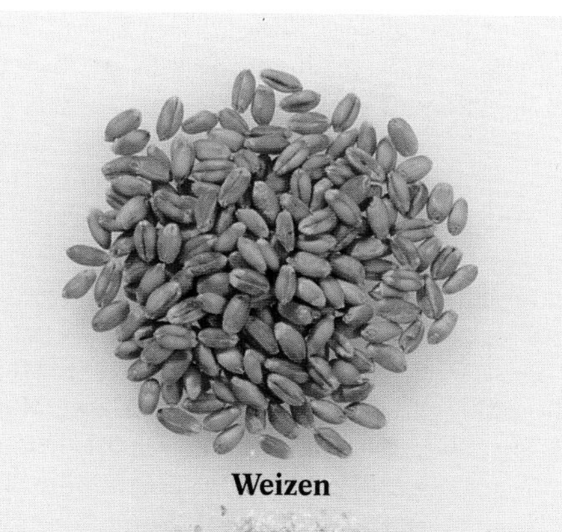

Weizen

Weizenvollkornmehl

Weizenmehl Type 1050

Weizenmehl Type 405

Weichweizen-Grieß
Er ist sehr feinkörnig, schalenfrei und wird aus Weichweizen ermahlen.

Hartweizen-Grieß
Er ist kernig, hart und herzhaft im Geschmack und wird ausschließlich aus dem hochwertigen, goldgelben Durum-Weizen gemahlen. Hartweizen-Grieß eignet sich besonders gut für Aufläufe, Klöße und Suppeneinlagen.

Roggenmehl Type 997
Dieses dunkle, kräftige Mehl ist voller wertvoller Mineralstoffe. Es enthält verdauungsfördernde Ballaststoffe und höherwertiges Eiweiß als die meisten anderen Getreidearten. Zusammen mit seinem herzhaften Geschmack wird es damit zum idealen Brotmehl (Mischbrot und Roggenbrötchen).

Roggenmehl Type 1150
Roggenmehl dieser Type kann einen Ausmahlungsgrad bis zu 90 % haben und wird auch für die Brotherstellung eingesetzt.

Roggenschrot Type 1800
Dies ist ein aus dem ganzen Korn bestehendes Mahlprodukt. Je nach Korngröße unterscheidet man zwischen Grob- und Feinschrot. Roggenschrot wird vor allem in der Brotherstellung verwendet.

Vollkornmehle und Vollkornschrote haben keine Typennummern. Die Einteilung in Typen erfolgt nur bei Weizen und Roggen, nicht bei anderen Getreidesorten (z. B. Hafer). Die Typenbezeichnung ist abhängig vom Ausmahlungsgrad, bzw. der Ausbeute vom Getreide, nicht vom Zerkleinerungsgrad beim Mahlprozeß.

Backfette

Zum Backen werden überwiegend Margarine, Butter und gelegentlich Speiseöl verwendet. Mit Ausnahme der Biskuitteige, die ihren Fettanteil durch die Eier erhalten, gibt es keinen Teig, der ohne die Zugabe von Fett zubereitet wird. Fett ist für die Teigbeschaffenheit (Konsistenz) sehr wichtig; es trägt dazu bei, daß der Teig saftig und mürbe wird, und sorgt dafür, daß die verschiedenen Aromastoffe richtig zur Geltung kommen.

Margarine
Margarine ist ebenso wie Butter ein Emulsionsfett, eine sogenannte Wasser-in-Öl-Emulsion. Diese Emulsionsfette bestehen aus Fetten, in die kleine Wassertröpfchen feinverteilt eingebettet sind. Margarine ist eine Emulsion mit ca. 80% Fett und ca. 20% Wasser. Zwar sind Wasser und Fett normalerweise nicht miteinander mischbar, aber mit Hilfe sogenannter Emulgatoren, z. B. Lecithin oder Monoglyceriden (beide sind natürliche Bestandteile von Fetten) wird die Feinverteilung ermöglicht und stabilisiert. Margarine wird vorwiegend aus pflanzlichen Rohstoffen wie z. B. Sonnenblumen- oder Sojaöl hergestellt. Jede Margarinensorte hat, u. a. bedingt durch ihre Fettzusammensetzung, ihre Konsistenz, ihren Geschmack und ihren Verwendungsschwerpunkt, unterschiedliche Rezepturen und Rohstoffe. So enthalten z. B. Pflanzenmargarinen ausschließlich pflanzliche Fette und Diät-Margarinen, die besonderen Ernährungserfordernissen dienen, haben z. B. einen höheren Anteil an mehrfach ungesättigten Fettsäuren.

Je nach Fettzusammensetzung unterscheiden sich die einzelnen Margarinen auch in ihrer Konsistenz. Würfel- oder Stangenmargarinen sind weniger streichfähig als im Becher abgepackte Sorten. Die streichfähige und geschmeidige Konsistenz der Margarine bleibt auch bei der Lagerung im Kühlschrank erhalten, so daß sie bei Bedarf sofort für die Teigzubereitung verarbeitet werden kann. Backmargarine läßt sich leicht geschmeidig rühren und verbindet sich gut mit den übrigen Backzutaten. Die Teige werden nach dem Backen feinporig und erhalten eine gleichmäßige Konsistenz.

Margarine ist bei sachgemäßer Lagerung am besten kühl bei 5–15 °C mindestens 10 Wochen haltbar. Zimmertemperatur sollte nicht überschritten werden. Angebrochene Packungen sollten zügig aufgebraucht werden.

Speiseöl
Bei der Zubereitung von Quark-Öl-Teig oder teilweise auch Hefeteig wird Speiseöl verwendet. Das Öl wird z. B. aus Sojabohnen, Sonnenblumenkernen oder Oliven gewonnen. Um den Geschmack der einzelnen Gebäcksorten nicht einseitig zu beeinflussen, ist es empfehlenswert, geschmacksneutrale Öle (z. B. Sonnenblumenöl) zu verwenden.

Weiße Fette
Die sogenannten weißen Fette bestehen zu 100% aus reinem Pflanzenfett, d. h. sie enthalten – genau wie Speiseöl – kein Wasser. Ein Pluspunkt dieser Fette ist ihre große Hitzestabilität. Weiße Fette haben einen hohen Rauchpunkt und sind deshalb zum Fritieren besonders geeignet, da bei diesen Garmethoden hohe Temperaturen für die Bräunung und eine schnelle Krustenbildung bei Fritiergut erforderlich sind. Zur Herstellung von Kuchenglasuren ist geschmacksneutrales weißes Kokosfett hervorragend geeignet.

Butter
Sie besteht aus einer Emulsion mit mindestens 82 % Milchfett und höchstens 16 % Wasser. Butter hat eine begrenzte Haltbarkeit und sollte immer kühl aufbewahrt werden. Butter behält bei der Lagerung im Kühlschrank eine feste Konsistenz. Daher muß sie vor der Verarbeitung zuerst Zimmertemperatur annehmen, um geschmeidig gerührt werden zu können.

Handrührgeräte und Küchenmaschinen

Sie sind aus einem modernen Haushalt nicht mehr wegzudenken. Alle Teige dieses Buches können Sie mit einem Handrührgerät mit Rührbesen oder Knethaken zubereiten.

Bei Verwendung einer Küchenmaschine halten Sie sich bitte an die Anleitung des Herstellers der Küchenmaschine.

Handrührgerät
Handrührgeräte sind in der überwiegenden Zahl der Haushalte anzutreffen, sie sind schnell einsatzbereit und benötigen wenig Platz.

Der Motorteil der Handrührgeräte ist unterschiedlich gestaltet. Die Umdrehungszahlen sind z. T. höher als bei der Küchenmaschine, deshalb ist z. B. Sahne in kürzester Zeit steif geschlagen. Der Motor hat jedoch meist eine geringere Belastbarkeit als der der Küchenmaschine, was sich z. B. bei schweren Brotteigen bemerkbar macht.

Zur Grundausstattung eines Handrührgerätes gehören zwei Rührbesen, zwei Knethaken und je nach Gerät ein Pürierstab. Als Sonderzubehör gibt es z. T. einen Ständer, der ein selbständiges Arbeiten des Gerätes ermöglicht, so daß die Hände zum Bedienen frei bleiben. Die Schüssel sollte sich jedoch mitdrehen, da sonst das Arbeitsergebnis nicht zufriedenstellend ist.

Küchenmaschine
Moderne Küchenmaschinen sind heute auch für kleine Küchen und Haushalte ideal. Sie sind handlich, vielseitig im Einsatz und sicher in der Bedienung. Sie stehen fest auf der Arbeitsplatte und man hat beide Hände zum Bedienen frei. Das Rühren von Teigen, Schlagen von Sahne und Kneten von schweren Brotteigen ist mit solchen Geräten mühelos.

Diese Geräte bringen Kraftersparnis. Bei richtigem Einsatz wird Zeit gegenüber der Handarbeit gespart. Der Motorblock einer Küchenmaschine hat zwei Antriebsstellen, einen Schnellantrieb für den Mixaufsatz und einen Kraftantrieb für die Rührschüssel und die übrigen Zusatzgeräte.
Universalküchenmaschinen sind je nach Fabrikat mit verschiedenen Zubehörteilen ausgestattet.
Die Grundausstattung besteht aus Rühr- und Knetwerk und manchmal aus dem Mixer. Die ein- oder zweiarmigen Rührbesen rühren Teig und schlagen Eiweiß und Sahne. Die Knethaken verarbeiten mittelschwere bis schwere Teige. Die zu den Geräten gehörigen Rührschüsseln haben ein unterschiedliches Fassungsvermögen von 2–6 kg Teig. Die Auswahl richtet sich nach der Größe des Haushalts.

Der Mixer zerkleinert, mischt, püriert und emulgiert, jedoch nur kleinere Mengen.

Zu den Geräten gibt es umfangreiches Zubehör, wie z. B. Getreidemühlen. Man sollte sich jedoch vor der Anschaffung genau überlegen, ob die Geräte auch benutzt werden.
Kleinere Küchenmaschinen gibt es in sehr unterschiedlichen Ausführungen und Ausstattungen. Die Arbeitsergebnisse sind gut, es können jedoch nur kleinere Mengen verarbeitet werden.

Herde

Backöfen und Backtemperaturen
Bei den Backöfen unterscheidet man Gas- und Elektrobacköfen, sowie zwischen Einbauherden, Einbaubacköfen und Standgeräten. Bei der Beheizungsart unterscheidet man Backöfen mit konventioneller Beheizung, d. h. Ober- und Unterhitze, mit Heißluft (Umluft), kombinierte Backöfen und Backöfen mit integrierter Mikrowelle.

Backöfen mit konventioneller Beheizung
Bei dieser Beheizung wird die Temperatur durch Ober- und Unterhitze erzeugt.
Diese Backöfen sind für alle Teige geeignet. Bevor das Gebäck in den Backofen eingeschoben wird, sollte dieser, wenn nicht anders angegeben, auf die vorgeschriebene Temperatur eingestellt und vorgeheizt werden (10–15 Minuten). Wird nicht vorgeheizt, verlängert sich die Backzeit um diese Zeit.

Backöfen mit Heißluft
Bei diesen Backöfen wird die Luft erhitzt und im Backofen durch einen Ventilator ständig umgewälzt. Dieses System ermöglicht das gleichzeitige Garen in verschiedenen Ebenen. Der Backofen wird bei niedrigeren Temperaturen betrieben als bei konventioneller Beheizung; und zwar zwischen 20–30 °C niedriger. Da die Hitze sofort das Nahrungsmittel erreicht, ist ein Vorheizen des Backofens nicht erforderlich.

Umschaltbare Backöfen
Die modernen Backöfen sind umschaltbar, d. h. der Benutzer kann an seinem Backofen zwischen Ober- und Unterhitze und Heißluft wählen.

Backöfen mit Gas
Bei dieser Beheizung ist die Wärme sofort da. Gasbacköfen gibt es auch kombiniert mit Heißluft und Grill.

Backöfen mit integrierter Mikrowelle
Zusätzlich zu den Beheizungsarten des umschaltbaren Herdes können diese auch mit Mikrowelle kombiniert werden. Der Vorteil: Durch zugeschaltete Mikrowelle wird der Garvorgang beschleunigt und gleichzeitig die gewünschte Bräunung erreicht. Diese Backöfen gibt es in folgenden Kombinationen:

- Heißluft (Umluft) mit Mikrowelle
- Ober- und Unterhitze und Heißluft (Umluft) mit Mikrowelle
- Ober- und Unterhitze mit Mikrowelle.

Beheizung und Mikrowellenbereich können einzeln, aber auch gemeinsam in Betrieb genommen werden. Hierfür sind die genauen Angaben der Hersteller zu beachten. Zum Backen ist die Mikrowelle allerdings nur bedingt geeignet.

Backtemperaturen und Einschubhöhe
Die richtig eingestellte Backtemperatur ist genauso wichtig wie die genaue Zubereitung der einzelnen Gebäcksorten. Die unter den Rezepten angegebenen Backzeiten können länger oder kürzer sein (das ist abhängig von Umständen, die auf die Verschiedenartigkeit der Herde, auf unterschiedliche Energiezufuhr und auch auf die Beschaffenheit der Zutaten zurückzuführen sind).
Es ist deshalb erforderlich, die **Anleitungen der Hersteller,** die den Herden beiliegen, genau zu beachten. Das Gebäck sollte besonders gegen Ende der Backzeit genau beobachtet werden. Mit einer Garprobe kann geprüft werden, ob das Gebäck durchgebacken ist.
Alle Teige, die in Formen gebacken werden, sollen stets auf dem Backrost stehen und nicht auf das Backblech oder auf den Boden des Backofens gestellt werden.

Hohe und halbhohe Formen werden im allgemeinen auf dem Rost auf die untere Einschubleiste und flache auf dem Rost auf die mittlere Einschubleiste geschoben. Flachkuchen, Kleingebäck, Stollen, Windbeutel und Eiweißgebäck werden im allgemeinen in die Mitte des Backofens geschoben (Kleingebäck evtl. höher einsetzen). **Maßgebend** jedoch sind die **Ausführungen** und **Anweisungen** der Herd-Hersteller.
Beim Gasherd kann – wie bereits erwähnt – eine Anzahl von Gebäcken in den kalten Backofen gesetzt werden. Darunter fallen besonders Gebäcke in hohen und mittelhohen Formen wie Napf- und Königskuchen.
Flach-, Klein- und stollenähnliche Gebäcke werden zweckmäßig im vorgeheizten Backofen gebacken, damit sie ihre Form nicht verlieren.

Backgeräte

Richtige, zweckmäßige Geräte sind sowohl für den Profi als auch für den Anfänger unentbehrliche Küchenhelfer. Gute Geräte und Hilfsmittel beeinflussen nicht unwesentlich die Backergebnisse.

Schüsseln (1) benötigt man in verschiedenen Größen. Zur Teigzubereitung, zum Schlagen von Sahne oder Eischnee benutzt man am besten Schüsseln aus stabilem Kunststoff, die an der Unterseite einen Gummiring eingearbeitet haben. Sie sind standfest und können nicht wegrutschen. Ansonsten empfiehlt es sich, ein feuchtes Tuch unter die Schüssel zu legen. Cromarganschüsseln haben eine gute Wärmeleitfähigkeit. Sie bieten sich besonders für Arbeitsabläufe über dem Wasserbad an, z. B. zum Auflösen oder Temperieren von Kuvertüre.

Wiege- und Meßgeräte (2, 3) sind von entscheidender Bedeutung, damit die Rezepturen genau nachvollzogen werden können. Unentbehrlich ist z. B. eine exakte Küchenwaage (evtl. zum Zuwiegen) sowie ein übersichtlich eingeteilter Meßbecher. Der Handel hält eine große Auswahl an Geräten bereit.

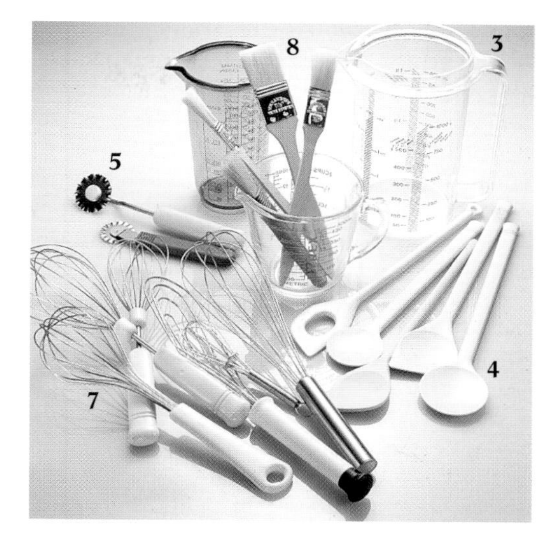

Rührlöffel (4) (günstig mit durchlochtem Blatt). Zum Rühren verschiedener Zutaten.

Teigrädchen (5) zum Ausschneiden ausgerollter Teige, die damit einen gezackten Rand erhalten.

Küchenschere z. B. zum Einschneiden von Teigen und zum Zurechtschneiden von Backpapier.

Palette (6). Dieser Metallspachtel, der einem breiten, großen aber stumpfen Messer ähnelt, wird z. B. zum Lösen angeklebter Teige beim Ausrollen genutzt. Er eignet sich zudem zum Bestreichen von Teigen mit Creme oder zum Umsetzen von Kleingebäck und Kuchen.

Schneebesen (7) in unterschiedlichen Größen, z.B. zum Schlagen von Eiern oder Cremes bzw. zum Unterheben lockerer, empfindlicher Massen.

Backpinsel (8) zum Ausfetten von Backformen, Bestreichen von Gebäck, Auftragen von Glasuren.

Kurzzeitwecker zum Einhalten der Backzeiten.

Teigschaber zum Umfüllen von Teigen aus der Rührschüssel oder zum Verstreichen von Kuchenteig in Backformen.

Mandel-/Nußmühle mit verschiedenen Einsätzen.

Teigkarte aus flexiblem Kunststoff mit der man Teig schneiden, Teigreste vom Schüsselrand entfernen und Arbeitsflächen säubern kann. Eignet sich auch zum Verzieren von Tortenrändern.

Vorsatzscheiben für den Fleischwolf, zum Zubereiten von Spritzgebäck.

Kuchenrost, ein rundes oder eckiges Metallgitter wird zum fachgerechten Auskühlen von Gebäck gebraucht. Kühlt Gebäck auf einer normalen Kuchenplatte aus, so beginnt die Bodenunterseite zu schwitzen und das Gebäck wird feucht. Kuchenroste sollten Füße haben, damit die Luft von allen Seiten an das Gebäck gelangt.

Reiben, z. B. für Zitronenschale oder Schokolade.

Spritzbeutel (9) mit verschiedenen Tüllen, z. B. zum Verzieren von Gebäck oder zum Spritzen von Teigen.

Ausstechförmchen (10) neben runden, ovalen, eckigen, glatten oder gezackten gibt es Tier- und weihnachtliche Motive sowie Zahlen für Kekse oder Weihnachtsgebäck. Der Rand muß scharf und ebenmäßig sein, damit der Teig sauber und schnell durchtrennt wird.

Siebe für Mehl, Speisestärke, Kakao, Backpulver, Puderzucker oder Konfitüre. Für kleine Mengen Mehl ist das Einhand-Mehlsieb besonders zu empfehlen.

Streuer aus Metall oder Kunststoff mit gelochtem Deckel zum Bestreuen von Kuchen oder Gebäck mit Puderzucker oder Kakao.

Teigrolle (Wellholz, Nudelholz).
Aus Holz, Marmor, Edelstahl oder Kunststoff. Zum gleichmäßigen Ausrollen von Teigen oder Zerkleinern fester Zutaten (z. B. Krokant).

Tortenscheibe aus Cromargan oder stabilem Kunststoff, z. B. zum Umsetzen von Torten oder Abheben durchgeschnittener (halbierter) Tortenböden.

Tortenteiler. Er hilft Tortenoberflächen problemlos in gleich große Stücke einzuteilen.

Backformen

Für das Backen der verschiedenen Teige und für das optimale Gelingen der Gebäcke ist das Material der verwendeten Backform mitentscheidend. Aber auch das vorhandene Herdsystem sollte beim Kauf von Backformen berücksichtigt werden.

DAS MATERIAL

Weißblechformen
Für die direkte Wärmeabgabe z. B. in Gasherden, ist Weißblech, rauhverzinnt, besonders gut geeignet. Weniger gut eignen sich Weißblechformen für Elektroherde. Weißblechformen sollten vor der ersten Benutzung einmal leer eingebacken werden, d. h., die Form etwa 30 Minuten bei hoher Temperatur in den Backofen setzen. Wichtig ist, daß Teige in Weißblechformen im Elektroherd (nicht Gasherd) auf dem Rost auf die untere Schiene in den Backofen geschoben werden, damit die Unterhitze den Teig zuerst erreicht und ein gleichmäßiges Bräunen gewährleistet.

Aluminiumformen
Aluminium ist ein korrosionsbeständiges Metall, das über eine ausgesprochene gute Wärmeleitfähigkeit verfügt. Alu-Backformen eignen sich daher für alle Herdarten gleichermaßen. Auch diese sollten vor der ersten Benutzung einmal leer bei hoher Temperatur eingebacken werden.

Schwarzlackierte Formen
Die dunklen Formen nehmen viel Hitze auf und geben sie auch sofort an den Teig weiter. Sie sind deshalb ideal für Elektro- und Heißluftherde.

Formen mit Antihaft-Beschichtung
Die zeitgemäße Antihaft-Beschichtung der Weiß- und Stahlblechformen hat sich bei allen Herdsystemen bestens bewährt. Der Kuchen läßt sich leichter aus der Form lösen.

Besonders im Trend liegen zur Zeit „schwere Backformen". Ihr professionelles Bild wird durch zwei Faktoren geprägt: erstens durch die Antihaftbeschichtung und zweitens durch die gute und schwere Materialqualität.
Dadurch wird dem Verbraucher nicht nur eine hohe Haltbarkeit der Formen garantiert, sondern auch beste Wärmeleitfähigkeit. Und das führt selbstverständlich zu guten Backergebnissen.

Keramikformen
Sie speichern die Hitze zunächst wie ein Kachelofen und geben sie erst dann an das Backgut weiter. Attraktive Keramikformen ermöglichen nicht nur kreative und phantasievolle Gebäcke, sie sind auch als Wandschmuck sehr dekorativ. Einsetzbar sind sie in allen Herdarten, wobei es sich empfiehlt, die Formen stets weit unten im Backofen einzuschieben. Formen gut fetten und mit Semmelbröseln ausstreuen.

Tonformen
Tonformen sind mit die ältesten Backformen; für süße Teige sind sie allerdings nicht zu empfehlen, da sie anbacken. Zuckerarme Teige und vor allem Brotteige lassen sich hervorragend in Tonformen backen.
Vor Gebrauch die Formen in kaltes Wasser legen und stets in den kalten Backofen schieben.

Glasformen
Wie Keramik nimmt Glas die Wärme langsam auf und gibt sie nur behutsam weiter. Das Backwerk bräunt nicht stark, die Kuchen werden aber gut durchgebacken.
Glasformen sollte man auf die unterste Schiebeleiste im Backofen stellen; vor Gebrauch gut einfetten.

Die verschiedenen Formen
Die klassischen Kuchenformen sind Napfkuchen- (Gugelhupf-), Kasten-, Tortenboden- oder Springform. Springformen werden mit einem auswechselbaren flachen Boden, aber auch mit einem zusätzlichen Rohrbodeneinsatz für Kranzkuchen angeboten. Drei bis vier Formen sollten in der Grundausstattung eines Haushalts vorhanden sein.
Zusätzlich zu den klassischen Backformen gibt es im Handel weitere traditionelle Formen, wie

z. B. Ring- oder Savarin-, Quiche- oder Pie-, Herz-, Rosetten-, Stern- oder Rehrückenformen. Weitere Motive wie Hasen, Lämmer, Tannenbäume, Muschel- oder Tierformen sind vielleicht nicht unbedingt erforderlich, doch geben sie traditionsreichen Gebäcken ein immer wieder neues, interessantes Aussehen. Sehr erfreulich – besonders für kleine Haushalte – ist, daß ein großer Teil dieser Formen auch in Miniausführung vom Handel angeboten wird. Für Kleingebäck eignen sich Tortelett-Förmchen, Schiffchen usw. Außerdem gibt es Papier-Backförmchen für den einmaligen Gebrauch.

Reinigen der Formen

Es ist am besten, die Backformen gleich nach dem Backen, sozusagen noch warm, auszuwaschen. Das geht bei beschichteten Backformen besonders problemlos. Bei hartnäckigen Backresten sollte man keinesfalls mit scharfkantigem Werkzeug der Form zu Leibe rücken, nicht an ihr kratzen oder gar scheuern. Vielmehr sollte die Form nochmals in warmes Wasser gestellt, danach ausgespült und sorgfältig abgetrocknet werden.

Tip: Backformen und Backbleche im noch warmen Backofen nachtrocknen.

Zur Grundausstattung gehören auch 1 bis 2 Backbleche. Ein Backblech wird meistens bei der Anschaffung des Backofens mitgeliefert. Dabei handelt es sich um Emaillebleche oder Schwarzbleche oder Aluminiumbleche. Besser für das Backergebnis sind jedoch Emaillebleche oder Schwarzbleche. Es lohnt sich diese nachträglich anzuschaffen.

Backbleche sind für verschiedene Gebäckarten geeignet, wie z. B. für Obstkuchen, Gebäckrollen, figürliche Gebäcke, Kleingebäck oder Plätzchen.

Backtips

Mandeln enthäuten (abziehen)
Mandeln werden meist abgezogen verwendet. Dafür die Mandeln zunächst in kochendes Wasser geben, kurz aufkochen lassen. In ein Sieb geben, mit kaltem Wasser abspülen. Die Mandeln aus den Häutchen drücken, trocknen lassen. Anschließend die Mandeln hacken, mahlen oder hobeln.

Nüsse enthäuten
Nüsse auf ein trockenes, sauberes Backblech legen, im Backofen bei etwa 200 °C so lange erhitzen, bis sich die braunen Häutchen abreiben lassen. Die heißen Nüsse in ein sauberes Küchentuch geben und die Häutchen mit Kreisbewegungen abreiben.

Nüsse und Mandeln rösten
Ganze, gehackte oder gemahlene Nüsse oder Mandeln unter ständigem Rühren ohne Fettzugabe in einer Pfanne rösten. Sie bekommen dadurch ein intensiveres Aroma. Nüsse oder Mandeln abkühlen lassen, erst dann weiterverarbeiten. Entsprechend können Sonnenblumenkerne und Sesamsamen geröstet werden.

Löffelbiskuits, Zwieback oder Krokant zerkleinern
Löffelbiskuits, Zwieback oder Krokant zum Zerkleinern in einen Gefrierbeutel füllen und mit einer Teigrolle darüber rollen. Biskuits, Zwiebäcke oder Krokant werden zerkleinert und die Brösel werden nicht überall verstreut.

Arbeitsfläche bemehlen
Beim Ausrollen des Teiges die Arbeitsfläche und die Teigrolle nur leicht bemehlen. Wird zuviel Mehl in den Teig eingearbeitet, wird er bröselig und das Gebäck trocken.

Knetteige verarbeiten
Knetteige vor der Weiterverarbeitung, z. B. eine Form auslegen, die Teige formen oder Plätzchen ausstechen, wenigstens 1/2–1 Stunde kalt stellen. Roher Knetteig kann – gut verpackt – mehrere Tage im Kühlschrank aufbewahrt oder auch tiefgekühlt werden.

Ausrollen von Teig
Alternativ zu der bemehlten Arbeitsfläche kann der Teig zwischen zwei Lagen Frischhaltefolie ausgerollt werden oder direkt auf dem Backblech, dafür die Griffe der Teigrolle abnehmen.

Tortelettförmchen auslegen
Kleine Tortelettförmchen zum Auslegen mit Teig mit weicher Margarine oder Butter (nicht mit Öl!) einfetten, eng aneinander stellen.
Den Knetteig locker über die Förmchen legen. Teig leicht in die Förmchen drücken. Mit der Teigrolle über die Förmchen rollen und die Ränder andrücken. Den Knetteig mit dem Messer rings um die Förmchen abschneiden.

Tortenboden vorbacken
Teige für Tortenböden vorbacken, damit der Teigboden knusprig bleibt und bei einem saftigen Belag nicht durchweicht. Dafür einen Teil des Teiges auf dem gefetteten Springformboden ausrollen. Mit einer Gabel mehrmals in den Teig stechen; die evtl. eingearbeitete Luft kann entweichen und der Boden bleibt flach. Mit Springformrand vorbacken. Dann erst den Teigrand zubereiten.

Tortenboden blindbacken
Teige für Torten mit Belag blindbacken: Dafür den Teig in der Größe der entsprechenden Formen ausrollen, die Teigplatte in die vorbereiteten Formen geben, mit einer Gabel mehrmals einstechen, die Form mit getrockneten Hülsenfrüchten (Erbsen oder Bohnen) füllen; der Boden bleibt flach und der Rand kann nicht herunterrutschen.

Teigplatten aufs Backblech bringen
Zerbrechliche Teigplatten lassen sich leichter auf das Backblech bringen, wenn sie über die leicht bemehlte Teigrolle gewickelt und auf dem Backblech wieder abgerollt werden.

Backformen vorbereiten
Backformen mit weicher Margarine oder Butter (nicht mit Öl!) gleichmäßig einfetten. Gugelhupf- oder Kastenform evtl. mit Weizenmehl, Semmelbröseln, Kokosraspeln, gemahlenen Nüssen oder Mandeln ausstreuen. Überschüssiges Mehl oder Semmelbrösel durch Klopfen auf die Form und Umdrehen abstoßen.

Backformen in den Backofen einschieben
Gefüllte Backformen zum Backen immer auf dem Rost in den Backofen schieben und nicht auf den Backofenboden stellen. Das Gebäck würde zu dunkel werden. Bei der Einschubhöhe die Anweisungen des Herd-Herstellers beachten.

Beim Brot- oder Brötchenbacken
Während des Backens eine feuerfeste Schale mit Wasser auf den Boden des Backofens stellen.

Garprobe machen
Die gebräuchlichste Garprobe für Gebäck ist die Stäbchenprobe: Dafür wird ein Holzstäbchen an der dicksten Stelle in den Kuchen gestochen. Ist das Hölzchen trocken und haftet kein Teig mehr daran, ist der Kuchen gar. Biskuitplatten sind gar, wenn bei Fingerdruck keine Druckstelle auf der Oberfläche zurückbleibt.
Plätzchen sind gar, wenn die Oberfläche gelblich bis goldbraun ist. Bei Hefeblechkuchen sollte die Unterseite leicht gebräunt und trocken sein. Um dies zu prüfen, den Kuchen vorsichtig mit einem breiten Messer hochheben.

Kuchen aus Formen lösen
Kuchen in Kastenformen etwa 10 Minuten abkühlen lassen, dann vorsichtig vom Backformrand lösen, stürzen oder herausnehmen. Gebäck in Springformen etwas abkühlen lassen. Springformrand lösen. Je nach Rezept Gebäck vom Springformboden abheben oder stürzen. Gebäcke in Napfkuchenformen etwa 10 Minuten stehen lassen, dann stürzen.

Gebäck auskühlen lassen
Gebäck zuerst auf einem Kuchengitter auskühlen lassen, damit der Boden nicht feucht wird. Erst danach auf die Kuchenplatte setzen.

Back- oder Pergamentpapier abziehen
Backpapier oder Pergamentpapier nach dem Backen vorsichtig abziehen, damit das Gebäck auskühlen kann.

Biskuitböden teilen
Einen Tortenboden zum Füllen mit Hilfe eines Zwirnsfadens teilen. Dafür den Tortenboden zuerst in der entsprechenden Höhe mit einem spitzen Messer einschneiden. Zwirnsfaden in den Einschnitt legen, die beiden vorderen Enden über Kreuz legen und kräftig anziehen. Dadurch wird der Tortenboden sauber geteilt.

Gebäck aprikotieren
Konfitüre mit etwas Wasser unter Rühren aufkochen und durch ein Sieb streichen. Durch das Aprikotieren haftet die Glasur besser auf dem Gebäck und hält es frisch. Außerdem verhindert die Konfitüre, daß die Glasur in den Teig dringt und ihn durchfeuchtet.

Mehrere Partien Plätzchen backen
Ist nur ein Backblech vorhanden, soll jedoch eine größere Anzahl Plätzchen gebacken werden, kann man sich folgendermaßen behelfen: mehrere Backpapierstücke in der Größe des Backblechs zuschneiden. Die Bögen mit den ausgestochenen oder geformten Teigplätzchen belegen. Die belegten Papierbögen an der flachen Seite auf das Backblech ziehen. Die Teigstücke können so nicht verrutschen und nacheinander gebacken werden.

Kuvertüre temperieren
Kuvertüre in einem kleinen Topf im Wasserbad bei schwacher Hitze langsam schmelzen, abkühlen lassen und nochmals vorsichtig erwärmen. So erhält die Gebäckoberflächen einen schönen Glanz.

Schokolade reiben oder raspeln
Soll Schokolade gerieben oder geraspelt werden, diese vorher in den Kühlschrank legen. Gut gekühlt läßt sie sich besser reiben oder raspeln.

Zitronenschale abreiben
Zum Abreiben der Zitronenschale einen Streifen Pergamentpapier über die Reibe legen, nur das Gelbe der Schale abreiben, das Weiße ist bitter. Die Zitronenschale mit einem Messer abkratzen.

Honig und Ahornsirup statt Zucker verwenden
Sollte Honig oder Ahornsirup anstelle von Zucker verwendet werden, so muß beachtet werden, daß die Zuckerangaben nicht im selben Mengenverhältnis gegen Honig oder Ahornsirup ausgetauscht werden können (100 g Honig = 80 g Zucker).

Wenige Tropfen Zitronensaft
Werden nur wenige Tropfen Zitronensaft benötigt, die Zitrone an der schmalen Seite mit einer Gabel einstechen und den Saft herauspressen. Die Zitrone kann für weitere Verwendung im Kühlschrank aufbewahrt werden.

Eier trennen
Zum Trennen von Eigelb und Eiweiß werden die Eier auf einer Kante aufgeschlagen, die Schalen auseinandergebrochen. Das Eigelb dann von einer Schalenhälfte in die andere gleiten lassen. Dabei das Eiweiß in einem darunterstehenden Gefäß auffangen.

Eiweiß steif schlagen
Eiweiß immer erst kurz vor der Verwendung steif schlagen. Wenn der Eischnee steht, verliert er seine Festigkeit und läßt sich auch nicht noch einmal aufschlagen.

Quark
Die wässrige Flüssigkeit immer in einem Sieb abtropfen lassen. Quark kann in jeder Fettgehaltsstufe (Mager- oder Sahnequark) verwendet werden.

Obst unaufgetaut in den Teig
Tiefgefrorene Beeren und Früchte kann man unaufgetaut mitbacken, vorausgesetzt die Früchte wurden einzeln eingefroren. Dazu gibt man sie lose auf einer Platte ins Gefriergerät. Sind sie gefroren, können sie zusammen in einen Beutel gesteckt werden.

Brandteig-Gebäck
wie Windbeutel oder Eclairs sofort nach dem Backen mit einer Schere oder einem Messer aufschneiden und zum Abkühlen auseinanderlegen.

Aus Brandteigresten kleine Bällchen mit auf das Backblech spritzen und backen. Später als Einlage auf herzhafte und süße Suppen geben oder zum Garnieren von Torten verwenden.

Biskuit-Semmelbrösel
Biskuitböden, die zu lange gelagert wurden und deshalb ausgetrocknet sind, zerbröseln und zum Ausstreuen von Kuchenformen und Backblechen nehmen.

Zuckerguß
Unter den Puderzuckerguß eine Prise Backpulver mischen, dann bleibt er länger streichfähig. Die Flüssigkeit (Milch oder Wasser) zum Anrühren sollte richtig heiß sein, dann bleibt der Zuckerguß besser haften.

Kleingebäck mit Glasur überziehen
Kleingebäck auf einer Gabel in die Glasur tauchen und auf einem Kuchenrost abtropfen lassen.

Gezuckerte Früchte
zum Garnieren von Torten und Kuchen. Dafür gut gekühlte Früchte, z. B. Johannisbeeren, Weintrauben oder Kirschen mit einer zu Sirup gekochten Zuckerlösung überziehen, danach mit Puderzucker bestäuben.

Marzipan-Dekorationen
Zwei Teile Marzipan-Rohmasse mit einem Teil gesiebten Puderzucker verkneten, nach Belieben mit Kakaopulver oder Speisefarbe färben. Marzipan zwischen zwei Klarsichtfolien ausrollen, verschiedene Figuren (Herzen, Sterne, Blüten) ausstechen oder ausschneiden.

Schokoladenmotive
Gelöste Kuvertüre gleichmäßig auf ein Blatt Pergamentpapier streichen, fest werden lassen. Mit kleinen Ausstechern verschiedene Motive ausstechen, vorsichtig ablösen.

Buttercreme
Die Zutaten für die Buttercreme müssen die gleiche Temperatur haben. Das heißt: Die Butter darf nicht aus dem Kühlschrank heraus verarbeitet werden, und der Pudding muß gut abgekühlt sein.

Torten verzieren
Vor dem Verzieren von Torten Backpapier oder Alufolie unter den Boden des Gebäckes legen, dann bleibt die Tortenplatte oder -spitze sauber.

Schlagsahne-Reste
Restliche steifgeschlagene Sahne als Tupfen auf Alufolie spritzen, im Gefriergerät fest werden lassen, dann im Gefrierbeutel einfrieren. Ein idealer Vorrat an Verzierungen für Torten.

Hefe
Trockenhefe ist in einem Spezialverfahren haltbar gemacht worden. Hefe braucht Wärme. Die Küche selbst sollte Wohntemperatur (etwa 22 °C) haben. Das lauwarme Wasser (Milch) ist richtig bei Körpertemperatur (37 °C).

Verfärbung von Backpulver
Die Verfärbung tritt ein, wenn Backpulver zusammen mit Gewürzen aufbewahrt wird, z. B. Vanillin-Zucker oder Zimt. Deshalb Backpulver separat aufbewahren, am besten kühl und trocken in einer fest schließenden Dose. Die Wirksamkeit des an sich weißen Backpulvers wird durch die Verfärbung nicht beeinträchtigt.

Backtips für Vollkornteige

Mehl gegen Vollkornmehl austauschen
Bei vielen Teigarten kann Mehl Type 405 nicht im selben Mengenverhältnis gegen Vollkornmehl ausgetauscht werden. Durch den Kleieanteil quillt der Teig. Die Konsistenz des Teiges wird zu fest.

Backpulvermengen bei Vollkornteigen
Bei der Verwendung von Vollkornmehl ist es günstiger, etwas mehr Backpulver bzw. Triebmittel zu verwenden. Denn wegen des Kleieanteils ist der Teig schwerer und geht nicht so leicht auf.

Backzeiten einhalten
Backzeiten bei Vollkornteigen besonders genau einhalten. Das Gebäck wird sonst schnell trocken und bröselig.

Teige formen

Hefetaschen
Hefeteig ausrollen und runde Platten von etwa 10 cm Durchmesser ausschneiden. Die Teigmitte mit etwas Füllung belegen und die Teigränder mit etwas verschlagenem Eiweiß bestreichen. Die eine Teighälfte über die Füllung klappen. Die Teigränder mit einem Löffelstielende zusammendrücken.

Windmühlen
Blätterteig dünn ausrollen, in Vierecke von 10 x 10 cm rädeln. Die Ecken etwa 5 cm bis zur Mitte einschneiden. In die Mitte eines jeden Teigvierecks eine gedünstete Aprikosenhälfte legen. Jeweils 2 gegenüberliegende Teigzipfel über die Aprikosenhälfte legen.

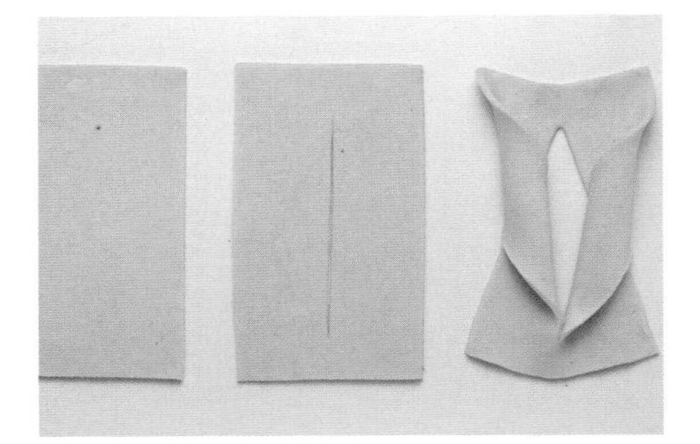

Hobelspäne
Knetteig dünn ausrollen und zu Rechtecken schneiden. Die Rechtecke in der Mitte einschneiden und ein Ende durch die Öffnung ziehen.

Hefezopf
Hefeteig in drei gleich große Portionen teilen, drei längliche, gleichmäßig dicke Rollen formen. Die Rollen nebeneinander legen, zu einem Zopf flechten. Die Enden unterschlagen.

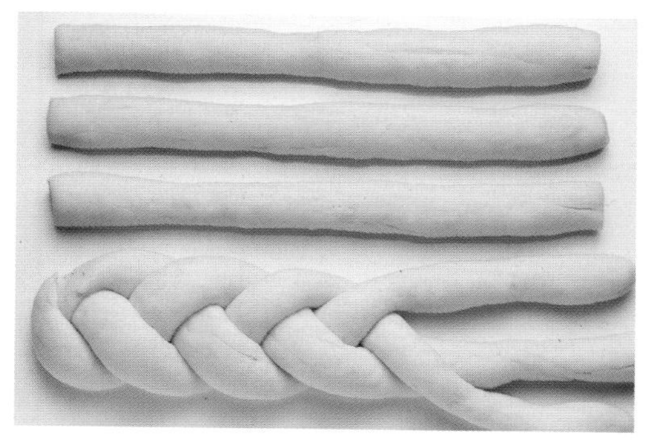

Blätterteigkuverts
Blätterteig dünn ausrollen und Quadrate von 10 x 10 cm ausschneiden. Die Mitte der Teigquadrate mit etwas Füllung belegen. Die Teigzipfel so zur Mitte legen, daß sie dort zusammenstoßen.

Hörnchen
Blätterteig zu einer Platte von 72 x 14 cm ausrollen und Dreiecke ausschneiden (die breite Dreieckseite muß jeweils etwa 12 cm lang sein). Die Ränder der Teigdreiecke mit etwas Kondensmilch bestreichen. Die breite Teigseite mit etwas Füllung belegen und die Teigstücke zu Hörnchen aufrollen.

Garnieren und Verzieren

Ein wahrer Augenschmaus und Vorgenuß sind stets farbenfroh verzierte, große und kleine Gebäcke. Der Phantasie sind dabei keine Grenzen gesetzt, denn was der Markt an Dekor- und Schokoladenprodukten, an kandierten Früchten, Mandeln, Nüssen, Kuvertüren und Marzipan anbietet, läßt der Kreativität eines jeden Hobbybäckers unendlich viel Spielraum. Aber nicht nur als Garnitur bieten sich all die Produkte an. Auch als Backzutat, Belag oder Füllungen sind sie ein ebenso wichtiger wie wohlschmeckender Bestandteil der unterschiedlichsten Gebäcke.

Einige Beispiele, was man wie machen kann, haben Sie bei den bereits vorgestellten Rezepten gesehen. Hier wollen wir Ihnen einige grundlegende Tips geben.

Zuckerglasur
200 g Puderzucker, evtl. mit etwas Kakao oder Instant-Kaffeepulver vermischt, mit etwa drei Eßlöffeln Flüssigkeit, z. B. Wasser, Zitronensaft, Fruchtsaft, Malventee oder Likör verrühren.

Eiweißglasur
200 g Puderzucker, evtl. mit etwas Kakao oder Instant-Kaffeepulver vermischt, mit 1 Eiweiß verrühren. Die Glasur nach Belieben mit Lebensmittelfarbe einfärben. Eiweißglasuren eignen sich besonders gut zum Spritzen. Dafür den Guß in Pergamentpapiertütchen füllen und damit Plätzchen, Kuchen und Torten beliebig verzieren.

Glasuren auftragen
Beim Auftragen von Glasuren auf größere Gebäckstücke, z. B. Torten, die Glasur auf die Mitte gießen und durch ein Bewegen (schräg halten) der Torte den Guß gleichmäßig auf der Oberfläche und am Rand verlaufen lassen. Dabei muß schnell gearbeitet werden, damit die Glasur erst fest wird, wenn sie gleichmäßig aufgetragen ist. Glasuren müssen die richtige Konsistenz haben, um gut haften zu bleiben und den Teig in einer glatten Schicht abzudecken. Zu dicke Glasuren lassen sich schlecht auftragen. Zu dünne Glasuren decken nicht ab und sickern in den Kuchenteig. Damit die Glasur nicht einsickert, sollte das Gebäck vorher mit Marmelade oder Konfitüre bestrichen oder mit einer dünnen Marzipandecke belegt werden. Soll Kleingebäck völlig mit Glasur überzogen werden, dieses auf eine Gabel spießen, in die Glasur eintauchen und auf einem Kuchengitter abtropfen lassen.

Gezogene Glasur
Eine Torte mit 100 g aufgelöster Kuvertüre überziehen. Puderzucker mit etwas Eiweiß zu einer spritzfähigen Masse verrühren, in ein Pergamentpapiertütchen füllen und auf den noch feuchten Guß in Form einer Spirale spritzen (von der Tortenmitte ausgehend). Durch den noch feuchten Guß mit einem spitzen Holzstäbchen in gleichmäßigen Abständen acht Mal von der Tortenmitte zum Rand und umgekehrt ziehen.

Plätzchen verzieren
Für die Plätzchen den Teig auf der Arbeitsfläche dünn ausrollen und verschiedene Motive ausstechen. Die Plätzchen backen, auskühlen lassen. Gesiebten Puderzucker mit etwas Eiweiß streichfähig verrühren. Jeweils einen Teil mit Lebensmittelfarbe beliebig färben. Die Plätzchen damit bestreichen und mit aufgeklebten Schokoladenplätzchen, Schokotröpfchen, Mokkabohnen, Zuckerblümchen, Schokoladenstreuseln, Liebesperlen oder Baisersternen verzieren.

Dekorationen aus Marzipan-Rohmasse
Für die Zubereitung von Dekorationen aus Marzipan-Rohmasse zwei Teile Rohmasse mit einem Teil Puderzucker verkneten (d.h. 100 g Marzipan-Rohmasse mit 50 g Puderzucker verkneten).
Diese Masse ist leichter zu verarbeiten und bricht oder reißt nicht.

Marzipanblätter und -blüten
Für die Marzipanmasse 100 g Marzipan-Rohmasse mit 50 g Puderzucker verkneten. Für die Blüten etwas verknetetes Marzipan mit roter Lebensmittelfarbe färben, kleine Kugeln formen, mit dem Daumennagel kleine Platten drücken und zu einer Rose anordnen. Für die

Blätter etwas verknetetes Marzipan mit grüner Lebensmittelfarbe färben und zu Rosenblättern formen. Mit einem Messerrücken Blattadern in die Blätter kerben. Aus ungefärbter Marzipanmasse einen Stiel formen. Die einzelnen Teile zu einer Rose zusammensetzen.

Selbstgemachte Schokospäne
Für selbstgemachte Schokospäne, z. B. für Schwarzwälder-Kirsch-Torte oder für Schokoladentorte 200 g dunkle Kuvertüre im Wasserbad bei schwacher Hitze zu einer geschmeidigen Masse verrühren. Die Masse auf eine glatte Fläche, z. B. eine Marmorplatte, in dünner Schicht gießen. Die erstarrte Kuvertüre mit einem Spachtel zu Spänen abschaben.

Schokolierte Früchte
Kuvertüre im Wasserbad bei schwacher Hitze zu einer geschmeidigen Masse verrühren. Früchte in die aufgelöste Kuvertüre tauchen und auf einem Kuchengitter oder Pergamentpapier trocknen lassen.

Unentbehrliche Backzutaten wie z. B. Mandeln, Nüsse, Pistazien, Krokant, Mohn, kandierte Früchte, Marzipan, Nuß-Nougat können gleichzeitig originelle Garnierungen für Fest- und Weihnachtsgebäck sein.

Für Kinderfeste werden Plätzchen und Kuchen mit Zuckerblümchen, Regenbogen-Zucker, farbiger Zuckerschrift, Streuseln, Liebesperlen usw. liebevoll verschönt. Die farbigen Blümchen und Perlen werden mit Hilfe von aufgelöster Kuvertüre, Eiweiß oder Zuckerguß auf das erkaltete Gebäck geklebt.

Pannen

... und wie man sie vermeidet

Wenn Ausbackfett schäumt ...
Bei zu schwacher Hitze kann das Fett beim Einlegen des Teiges anfangen zu schäumen. Dadurch können empfindliche Teigstücke auseinandergerissen werden. Daher vor jeder Teigzugabe prüfen, ob das Fett die richtige Temperatur hat. Sie ist richtig, wenn sich um einen eingetauchten Holzlöffelstiel Bläschen bilden.

Wenn Rosinen alle unten im Kuchen sitzen ...
Sind Rosinen nicht alle gleichmäßig im Teig verteilt, sondern sitzen auf dem Boden, war der Teig zu weich. Darauf achten, daß der Teig bei der Zubereitung schwer-reißend vom Löffel fällt.

Wenn Rührkuchen Klitschstreifen hat ...
Die Klitschstreifen entstehen fast immer dadurch, daß zuviel Milch an einen Rührteig gegeben wird. Deshalb darauf achten, daß nur so viel Milch unter den Teig gerührt wird, daß er schwer-reißend vom Löffel fällt. Niemals so viel Milch zugeben, daß der Teig fließt, die Milch nach und nach zugeben.

Wenn Rührkuchen Luftlöcher hat ...
Unregelmäßig verteilte Luftlöcher entstehen, wenn bei der Teigzubereitung während oder nach der Mehl-Backpulver-Zugabe zu stark gerührt wird. Luftlöcher können vermieden werden, wenn das Gemisch portionsweise – jeweils 2–3 Eßlöffel auf einmal – nur ganz kurz untergerührt wird.

Wenn Knetteige sich nicht ausrollen lassen ...
Ein Grund für das Mißlingen kann die verwendete Margarine sein. Wichtig ist, daß keine sogenannte „Aufstrichmargarine" oder Softmargarine verwendet wird. Am besten eignet sich normale feste Backmargarine.

Wenn Knetteige zu weich sind ...
Ist der Teig mit einem hohen Fettanteil beim Kneten zu weich geworden, stellt man ihn kalt. Enthält er dagegen zuviel Flüssigkeit durch Eier, Milch oder Wasser, kommt noch etwas Mehl darunter.

Wenn Knetteige brechen ...
Meistens fehlt Flüssigkeit, wenn der Knetteig bei der Zubereitung bricht. Der Fehler ist schnell behoben, wenn man den Teig so zusammendrückt, daß eine Vertiefung in der Mitte entsteht. In diese etwas Milch geben und mit Hilfe einer Gabel in den Teig einarbeiten. Dann läßt sich der Teig leicht verkneten.

Wenn Quark-Öl-Teig zu weich ausfällt ...
Zu feuchter Quark ist Schuld, wenn der Teig zu weich ausfällt. Der im Handel angebotene Quark ist unterschiedlich feucht. Den Quark eine Zeitlang abtropfen lassen, damit er möglichst trocken wird.

Wenn Gelatine klumpt ...
Setzt sich die Gelatinelösung bei der Zugabe in Klümpchen oder Strängen ab, ist die Masse, in die sie gegeben wird, zu kalt. Durch Temperaturausgleich läßt sich Gelatine einwandfrei verarbeiten. Zunächst 2-3 Eßlöffel von der zu steifenden Masse mit der aufgelösten Gelatine verrühren. Dieses dann unter die restliche Masse rühren.

Wenn Eiweiß sich schwer zu Schnee schlagen läßt ...
Gerät beim Trennen etwas Eigelb in das Eiweiß, läßt dieses sich schwer zu Schnee schlagen. Am schnellsten wird das Eigelb mit Hilfe einer Eierschale entfernt.

Der Kuchen wird oben zu dunkel ...
Wenn der Kuchen oben schon braun, aber innen noch nicht gar ist, deckt man ihn mit Back- oder Pergamentpapier ab.

Wenn die Rührschüssel rutscht ...
Hat die Rührschüssel keinen Gummiring an der Unterseite, beim Rühren des Teiges ein feuchtes Tuch unter die Schüssel legen, um ein Rutschen zu vermeiden.

Wenn der Obsttortenboden durchweicht ...
Flüssigkeit aus dem Obst weicht den Tortenboden auf. Das kann verhindert werden, wenn der Tortenboden gleichmäßig mit Sahnesteif bestreut wird.

Wenn die Biskuitrolle bricht ...
In den meisten Fällen ist die Rolle dann zu stark ausgebacken. Wird das Blech mit dem Teig in den auf starke Hitze vorgeheizten Ofen gescho-

ben, so reicht eine Backzeit von 10 Minuten aus, um ein gares Gebäck zu erhalten. Bleibt der Biskuit länger als nötig im Ofen, trocknet er zu sehr aus. Die Folge ist, daß er beim Aufrollen bricht.

Wenn Biskuit Wölbung hat ...
Wichtig für das Gelingen eines gleichmäßig hohen, ebenen Biskuitbodens sind die gut aufeinander abgestimmten Zutaten. Es kommt vor allem darauf an, daß ein Gemisch aus Mehl und Speisestärke verwendet wird. Statt Speisestärke kann auch die entsprechende Menge Pudding-Pulver Vanille-Geschmack genommen werden. Der Springformrand soll nicht gefettet werden, da sonst der Teig während des Backens am Rand abrutscht und dadurch das Gebäck in der Mitte höher wird.

Wenn Biskuit zusammenfällt ...
Bei der Zubereitung von Biskuitteig darauf achten, daß die vorgeschriebenen Zeiten bei Verwendung eines elektrischen Gerätes eingehalten werden. Denn zu lange geschlagene, d. h. „überschlagene" Teige gehen zunächst sehr schön auf, sind aber zu locker und fallen dann wieder zusammen.

Wenn Kuchen beim Schneiden bröckelt ...
Das Messer beim Schneiden nicht herunterdrücken, sondern „sägend" bewegen, dann wird die Schnittfläche glatt. Empfehlenswert ist ein Sägemesser.

Fachbegriffe

Abrennen oder Abbrühen
Das Erhitzen des Brandteiges vor dem Backen. Am Topfboden muß sich ein weißlicher Belag bilden.

Abschlagen
Schlagen eines Hefeteiges mit Hand, Rührlöffel oder Knethaken, bis der Teig sich von der Schüsselwand löst und Blasen wirft.

Ansatz
Anderer Begriff für Vorteig. Ein Vorteig ist bei Trockenhefe nur bei schwerem Teig, z. B. Stollen, notwendig.

Aufbacken
Erneutes Backen von Kuchen und Gebäck, das eingefroren war oder durch Lagern an Frische verloren hat, z. B. Brot. Gebäck mit Glasur eignet sich nicht zum Aufbacken.

Ausfüttern
Auskleiden einer Backform mit dünn ausgerolltem Blätter- oder Knetteig.

Besieben / Bestäuben
Bestreuen von Kuchen oder Gebäck mit Puderzucker oder Kakao mit Hilfe eines Siebes oder Streuers.

Chantilly
Französische Bezeichnung für Schlagsahne.

Dressieren
Einer Speise eine gefällige Form geben. Beim Backen versteht man darunter das Formen von Gebäckstücken mit dem Spritzbeutel.

Fettgebäck
Gebäck, das in heißem Fett ausgebacken, also fritiert wird.

Gateau
Französische Bezeichnung für Kuchen und Torten.

Germ
Österreichische Bezeichnung für Hefe.

Kneten
Vermischen von Zutaten zu einem glatten Teig. Man kann mit den Knethaken des Handrühr-

gerätes oder mit den Händen kneten. Beim Kneten mit den Händen sollte man beim Knetteig nur kurz kneten, damit der Teig nicht warm wird. Blätterteig darf nicht geknetet werden. Bleiben Reste übrig, werden sie aufeinandergelegt und erneut ausgerollt.

Meringue oder Meringe
Andere Bezeichnung für Baiser.

Nonpareille
Französische Bezeichnung für Liebesperlen.

Obers
Österreichische Bezeichnung für Sahne.

Patisserie
Französisches Wort für Konditorei und Bezeichnung für das Gebäck, das dort hergestellt wird.

Schlagrahm
Österreichisches Wort für Schlagsahne.

Schmelzen
Verflüssigen von Schokolade, Nougat-Masse oder Fett, meist über Wasserdampf.

Topfen
Österreichisches Wort für Quark.

Tränken
Einen Teigboden oder Kuchen mit Flüssigkeiten wie Fruchtsaft, Zuckerlösung oder Likör durchfeuchten oder das Gebäck hineinlegen.

Unterheben
Lockeres Untermischen einer Masse, meist Eischnee, unter eine andere Masse mit einem Kochlöffel oder Schneebesen.

Unterziehen
Langsames und vorsichtiges Einrühren und Vermischen von feinen Substanzen wie Mehl, Flüssigkeiten in einen Teig mit einem Schneebesen.

Vorheizen
Den Backofen auf die im Rezept angegebene Temperatur vorheizen. Vorheizen dauert je nach Modell 10–20 Minuten. Bei Heißluftherden ist ein Vorheizen nicht notwendig.

Wirken
Rollen und Kneten von kleinen Teigstücken, um sie zu formen und eine glatte Oberfläche zu erzielen.

Aufbewahren

Aufbewahren von Gebäck
Noch immer sind feine zarte Gebäcke in möglichst großer Auswahl ein kulinarischer Höhepunkt an den vielen Fest- und Feiertagen des Jahres. Die meisten der Kuchen, Torten und Plätzchen können Tage, ja Wochen vorher auf Vorrat gebacken werden. Sachgemäß verpackt aufbewahrt, werden sie am Tage des Verzehrs nur noch gefüllt, garniert oder verziert und dann frisch oder knusprig serviert. Hier einige Tips, wie die verschiedenen Gebäcke behandelt werden, damit sie ihre duftende Frische behalten.

Formkuchen
Formkuchen nach beendeter Backzeit aus dem Backofen nehmen, etwa 10 Minuten stehen lassen (Obstformgebäcke sofort aus der Form nehmen), bevor sie auf einen Kuchenrost gestürzt werden. Das gut ausgekühlte Gebäck in Alufolie eingewickelt aufbewahren.

Blechkuchen
Kuchen möglichst warm vom Backblech nehmen, dazu evtl. vierteln und auf einem Kuchenrost auskühlen lassen. Andernfalls schlägt sich die Feuchtigkeit aus dem Kuchen auf dem Backblech nieder und kann den Gebäckgeschmack beeinträchtigen.

Plätzchen
Alle vom Backblech genommenen Plätzchen müssen auf einem Kuchenrost zunächst gut auskühlen. Erst wenn sie völlig erkaltet sind, können sie zur Aufbewahrung verpackt werden.
Alle Plätzchen müssen kühl und trocken aufbewahrt werden.
Plätzchen, die knusprig bleiben sollen, werden in gut schließende Dosen gelegt. Plätzchen, die weich werden sollen, bleiben an der Luft stehen, bis sie die gewünschte Beschaffenheit haben, erst dann werden sie in Dosen mit lose aufgelegtem Deckel gelegt. Das Gebäck bleibt weich, wenn eine Scheibe Brot mit in die Dose gelegt wird.
Es können mehrere Sorten Gebäck gleicher Art in einer Dose aufbewahrt werden, zweckmäßigerweise jeweils durch eine Lage Alufolie oder Pergamentpapier getrennt. Dabei ist zu beachten, daß stark gewürzte Plätzchen gesondert verpackt werden müssen.

Makronengebäck
Makronen dürfen nicht zu stark ausgebacken werden. Wenn sie vom Backblech genommen werden, müssen sie sich noch weich anfühlen. Während des Auskühlens auf dem Kuchenrost trocknen die Makronen ausreichend nach und behalten ihre äußere Knusprigkeit in fest verschlossenen Dosen.

Stollen
Nach dem völligen Erkalten auf dem Kuchenrost sollte der Stollen in Alufolie eingewickelt werden. So bleibt er, wenn er kühl und trocken gelagert wird, bis zu 4 Wochen frisch, und das Aroma der Früchte und Gewürze zieht durch das ganze Gebäck.

Einfrieren von Gebäck
Es ist empfehlenswert, mit Schlagsahne oder Creme verzierte Torten vorzufrieren und erst dann zu verpacken, damit die Verzierungen nicht beschädigt werden. Gebäcke, wenn möglich, portionsweise verpacken, weil einmal aufgetautes Gebäck nicht wieder eingefroren werden sollte.
Lagerzeiten: 3 Monate, höchstens bis zu 6 Monaten. Zum Auftauen im Backofen eignen sich alle trockenen Gebäcke (z. B. Butter- oder Zuckerkuchen, unbelegte Tortenböden oder Fettgebäck), die dann sofort, noch warm serviert werden. Zum Einfrieren ungeeignet sind Eiweißgebäcke. Auftauzeit im Backofen: 5–20 Minuten, je nach Höhe des Gebäcks, bei Zimmertemperatur: 3–4 Stunden. Je nach Höhe und Art des Gebäcks benötigen Torten mit Obstfüllung oder Obst-Sahne-Torten längere Zeiten zum Auftauen (bei Zimmertemperatur) als solche nur mit Sahne. Gebäcke in angetautem Zustand schneiden.

Gebäck	**Zum Einfrieren geeignet**	**Anmerkungen**
Rührteig-Gebäck	gut	Einfrieren ohne Puderzucker-Guß, Krokant oder Obstbelag mit Tortenguß
Biskuitteig-Gebäck	gut	Verzierte Buttercreme- und Sahnetorten zunächst vorfrieren, dann erst verpacken
Knetteig-Gebäck	gut	Einfrieren ohne Puderzucker-Guß oder Obstbelag mit Tortenguß
Hefeteig-Gebäck	gut	Evtl. im Backofen bei 170 °C auftauen
Quark-Öl-Teig-Gebäck	gut	Einfrieren ohne Glasur; Gebäck, das nochmals aufgebacken wird, beim ersten Backen nicht zu dunkel werden lassen
Brandteig-Gebäck	gut	Gebäckstücke aufgeschnitten einfrieren, vor dem Füllen kurz aufbacken
Strudelteig-Gebäck	gut	Einfrieren ohne Glasur, evtl. im Backofen auftauen bei 170–180 °C, dann mit Glasur versehen
Zwillingsteig-Gebäck	gut	s. Strudelteig-Gebäck
Blätterteig-Gebäck	gut	Einfrieren mit oder ohne Füllung
Fett-Gebäck	gut	Einfrieren ohne Glasur oder Puderzucker, evtl. im Backofen bei 170–180 °C auftauen, dann mit Guß versehen oder bestäuben
Brot / Brötchen	gut	Brot aufgeschnitten einfrieren Brötchen im Backofen bei 170 °C auftauen

Rührteig

Knetteig

Hefeteig

Biskuitteig

Quark-Öl-Teig

Brandteig

Strudelteig

Zwillingsteig

Blätterteig

Eiweißgebäck

Fettgebäck

Weihnachtsgebäck

Brot

A

B

C

D

E

F

G

H

J

K

L

M

T

V

W

Z

schnell

dauert länger

für Ungeübte

für Kinder

pikant

Umwelthinweis	Dieses Buch und der Schutzumschlag wurden auf chlorfrei gebleichtem Papier gedruckt. Die Einschrumpffolie – zum Schutz vor Verschmutzung – ist aus umweltfreundlicher und recyclingfähiger PE-Folie.
Hinweis	Wenn Sie Anregungen, Vorschläge oder Fragen zu unseren Büchern haben, rufen Sie uns an (05 21) 52 06 42 oder schreiben Sie uns: Ceres Verlag Am Bach 11 33602 Bielefeld Wir antworten umgehend.

Redaktion	Carola Reich, Christine Sander
Rezeptentwicklung und -text	Versuchsküche Dr. August Oetker, Bielefeld
Titelfoto	Brigitte Wegner, Bielefeld (Foodstyling: Claudia Glünz-Wunder)
Innenfotos	Thomas Diercks, Hamburg Brigitte Wegner, Bielefeld
Umschlaggestaltung	Kontur Design, Bielefeld
Konzept	Björn Carstensen, Hamburg
Gestaltung	Kontur Design, Bielefeld
Reproduktionen	Mohndruck, Gütersloh
Satz	Typografika, Bielefeld
Druck	Mohndruck, Gütersloh

ISBN 3–7670–0327–9

Baking Pan Substitutes

Want to try a cake recipe but don't have the right pan? Here's a list of suggested stand-ins for standard-size pans. If in doubt, move to a slightly larger pan, not a smaller one, to avoid overflows (batter should fill the bottom one-half to two-thirds of the pan.)

Remember, when you change pans the baking time will vary, so check for signs of doneness; for example, when a cake tester inserted in the centre comes out clean and the top springs back when it's lightly pressed.

If you don't have this pan:	Try this pan:	Or this pan :
8-inch (1.2 L) round	8- x 4-inch (1.5 L) loaf	10 to 12 muffin cups
9-inch (1.5 L) round	8-inch (2 L) square	14 to 16 muffin cups
8-inch (2 L) square	9-inch (1.5 L) round	14 to 16 muffin cups
9-inch (2.5 L) square	two 8-inch (1.2 L) round	20 to 24 muffin cups
8- x 4-inch (1.5 L) loaf	8-inch (1.2 L) round	10 to 12 muffin cups
9- x 5-inch (2 L) loaf	11- x 7-inch (2 L) rectangle	16 to 20 muffin cups
11- x 7-inch (2 L) rectangle	9- x 5-inch (2 L) loaf	16 to 20 muffin cups or 9-inch (2.5 L) square
13- x 9-inch (3.5 L) rectangle	three 8-inch (1.2 L) round	two 9- x 5-inch (2 L) loaf or two 8-inch (2 L) square
10-inch (3 L) Bundt pan	two 9-inch (1.5 L) round	two 9- x 5-inch (2 L) loaf or two 8-inch (2 L) square

ABKÜRZUNGEN

kg	= Kilogramm
dg	= Dekagramm
g	= Gramm
l	= Liter
ml	= Milliliter
dl	= Deziliter (1/10 l)
cl	= Zentiliter (1/100 l)
EL	= Eßlöffel
TL	= Teelöffel
kJ	= Kilojoule
kcal	= Kilokalorien
E	= Eiweiß
F	= Fett
Kh	= Kohlenhydrate
F.i.Tr.	= Fett in der Trockenmasse

MENGENANGABEN

GEWICHTSMENGEN

1000 g	= 1 kg
750 g	= 3/4 kg
500 g	= 1/2 kg
375 g	= 3/8 kg
250 g	= 1/4 kg
125 g	= 1/8 kg

FLÜSSIGKEITSMENGEN

1000 ml	= 1 l
750 ml	= 3/4 l
500 ml	= 1/2 l
375 ml	= 3/8 l
250 ml	= 1/4 l
100 ml	= 1 dl
	= ca. 7 EL
15 ml	= 1 EL
10 ml	= 1 cl